L'EMPIRISME LOGIQUE

PIERRE JACOB

L'EMPIRISME LOGIQUE

SES ANTÉCÉDENTS, SES CRITIQUES

LES ÉDITIONS DE MINUIT

7, rue Bernard-Palissy, 75006 Paris

ISBN 2-7073-0303-8

Je remercie Hilary Putnam, John Murdoch et I. Bernard Cohen qui m'ont beaucoup appris. J'ai souvent et longuement discuté avec Richard Carter et Bruno Garofalo. Enfin, nous étions six amis à écrire une thèse, à la même époque, à Cambridge, Mass., trois historiens des sciences, deux économistes et moi. Nous nous racontions notre travail. Marie-Paule Donsimoni, Ray Kondratas, Robert McCormick, Joseph Maline et Heraklis Polemarchakis s'en souviendront.

Je suis reconnaissant à la Fondation Harkness ainsi qu'à la Fritz Thyssen Stiftung et à la D. G. R. S. T. de m'avoir respectivement accordé une bourse entre septembre 1973 et juin 1975, et pour l'année 1979-1980. Celle-ci m'a été octroyée notamment grâce au concours de la Fondation de la Maison des sciences de l'homme.

Enfin je remercie Jacques Mehler de son encouragement.

Préface

> Un Français qui arrive à Londres trouve les choses bien changées en philosophie comme dans tout le reste. Il a laissé le monde plein, il le trouve vide ; à Paris on voit l'univers composé de matière subtile ; à Londres on ne voit rien de cela... Chez vos cartésiens tout se fait par une impulsion qu'on ne comprend guère, chez M. Newton c'est par une attraction dont on ne connaît pas mieux la cause.
>
> Voltaire, *Lettres philosophiques*

Les Français n'aiment pas la philosophie analytique. Pour eux, c'est un produit typiquement anglo-saxon, que se disputent la logique et la linguistique, l'empirisme et le positivisme. A quoi bon se demander s'il est absurde ou s'il est faux de dire que la sœur du garçon qui est fils unique est la fille de ma voisine qui est veuve et dont le mari tient une pharmacie ? La philosophie analytique ressemblerait à cette énigme stérile : un voyageur parvient à la croisée de deux chemins, dont l'un mène à un village dont tous les habitants disent la vérité et l'autre à un village dont tous les habitants mentent. Le voyageur qui désire se rendre dans le premier village ne sait quel chemin emprunter. Il rencontre un homme, dont il ignore s'il dit vrai ou s'il ment. Peut-il, en une seule question, déterminer le chemin qui lui permettra d'atteindre son but [1] ? Au pays de Descartes et de Poin-

1. Il y a deux questions possibles. Le voyageur peut demander à son interlocuteur : « Si je demandais à un habitant de votre village où se trouve le village des gens qui disent tous la vérité, que me répondrait-il ? » Supposons que l'interlocuteur habite le village des gens qui disent la vérité. Alors il indiquerait tout bonnement le bon chemin à suivre. Mais s'il habitait le village des menteurs, alors il mentirait deux fois : il rapporterait en mentant le mensonge d'un habitant quelconque de son

caré, la logique élémentaire ennuie. Devenue technique, elle rebute.

Pour la philosophie des sciences française qui se réclame de Gaston Bachelard, hors l'histoire, il n'y a pas d'épistémologie possible ; et l'histoire continue n'est pas l'histoire authentique. L'épistémologie post-bachelardienne a donc deux ennemis : l'empirisme et le positivisme. Le premier escamoterait la « rupture » entre le sens commun et les sciences ; le second effacerait les discontinuités qui scandent l'histoire des sciences.

Pour un historien-philosophe de la trempe de Georges Canguilhem [2], « le positivisme se fonde sur une loi des trois états qui est une loi de progrès, c'est-à-dire, selon Auguste Comte, de développement continu dont la fin est au commencement ». Que Canguilhem ne se réfère qu'à Auguste Comte, c'est son droit. Qu'il entende le mot « positivisme » dans un sens différent de celui que lui donnent Carnap, Reichenbach, Ayer, Popper ou Quine, pour qui il désigne à la fois les tentatives de construction d'un langage de la science en termes de données sensorielles et l'espoir d'éliminer la métaphysique, grâce à l'analyse logique, nul ne saurait le lui contester. Mais pourquoi, si le positivisme consiste à croire au progrès continu des sciences, lui imputer deux doctrines supplémentaires : que les sciences auront une fin et que cette fin est « préformée » à leur début ?

A lire certaines pages de Michel Foucault, on croirait même que le positivisme au sens de Canguilhem et la phénoménologie transcendantale ont fomenté quelque complot pour retarder l'inéluctable avènement d'une science historique, c'est-à-dire d'une pensée de la discontinuité. Selon lui [3], la continuité « serait pour la souveraineté de la conscience un abri privilégié (...), le corrélat indispensable à la fonc-

village. Mais deux mensonges, comme une double négation, reviennent à dire la vérité. L'autre question possible consiste à demander : « Si je demandais à un habitant de l'autre village où se trouve le village des menteurs, que me répondrait-il ? » Si l'interlocuteur dit vrai, il rapportera sans mentir un mensonge. Si l'interlocuteur ment, il rapportera une phrase vraie en mentant. Donc il mentira. A la première question, l'interlocuteur, quel qu'il soit, répond donc par la vérité. A la seconde question, il répond donc par un mensonge.

2. G. Canguilhem, 1975, p. 186.

3. M. Foucault, 1969, p. 16-22.

tion fondatrice du sujet. (...) Faire de l'analyse historique le discours du continu et faire de la conscience humaine le sujet originaire de tout devenir et de toute pratique, ce sont les deux faces d'un même système de pensée. (...) Pour l'histoire dans sa forme classique, le discontinu était à la fois le donné et l'impensable ». Qui eût cru que Jean-Paul Sartre n'était qu'un Auguste Comte réincarné et déguisé ?

Pour l'épistémologie post-bachelardienne, la modernité est suspendue à la naissance d'une science historique. Mais quel est l'enjeu réel de la controverse sur le continu et le discontinu ? Ne serait-ce pas, comme le dit malicieusement Michel Serres [4], « de substituer au vocabulaire moral (...) des progrès continus de l'esprit le lexique politique du combat gagné d'un coup, à un moment donné ou calculé, sur un adversaire à détruire ; au vocabulaire de la réforme, celui de la révolution » ?

L'épistémologie du discontinu serait-elle purement et simplement une ligne politique ? C'est ce que suggère Louis Althusser [5], pour qui la philosophie, qui n'a ni objet ni histoire, énonce des « thèses », lesquelles ne sont ni vraies ni fausses, mais politiquement justes ou injustes, comme les guerres. Dans une guerre juste, tous les moyens sont bons — comme en témoigne la croisade contre l'empirisme, dont le sens, en français, n'a jamais tout à fait cessé d'évoquer le charlatanisme de ceux qui, comme disait l'*Encyclopédie* de Diderot et d'Alembert [6], « traitent des maladies par de prétendus secrets, sans avoir aucune connaissance de la médecine ». Pourquoi ne pas qualifier d' « empiristes » ces attardés mentaux qui croient encore que le concept de chien aboie ou que la classe des pissenlits est un pissenlit ? Mieux vaut cependant assurer ses arrières et décréter que, « dans son sens le plus large », « le procès empiriste de la connaissance » — selon lequel connaître, c'est ôter « l'écorce qui recouvre l'amande, la peau qui recouvre le fruit, le voile qui recouvre la fille, la vérité, le dieu, ou la statue » — « peut embrasser aussi bien un empirisme rationaliste qu'un empi-

4. M. Serres, 1972, p. 214.
5. L. Althusser, 1969, *passim*.
6. Article « Empirique ».

risme sensualiste, et qu'on le retrouve à l'œuvre dans la pensée hégélienne elle-même[7] ».

La politique favorise la dramatisation. Pour l'épistémologie post-bachelardienne, Marx, Nietzsche et Freud ont causé un tel « choc », infligé une « blessure » tellement profonde à « la pensée occidentale[8] » que notre époque « risque d'apparaître un jour comme marquée par l'épreuve la plus dramatique et la plus laborieuse » jamais offerte à « l'histoire de la culture humaine[9] ». Quelle est donc la subversion accomplie par les prophètes de notre temps ? Ils nous ont fait découvrir et apprendre le sens des gestes les plus simples de l'existence : voir, écouter, parler, lire — « ces gestes qui mettent les hommes en rapport avec leurs œuvres, et ces œuvres retournées en leur propre gorge que sont leurs "absences d'œuvres"[10] ». Ils « nous ont remis en présence d'une nouvelle possibilité d'interprétation », d'une nouvelle « herméneutique » ; ils ont reconstitué « sous nos yeux quelque chose que Marx d'ailleurs lui-même appelait des "hiéroglyphes"[11] ».

Pour l'épistémologie post-bachelardienne, la faute impardonnable de l'empirisme est de croire qu'il existe des faits. Comment, après Bachelard, peut-on ne pas savoir que les faits sont toujours « construits » ? Il n'y a pas de faits : il y a des signes, à déchiffrer. La science est une lecture « symptomale » : dans la plénitude du texte de leurs prédécesseurs, Galilée ou Marx relèvent les non-dits, qui se donnent à voir à qui sait lire entre les lignes, c'est-à-dire dans les blancs, dont l'absence silencieuse donne tout son sens au texte. Les herméneutes post-barchelardiens parlent le langage de la théologie chrétienne : ils déchiffrent le sens mystérieux, toujours absent (comme le corps du Christ) dans la présence pleine d'un texte, lequel ne prend sa signification (comme le morceau de pain) que rapporté, comme un signe, au sens absent.

Malgré les apparences, l'épistémologie post-bachelardienne

7. L. Althusser, 1968, p. 38-41.
8. M. Foucault, 1967, p. 185.
9. L. Althusser, 1968, p. 12.
10. *Ibid.*, p. 12.
11. M. Foucault, 1967, p. 185.

et l'existentialisme, qui ne s'aiment pas, ont un point commun : le nihilisme. Le pour-soi sartrien, condamné à la liberté, n'avait pas d'autre choix que de choisir sans raisons. Pour l'épistémologie post-bachelardienne, qui est une herméneutique, la science est une lecture, puisque le monde ne se compose pas de faits mais de signes. Comme le culte de Marx, Nietzsche et Freud exclut que les hiéroglyphes aient été déposés par Dieu, ils ne peuvent symboliser que l'insatiable désir de la volonté de puissance. Une théorie scientifique est une lecture. Toute lecture est une interprétation, qui sert un pouvoir (une idéologie, une classe ou un sexe). Autrement dit, les théories scientifiques n'ont d'autres raisons d'être que celles que leur confèrent les intérêts de classe ou la volonté d'exclure l'Autre. Autant dire qu'elles sont irrationnelles.

Si l'on transpose à l'ensemble des connaissances scientifiques l'interprétation nietzschéenne de l'histoire de la médecine, de la psychiatrie et des systèmes pénitentiaires, on conclura par induction que le développement scientifique est entièrement soumis à la mise en place d'un système de pouvoir. Peut-être ce nihilisme est-il un correctif utile à un certain optimisme béat. Mais à condition qu'il reconnaisse ses propres limites.

On peut, par goût de la provocation, soutenir que toute théorie scientifique n'a d'autre raison d'être que la volonté de puissance. Mais on ne peut pas espérer en convaincre rationnellement un interlocuteur sceptique — à moins que l'épistémologue nietzschéen ne se présente comme la réfutation vivante de sa propre théorie. Le nihilisme épistémologique, qui est un relativisme intégral, est incohérent. Il prétend que toute vérité est relative — au pouvoir d'une idéologie, d'une classe, ou de sa catégorie socio-politique favorite. Donc, s'il avait raison, il devrait prendre *sa* vérité pour *la* vérité. Mais, en proclamant la relativité de toute vérité, il affirme en passant la relativité de la sienne. Son assertion est donc antinomique : il s'élève au-dessus de sa vérité à l'instant même où il prétend que c'est impossible.

Ce nihilisme n'a rien à voir avec la relativité culturelle au sens de l'ethnologue ou de l'historien. Ceux-ci observent des cultures distantes de la leur dans l'espace et dans le temps. Leur description est relative à leur culture de référence. Les cultures décrites sont relatives à l'environnement qui les entoure, aux faits disponibles et à l'ensemble des croyances qu'elles nourrissent. Contrairement au nihilisme, ni l'ethnologue ni l'historien n'excluent l'existence des faits susceptibles de départager les descriptions qu'ils proposent.

De ce que personne ne peut s'élever au-dessus de son propre schème conceptuel, que conclure ? Que toutes les époques et toutes les cultures sont, au regard de l'observateur, dénuées de rationalité ? L'observateur en conclura par induction que sa description est irrationnelle.

Contrairement à ce que croient les herméneutes post-bachelardiens, si Dieu n'existe pas, tout n'est pas permis. Et, ce dont témoigne ce prétendu dilemme, c'est de la répugnance qu'inspire le darwinisme aux philosophes français. Jamais ils n'admettront que la culture scientifique est, elle aussi, le résultat d'une évolution biologique. Ils continueront de préférer aux tâtonnements décrits par la théorie darwinienne de l'évolution par sélection naturelle les déterminismes sociologiques et politiques. La théorie de la relativité, la mécanique quantique, la théorie des nombres ne sont pas le produit plus ou moins aléatoire de l'utilisation des capacités cognitives de l'espèce humaine, confrontée aux contraintes de l'environnement. Ce sont les instruments de domination d'une fraction de la société sur le reste de la population, soumise à sa volonté de puissance. Pour l'épistémologie sociopolitique, ce qui prime, ce sont les stratégies grâce auxquelles s'instaurent les différences et les inégalités sociales et sexuelles. Dans l'interprétation parisienne de l'incurable « blessure » infligée à la pensée occidentale par Marx, Nietzsche et Freud, l'herméneutique (politique et sexuelle) vole au secours d'un tabou catholique en péril : l'homme n'est pas un animal. La philosophie française des sciences n'est plus en retard que d'une révolution copernicienne.

Pour son malheur, Darwin était anglais. Le darwinisme, qui est aux antipodes de la sémiotique, n'aura pas eu l'honneur de figurer parmi les prophètes de l'épistémologie française. Pourtant, si l'homme est un animal, l'épistémologie doit un jour ou l'autre, s'interroger sur ses rapports avec la théorie de l'évolution par sélection naturelle : quel avantage sélectif la théorie quantique des particules atomiques peut-elle conférer à l'espèce humaine ? Ceux qui n'aiment pas le darwinisme ont sans doute leurs raisons — mais on est en droit de leur demander une autre solution : peut-être, après tout, Dieu a-t-il bien créé l'univers en six jours, avant de prendre un repos mérité le dimanche...

De quelle infirmité congénitale souffre donc les auteurs anglo-saxons ? Lorsque Canguilhem suggère qu' « en matière d'histoire et d'épistémologie » le statut d' « interlocuteur français privilégié des historiens et des épistémologues anglo-saxons de la lignée analytique [12] » a été décerné à Duhem (représentant positiviste de l'histoire continue) plutôt qu'à Koyré (partisan des ruptures historiques), il prolonge inutilement un état de guerre fictif. Les analystes anglo-saxons, historiens ou philosophes des sciences, ne font pas le siège de l'épistémologie post-bachelardienne. Mais, peut-être est-ce une tactique de ralliement efficace que de sonner le tocsin, en s'inventant de redoutables adversaires.

La philosophie des sciences peut-elle, même de nos jours, n'être pas strictement historique, ni ne pas se réduire à la politique ? C'est ce que prétendent les logiciens anglo-saxons — lesquels ne sont d'ailleurs pas plus anglo-saxons qu'allemands, autrichiens et polonais.

Aucune fatalité n'assujettit les logiciens au positivisme. Les choix rationnels se limitent-ils aux démonstrations tracées à la craie blanche sur les tableaux noirs des mathématiciens ou aux discussions des expériences de laboratoire entre des physiciens et des chimistes en blouse blanche ? C'est ce qu'ont soutenu les positivistes logiques du Cercle de Vienne, par conviction morale plus que par nécessité logique. Il y a d'ailleurs un puritanisme salutaire dans la doctrine positiviste qui astreint le discours sensé au respect de la déduction et de l'expérience. Rien n'oblige les philosophes à s'intéresser aux sciences. Mais, en épistémologie, mieux vaut s'enquérir des raisons des succès de la physique avant de s'interroger sur les sciences humaines. Peut-être la physique est-elle moins puritaine que ne le croit le positivisme ; il sera toujours temps de réhabiliter la fantaisie de l'imagination.

Le maniement de la logique ou de la linguistique n'engendre pas inéluctablement la myopie ou la surdité devant

12. G. Canguilhem, 1977, p. 26.

les déchirements de notre époque. Mais, entre la philosophie analytique et l'épistémologie post-bachelardienne, l'abîme persistera tant que celle-ci rapportera religieusement ses objectifs et ses méthodes à la lutte titanesque des trois grands « maîtres du soupçon » contre les trois « H » (Hegel, Husserl et Heidegger [13]). Toute la philosophie analytique se détache sur le fond d'une aversion à l'égard de l'idéalisme allemand post-kantien, notamment de l'hégélianisme : pour elle, Kant est le dernier des grands philosophes classiques et la phénoménologie transcendantale lui est étrangère.

Comme l'a fait remarquer un observateur attentif [14], il y a au cœur de la phénoménologie husserlienne la croyance selon laquelle on peut, grâce à un « œil mental », avoir la vision d'universaux, logiques ou mathématiques, par exemple. C'est ce que Husserl nommait l' « intuition eidétique ». Quels qu'aient été les efforts de Husserl pour dissocier, sous l'effet de la critique de Frege, la démarche phénoménologique du psychologisme, la descente obscure et laborieuse du phénoménologue dans les couches sédimentées de l'ego transcendantal n'apporte aucun rayon de lumière à un philosophe nourri de Frege, de Russell, et surtout de Wittgenstein. Imaginez ce que peut penser de cette orgie égologique l'auteur des phrases suivantes [15] : « Pourquoi un chien ne peut-il pas simuler la douleur ? Est-il trop honnête ? (...) On dit qu'un chien a peur que son maître ne le batte ; mais pas que son maître ne le batte demain. Pourquoi ? »

A la démarche lourde des « géants somnolents du post-kantisme », les fondateurs de la philosophie analytique, tels des « lilliputiens », opposent « les courroies, les flèches et les cordes tranchantes de la logique, des phrases courtes et de l'anglais ordinaire [16]. »

En 1914, Russell se plaisait, avec le zèle excessif que confère le sentiment d'accomplir une révolution, à comparer ce qu'il appelait « la méthode analytique » à la méthode introduite en physique par Galilée [17] : « la substitution de

---

13. Cf. V. Descombes, 1979.
14. E. Tugendhat, 1972, p. 257.
15. L. Wittgenstein, 1953 ; trad. angl., G. E. M. Anscombe, 1953, § 250, p. 90 et § 650, p. 166.
16. M. White, 1956, p. vii.
17. B. Russell, 1914 a, p. 14.

résultats limités, détaillés et vérifiables aux grandes généralités invérifiables qui n'ont pour toute recommandation qu'une certaine attirance de l'imagination ». Pas plus que la science la philosophie n'a de méthode. Mais la philosophie analytique a un style d'argumentation : elle procède par exemples et contre-exemples.

Née un peu avant le début de ce siècle, elle est assez spacieuse pour loger Frege, Russell et Moore, Wittgenstein et Carnap, Austin et Quine, Strawson, Putnam et Dummett, Davidson et Feyerabend, Katz, Fodor et Kripke. Son mobilier se répartit sur deux étages : au premier, les meubles du sens commun. Comme dit Quine [18], « on commence avec des choses ordinaires » — les objets macroscopiques de taille moyenne, à l'existence desquels croient tous ceux qui ne sont pas philosophes. Contrairement aux microbes, aux molécules, aux atomes, aux électrons, ou à la forêt de Fontainebleau, à Paris, à la Terre, au système solaire et aux galaxies, ils sont visibles à l'œil nu ou photographiables avec un minimum de précautions. Disons que, pour les réputer réels, nous avons besoin d'une chaîne minimale d'inférences. Le second étage est peuplé de meubles plus exotiques, par exemple les significations, les propositions, les mondes possibles, que d'aucuns, comme Quine, préfèrent laisser en dépôt aux brocanteurs ou aux objets trouvés.

Dummett et Hacking ont récemment attribué à Frege la paternité véritable de la tradition analytique, en affirmant qu'avec lui l'analyse logique des significations occupe la place centrale qu'occupait, en philosophie, depuis Descartes, l' « épistémologie » (au sens anglais de théorie de la connaissance). « Que veut dire... ? » remplace « Que sais-je avec certitude ? » ou « Comment puis-je en savoir autant que j'en sais [19] ? » A mon avis, la théorie de la connaissance a plutôt perdu son caractère cartésien qu'elle n'a disparu.

Au cours du vingtième siècle, le développement scientifique a bousculé des certitudes que rien ne semblait capable d'ébranler : que la géométrie euclidienne est seule susceptible de décrire l'espace physique ; qu'à n'importe quelle

18. W. V. O. Quine, 1960, p. 1.
19. M. Dummett, 1973 ; 1978 ; et I. Hacking, 1975.

vitesse deux événements distants l'un de l'autre sont ou non simultanés ; qu'aussi profondément qu'on s'enfonce dans l'analyse de la matière les particules auront toujours une position et une vitesse déterminées. Par contre-coup, la croyance cartésienne en l'existence d'un roc de certitudes philosophiques *a priori* indubitables en a été secouée. L'un des problèmes centraux autour duquel tourne la philosophie analytique des sciences est de savoir si la logique classique subira un jour le sort qu'a connu la géométrie euclidienne.

Russell avait tort de s'enorgueillir d'avoir fait accomplir à la philosophie une révolution « galiléenne ». Mais la « méthode analytique » représente un progrès réel : elle permet de savoir, en philosophie aussi, sinon qui a raison, du moins qui se trompe. Tout le programme empiriste de réduction du langage théorique des sciences dans un langage des observations a été un échec. Mais un échec important. Peut-être seules les sciences de la nature peuvent-elles se targuer de découvrir la structure de la réalité. Lorsqu'un astronome prédit l'existence d'une planète inconnue, lorsqu'un biochimiste prédit l'existence d'une macromolécule inconnue et lorsque leurs prédictions sont expérimentalement confirmées, ils peuvent éprouver le sentiment que leurs théories décrivent la réalité. Jusqu'à présent, les sciences humaines les plus formalisées (comme l'économie mathématique), qui construisent des modèles de comportement, ne suscitent pas la même foi réaliste.

En logique, les résultats les plus décisifs, comme le théorème de Gödel sur l'incomplétude de l'arithmétique, sont souvent négatifs : ils prouvent qu'on ne pourra jamais prouver une proposition dont tout le monde croyait qu'elle serait démontrable un jour ou l'autre. La « méthode analytique » aura ainsi permis de savoir qu'on ne peut pas formuler les concepts abstraits de la physique dans le langage des données observables et qu'il est improbable qu'on puisse jamais fournir un critère d' « analyticité » grâce auquel on déterminerait si deux expressions quelconques d'une langue quelconque sont synonymes. Des progrès de ce genre ressemblent à ceux qu'avaient accomplis Hume et Kant lorsqu'ils ont respectivement montré que l'induction n'a pas de fondement logique et que la seule « justification » possible de l'induction consiste à adopter un principe *a priori*, lui-même injustifiable, comme le principe de causalité ou d'uniformité de la nature.

Les philosophes analytiques ont renoué le lien avec les sciences qu'avait dénoué l'idéalisme post-kantien. Certains biologistes comme John Eccles, Peter Medawar et Jacques Monod ont rendu hommage à la fameuse théorie de Karl Popper sur la « falsifiabilité » ou la réfutabilité des théories scientifiques. Le linguiste Noam Chomsky a fait explicitement état de sa dette à l'égard des théories de Goodman et Quine.

L'histoire commence avec Frege, donc en Allemagne. Sa *Begriffsschrift* date de 1879. Il crée la logique quantificationnelle moderne : il découvre la notation en quantificateurs et variables, grâce à laquelle il espère effectuer la réduction logiciste de l'arithmétique à la logique. En 1892, il formule la fameuse distinction entre le sens et la référence d'une expression linguistique. Autrement dit, il fonde la différence entre la sémantique intensionnelle et la sémantique extensionnelle. Il meurt en 1925, à l'âge de soixante-dix-sept ans, ignoré de la plupart des philosophes et des mathématiciens.

Husserl avait admis la validité des critiques que Frege avait formulées contre son premier livre, *La Philosophie de l'arithmétique* (1891) ; mais son œuvre ultérieure ne témoigne plus d'aucun intérêt pour les idées de Frege. Celui-ci échangea quelques lettres avec les mathématiciens Dedekind et Zermelo. Hilbert mentionna son œuvre. Mais c'est avec Russell, Wittgenstein et Carnap que cet homme taciturne et isolé noua, directement ou indirectement, ses contacts les plus significatifs.

Russell dut simultanément consoler et consterner Frege. Grâce à l'appendice, consacré aux *Lois fondamentales de l'arithmétique* de Frege, ajouté sur épreuves *in extremis* au volume de ses *Principes des mathématiques*, en 1903 ; puis en le mentionnant dans son célèbre article « Sur la dénotation », en 1905, Russell fit incontestablement connaître Frege au public anglais. Mais l'agitation affective et intellectuelle de Russell, dont les idées évoluaient alors à une vitesse vertigineuse, immerge les idées de Frege sur le sens et la référence dans une confusion considérable. Par-dessus tout, au moment où Frege mettait la touche finale à ses *Grundgesetze*, Russell lui communiquait, dans une lettre de

1902, devenue fameuse, la découverte d'un paradoxe, qui discréditait toute sa reconstruction logique de l'arithmétique (cf. chapitre II, section 1, p. 83-84). Soixante ans plus tard, Russell décrira le comportement de Frege dans les termes suivants [20] :

> Lorsque je pense à des actes d'intégrité et de grandeur, je m'aperçois que je n'en connais aucun qui puisse rivaliser avec la dévotion dont a fait preuve Frege vis-à-vis de la vérité. L'œuvre de toute sa vie était sur le point d'être achevée ; la plus grande partie de ses travaux avait été ignorée au profit d'hommes infiniment moins compétents ; son second volume était sur le point de paraître ; et, lorsqu'il découvrit que son hypothèse fondamentale était erronée, il réagit avec une satisfaction intellectuelle, en surmontant tout sentiment de déception personnelle. Ce fut presque surhumain et c'est un signe révélateur de ce dont les hommes sont capables, à partir du moment où ils s'adonnent au travail créateur et à la connaissance, au lieu de chercher plus brutalement à dominer et à se faire connaître.

Quant à Wittgenstein, qui lui rendit visite à Iéna en 1911, il lui doit le conseil d'aller étudier la logique, à Cambridge, avec Russell. Et Carnap lui doit son initiation à la logique, entre 1910 et 1914 — date à laquelle Frege, malgré ses soixante ans, n'était encore que maître-assistant à l'université d'Iéna.

Aristocrate anglais, né en 1872, vingt-quatre ans après Frege, Russell déborde au contraire d'activité et de rayonnement. Sa réputation de logicien, dévoilée par les *Principles* en 1903, est définitivement acquise en 1913, grâce à la publication des *Principia Mathematica*, dont il est le co-auteur avec Whitehead. Après la première guerre mondiale, il ne fournira plus de contributions à la logique ou aux mathématiques ; il s'intéresse de plus en plus aux sciences physiques et à la théorie de la connaissance ; il se passionne pour les mœurs et la politique. Sa vie se confond avec le siècle. Il est jeté en prison pour pacifisme avant la fin de la première guerre

---

20. Lettre de Russell à Jean van Heijenoort du 23 novembre 1962, in J. van Heijenoort, ed., 1967, p. 127.

mondiale ; il fait d'immenses efforts pour limiter la course aux armements nucléaires, après la seconde ; il préside le tribunal qui porte son nom et qui condamne l'agression des Etats-Unis contre l'Asie du Sud-Est.

Toute sa vie, Russell a gardé trois qualités : un profond mépris pour les modes intellectuelles ; un constant appétit pour le monde environnant (qu'il soit scientifique, éthique, politique ou amical) ; et un fabuleux éclectisme.

Des *Investigations philosophiques* de Wittgenstein, qui seront très à la mode à Cambridge, au lendemain de la Seconde Guerre mondiale, il dit, non sans exagération, n'y avoir « rien trouvé d'intéressant » ; il déclare « ne pas comprendre pourquoi une école entière peut trouver une grande sagesse dans ses pages [21] ». Aux philosophes du langage ordinaire, qui fleurissent à Oxford, il reproche de se désintéresser du monde, des sciences et de la logique [22].

Son éclectisme le rendra sa vie durant sensible aux influences des fortes personnalités qui l'ont constamment entouré. De ses professeurs et de ses aînés, à Cambridge où il était étudiant, il recevra d'abord l'empreinte de l'hégélianisme. Sous l'influence de Moore, qui fut son condisciple, il rejette l'idéalisme hégélien entre 1898 et 1903, et épouse une philosophie de la logique et des mathématiques platonicienne. Sous l'influence de Wittgenstein, qui débarque à Cambridge en 1912, il adoptera la philosophie de la logique, exprimée dans le *Tractatus logico-philosophicus*, publié en 1921. Non seulement Russell a côtoyé des hommes qui l'ont marqué (comme Moore, Wittgenstein et l'économiste Keynes, à Cambridge ; puis, Tarski, Carnap et Quine, à Harvard, en 1939-1940), mais il ne se préoccupait pas de défendre *mordicus* une philosophie, au cours des quatre-vingt-dix ans qu'il a vécus. Il se passionnait davantage pour la solution de problèmes techniques (notamment en logique) ou pour la société dans laquelle il vivait.

Moore était l'exact contemporain de Russell. Plus que quiconque, il contribua à doter la tradition analytique de cette ontologie du sens commun, d'où chacun après lui partira dans des directions différentes. Si Russell est le père de

21. B. Russell, 1959, p. 216.
22. *Ibid.*, p. 225-44.

l'empirisme logique, Moore est le grand-père de la philosophie du langage ordinaire. Comme il le dit avec ingénuité, dans son autobiographie [23] : « Je ne pense pas que ni le monde ni les sciences ne m'auraient jamais suggéré le moindre problème philosophique. Ce qui m'en a suggéré, c'est ce que les autres philosophes ont dit du monde ou des sciences. » De l'avis de tous ceux qui l'ont connu, Moore a donné deux qualités à la philosophie : une extraordinaire minutie dans l'argumentation, dénuée de toute prétention encyclopédique et du moindre désir d'endoctrinement moral et politique, et une désarmante honnêteté [24]. Un jour que Russell lui demandait s'il disait *toujours* la vérité, Moore mentit pour la première fois de sa vie, en lui répondant : « Non. » Lorsqu'il fit remarquer à Moore que ce dernier paraissait ne pas l'aimer du fond de son cœur, Moore le reconnut sans détour et la conversation reprit le plus amicalement du monde [25].

Beaucoup sont ceux qui considèrent Wittgenstein comme le plus grand des philosophes de ce siècle. Né à Vienne en 1889, le privilège lui revient d'avoir donné naissance à deux écoles, qui ont partiellement trahi ses idées, et qui s'opposent radicalement entre elles. Par le *Tractatus*, il a, malgré lui, exercé une influence décisive sur le positivisme logique. Par ses cours à Cambridge, dans les années 1930-1940, et rassemblés après sa mort dans différents ouvrages posthumes, dont les *Investigations philosophiques*, il a, ainsi que Moore, donné naissance à la philosophie du langage ordinaire, qu'il trouvait triviale.

Quel que soit le jugement qu'inspirent les différents stades de sa pensée, il n'a pas livré d'œuvre systématique et a préféré s'exprimer sous forme aphoristique. De culture austro-allemande, il finira par s'établir à Cambridge en 1929. Mais son tempérament tragique creuse entre lui et ses amis Russell et Keynes, plus enjoués et sarcastiques, une incompréhension qui ira grandissante. A l'époque où Russell finira en prison pour pacifisme, Wittgenstein se bat au front, dans l'armée autrichienne. Si Russell, qui fut, malgré l'obscurité de ses

23. G.E. Moore, in P.A. Schilpp, ed., 1942, p. 14.
24. Cf. par exemple M. White, 1973.
25. R.W. Clark, 1976, p. 40.

aphorismes, un adepte du *Tractatus*, a fini par porter un jugement négatif sur l'œuvre accomplie par Wittgenstein après 1930, celui-ci jugeait superficiels les travaux de Russell d'après 1913 [26]. Rien ne témoigne mieux du mélange constant d'orgueil et de désespoir démesurés qui le caractérise que la préface et la fin du *Tractatus* :

> La *vérité* des idées qui sont ici communiquées me semble inattaquable et définitive. Je crois par conséquent avoir découvert, sur tous les points essentiels, la solution finale de ces problèmes. (...) Et, si je ne me trompe pas, alors la seconde chose qui constitue la valeur de mon œuvre, c'est qu'elle montre à quel point on a peu avancé lorsque ces problèmes sont résolus.

Quiconque aura compris le sens véritable du *Tractatus* devra se rendre à l'évidence : chacun des aphorismes, sauf le dernier, est « dénué de signification ». Le dernier exhorte donc le lecteur à utiliser chacun de ses prédécesseurs « comme des marches pour s'élever au-dessus d'eux. Il doit, pour ainsi dire, rejeter l'échelle après y avoir grimpé. »

L'épisode crucial de notre histoire, c'est le positivisme ou l'empirisme logique. Entre les deux guerres, à Vienne, à Berlin, à Prague, à Varsovie, des logiciens comme Gödel et Tarski poursuivent la création d'un langage formel capable d'exprimer les mathématiques : ils découvrent notamment que certaines propriétés d'un tel langage sont inexprimables dans ce langage. Inquiets des nuages politiques qui menacent l'Europe centrale, écœurés de la grandiloquence pontifiante de l'idéalisme allemand, les positivistes logiques ont deux buts : se servir de la nouvelle logique pour rabattre les prétentions métaphysiques de l'idéalisme post-kantien ; et réconcilier enfin — vieux rêve de toute philosophie des sciences — l'empirisme avec l'existence des vérités logiques. Ils croient découvrir la clé du rêve dans le *Tractatus*.

Au milieu des années 1930, dans le grand exode des intellectuels anti-nazis, ils emportent avec eux leur programme de recherche, et émigrent en Grande-Bretagne et surtout aux Etats-Unis. Après s'être installé à Chicago, Car-

26. Cf. N. Malcolm, 1958, p. 68.

nap s'adonnera au plaisir de la logique modale, en reprenant le vieux projet de Leibniz d'une « sémantique des mondes possibles ». Toute sa vie, il gardera ses convictions socialistes. Mais le monde réel devait être suffisamment pacifique pour le laisser promener son imagination de monde possible en monde possible.

Les représentants de l'empirisme logique, comme Carnap, Reichenbach et Hempel, tranchent à la fois par rapport à l'éclectisme de Russell et au ton à l'emporte-pièce de Wittgenstein. Ils offrent l'exemple d'une exceptionnelle probité : cycliquement, ils reconnaissent leurs erreurs et modifient leurs idées. Avec eux, l'argumentation ressemble davantage à l'argumentation scientifique. Leur souci des objections et leur désir de convaincre sans séduire sont probablement uniques dans l'histoire de la philosophie. Ces deux qualités, réunies chez Carnap, le distinguent foncièrement du goût de l'aventure intellectuelle de Russell, de la violence tourmentée de Wittgenstein, du désir de Popper de vaincre l'adversaire et de l'attirance de Quine pour les antinomies. Quine raconte qu'ayant, lors d'un congrès, en 1935, essuyé une diatribe de l'auteur de *The Great Chain of Beings*, Carnap lui répondit « de la manière qui lui était si caractéristique, expliquant que, si Lovejoy voulait dire A, alors p, et s'il voulait dire B, alors q [27] ». Carnap était un philosophe-ingénieur, qui utilisait la logique comme une technologie.

Ensuite, trois personnalités impriment à la critique de l'empirisme logique le sceau de leur personnalité : Popper, Quine et Goodman. Popper, comme Wittgenstein, est né à Vienne (en 1902), d'une famille juive convertie ; comme Wittgenstein, il a été maître d'école ; et, comme lui, il s'est établi en Angleterre ; à la London School of Economics. Mais, tout le reste les oppose. Popper qui ne fut jamais membre du Cercle de Vienne n'admirait pas le *Tractatus*. Comme les positivistes logiques, il voit dans le respect de l'expérience ce qui distingue la science de la métaphysique. Mais, pour lui, les conjectures scientifiques ne sont que réfutables par l'expérience ; et l'irréfutabilité de la métaphysique ne la rend pas pour autant absurde. Un jour qu'il donnait une confé-

27. W.V.O. Quine, 1976, p. 42.

rence, en présence de Wittgenstein, à Cambridge, en plein territoire wittgensteinien, il excéda tant Wittgenstein que celui-ci quitta la séance en claquant la porte [28].

De tous les philosophes analytiques des sciences, l'œuvre de Popper est, sans doute, la mieux connue des scientifiques. Il aborde avec une grande clarté les fondements de la physique quantique, le calcul des probabilités, l'histoire des sciences, et récemment la théorie darwinienne de l'évolution. Surtout, il est le seul à s'être systématiquement penché sur les sciences sociales et la philosophie politique. Sa critique des ambitions scientifiques du marxisme et de la psychanalyse a les mérites et les défauts de sa critique de l'induction : aucune loi scientifique ne s'obtient par généralisation inductive de données observées ; mais, si l'humanité employait tout son temps à réfuter chaque théorie, la science n'existerait pas et l'humanité ne survivrait pas. Ce qu'il reproche au marxisme et à la psychanalyse, c'est de se rendre inaccessibles à la moindre réfutation. Devenir marxiste ou freudien, c'est accomplir une « conversion [29] » :

> Dès que vous ouvrez vos yeux, vous voyez partout des exemples qui les confirment : le monde devient rempli de *vérifications* de la théorie. Tout ce qui se produit la confirme toujours. (...) Un marxiste ne peut ouvrir un journal sans découvrir sur chaque page une preuve de son interprétation de l'histoire. (...) Quant aux analystes freudiens, ils n'ont de cesse de souligner que leurs « observations cliniques » vérifient constamment leurs théories.

Quine, qui est né en 1908 dans le Middle-West, et Goodman, qui est né en 1906 dans le Massachusetts, sont les deux premiers philosophes américains de premier plan, depuis Charles Sanders Peirce et William James. Quine et surtout Goodman n'aiment pas les ontologies surpeuplées ; ils leur préfèrent les paysages désertiques. Par conviction nominaliste, ils effilent le rasoir d'Occam aux techniques de la logique moderne pour mieux raser la barbe de Platon [30]. Avec

---

28. K. R. Popper, 1976, p. 122-24.
29. K. R. Popper, 1963, p. 35.
30. W. V. O. Quine, 1953, p. 2.

eux, la vieille querelle ontologique des universaux regagne droit de cité en philosophie. Le commun des mortels et même les positivistes logiques parlent sans méfiance d'individus virtuels dans des mondes possibles [31] :

> Prenez par exemple le gros homme possible dans ce couloir, et l'homme chauve possible dans ce couloir. S'agit-il du même homme possible ou de deux hommes possibles ? Comment décider ? Combien d'hommes possibles y a-t-il dans ce couloir ? Y en a-t-il plus de minces possibles que de gros possibles ? Combien d'entre eux sont semblables ? Est-ce que leur similitude en fait un seul homme possible ? *Deux* choses possibles ne se ressemblent-elles jamais ? Est-ce la même chose que de dire qu'il est impossible que deux choses soient semblables ? En fin de compte, le concept d'identité est-il simplement inapplicable aux possibles non actualisés ? Mais en quel sens peut-on parler d'entités dont on ne peut pas sensément dire qu'elles sont identiques à elles-mêmes et distinctes les unes des autres ?

Goodman et surtout Quine sont à Carnap ce que Wittgenstein fut à Russell. Ils jettent le doute sur les certitudes tranquilles de leur prédécesseur respectif. Pour Russell, la logique constituait un langage « idéal », capable d'exprimer l'arithmétique. Wittgenstein, qui fut son disciple, n'eut de cesse de montrer à Russell les limites de la logique. Pour Carnap, la syntaxe et la sémantique logiques devaient mettre un terme aux stériles controverses métaphysiques. Quine, qui fut son disciple, se plaît à montrer que la syntaxe et la sémantique logiques reposent sur des sables bien mouvants.

Au lendemain de la Seconde Guerre mondiale, un vent de révolte souffle, dans la philosophie anglo-saxonne, simultanément contre la logique et contre l'empirisme. A Oxford, les philosophes du langage ordinaire opposent la richesse et la complexité des conversations usuelles à l'abstraction de la logique. Aux Etats-Unis et en Angleterre, où l'histoire et la philosophie des sciences étaient, contrairement à la France, disjointes, elles se rapprochent. Aux yeux d'une nouvelle génération de philosophes, la vie, l'histoire et la sociologie des

---

31. *Ibid.*, p. 4.

théories et des laboratoires scientifiques paraissent démentir l'image à la fois austère et rationnelle qu'en donnait l'empirisme logique. *La Structure des révolutions scientifiques*, publiée en 1962 par Thomas Kuhn, est devenue le symbole de cette nouvelle image des sciences. Kuhn a érigé en principe du développement des sciences la boutade de Max Planck : les théories ne sont pas abandonnées parce qu'elles sont démenties par l'expérience, mais parce que leurs partisans meurent. Pour Feyerabend, qui fut longtemps le collègue de Kuhn à Berkeley, la seule morale possible de l'histoire des sciences, c'est l'anarchisme : aucune règle ne marche ; toute révolution scientifique défie le moindre canon méthodologique.

De tous les auteurs anti-empiristes, Kuhn est le plus populaire, notamment chez les sociologues des sciences, qui approuvent sa description des communautés scientifiques. Son concept de « paradigme » est devenu le paradigme (sinon la panacée) des discussions méthodologiques en histoire et en sociologie des sciences. Si sa réussite est un test de sa théorie du développement scientifique, alors celle-ci est pleinement confirmée.

Au-delà de leurs divergences, ce qui rapproche Kuhn et Feyerabend, c'est leur insistance sur le manque de convergence du développement scientifique. Le cri de ralliement de l'opposition à l'empirisme, c'est la découverte de l'incommensurabilité entre des paradigmes séparés par une révolution scientifique. Selon eux, l'ontologie entière de la physique change lorsque s'effectue une mutation aussi profonde que le passage du géocentrisme à l'héliocentrisme, ou lorsque s'opère la transition des concepts classiques aux concepts relativistes de l'espace et du temps. A les en croire, les tenants de deux paradigmes successifs ne pourraient pas communiquer. Le choix d'un paradigme ressemblerait donc davantage à une conversion mystique qu'à une décision rationnelle.

Kuhn et Feyerabend ont réveillé les logiciens de leur sommeil. Et, ces derniers ont réagi en direction du réalisme. Le logicien réaliste le plus représentatif est Putnam. Pour lui, la convergence de la physique, à travers l'histoire, prime sur les divergences ; et le réalisme explique simplement cette convergence : du point de vue de la relativité, la mécanique classique était approximativement vraie ; ses principaux concepts désignaient approximativement ce que désignent mieux les concepts relativistes.

Du point de vue réaliste, qui s'est nettement affirmé à la fin des années 1960, les théories scientifiques sont typiquement vraies ou fausses, et leurs concepts sont typiquement référentiels, fût-ce approximativement. D'un point de vue logique et linguistique, Kuhn et Feyerabend sont coupables d'un raisonnement complètement fallacieux : ils infèrent un changement d'ontologie (responsable de l'incommensurabilité entre théories séparées par un changement de paradigme) à partir d'un changement de croyances ou de théories — comme si le monde devait changer à mesure que se transforment les descriptions que les hommes en donnent.

Mais le réalisme ne peut se contenter ni de critiquer des erreurs, ni de faire état de sa « foi animale » dans l'existence d'une réalité, indépendante des théories qui cherchent à la représenter. Il s'est donc engagé dans la tâche de proposer une théorie nouvelle du rapport entre le langage (notamment le langage employé dans les sciences) et la réalité.

Au carrefour de la logique, de la logique modale et de la philosophie du langage, Putnam et un jeune logicien prodige, fils d'un rabbin d'Omaha, Kripke, ont, depuis une dizaine d'années, commencé à exposer une nouvelle théorie de la référence linguistique. Le but de cette théorie est, entre autres, de concilier l'invariance de la référence des mots avec le fait que les mots changent de sens, c'est-à-dire que les gens associent des croyances différentes, au cours de l'histoire, aux référents des mots.

Certains représentants de l'épistémologie post-bachelardienne avaient accueilli avec sarcasme la traduction française du fameux livre de Kuhn, en cherchant à accroître l'écart qui les en séparait [32]. Pourquoi ne se réjouissent-ils pas de voir enfin des auteurs anglo-saxons adopter une conception

32. Cf. D. Lecourt, 1974, p. 152-62. En deux pages, Lecourt commet au moins quatre erreurs : il fait naître Popper à la fin du siècle dernier, fait sortir la « philosophie analytique » des « travaux du Cercle de Vienne » (à ce compte, ni Frege, ni Russell, ni Moore, ni Wittgenstein, ni la philosophie du langage ordinaire n'en font partie), affirme que Popper a « partagé le point de vue » du Cercle de Vienne, avant de « prendre ses distances », fait de Kuhn « le disciple le mieux connu de Popper » (p. 152-53).

discontinuiste de l'histoire des sciences ? J'y vois deux raisons. La première, c'est que Kuhn dit tout haut ce que l'épistémologie post-bachelardienne pense tout bas : les changements de théories scientifiques confèrent aux concepts une signification tellement différente qu'avant et après une révolution scientifique le monde n'est plus le même. C'est en effet le seul *argument* en faveur de la discontinuité historique. Sans lui, la discontinuité est simplement une impression. Or, sa formulation explicite rend la conclusion idéaliste, donc difficilement acceptable à l'épistémologie post-bachelardienne.

La seconde raison, c'est que l'épistémologie post-bachelardienne se croyait porteuse d'une solution miraculeuse au problème immémorial du rapport entre le corps et l'âme, la matière et l'esprit. Cette solution était censée transcender le dilemme entre l'idéalisme et le matérialisme vulgaire. L'idéalisme avait eu raison de reprocher au matérialisme de considérer les processus cognitifs comme des reflets passifs de la matière. Le matérialisme avait eu raison de reprocher à l'idéalisme de poser la suprématie de l'esprit. L'épistémologie post-bachelardienne a ainsi cru trouver dans Marx une troisième voie. L'humanité introduit dans l'évolution une situation entièrement nouvelle : pour la première fois, la nature est soumise à un ensemble de pratiques sociales qui la transforment constamment. La connaissance scientifique n'est donc qu'une pratique d'appropriation de la réalité. Tous les processus cognitifs sont des pratiques : la science, l'art, les discours sont des pratiques. Dès lors, la réalité est déjà le résultat d'une activité humaine ; et parmi les différentes activités humaines se trouve la pratique scientifique.

Si l'épistémologie post-bachelardienne a excommunié Kuhn, c'est simplement qu'il n'invoque pas rituellement le mot magique « pratique ». Mais il est grand temps de se rendre à l'évidence : le recours aux mots ne résout pas les problèmes. A moins de croire au behaviorisme, l'étude des processus cognitifs n'aura pas avancé d'un pouce sous le prétexte qu'on attribue aux sciences et aux « discours » la même qualité qu'aux voitures et aux réfrigérateurs — à savoir que ce sont les produits d'une pratique.

On ne peut sans doute pas simultanément faire de l'épistémologie, de la politique, de l'histoire et de la sociologie des sciences tout en espérant régler une fois pour toutes le sort de la relation entre le corps et l'esprit. Le lecteur post-bachelardien me concédera que ce n'est pas un hasard si l'époque du matérialisme des pratiques théoriques, scientifiques, discursives et autres coïncida avec celle des diatribes anti-phénoménologiques contre la souveraineté de la subjectivité, de la conscience et de la liberté transcendantales. Les matérialistes post-bachelardiens entendaient bien instaurer sur l'épistémologie et sur l'histoire des sciences et des discours le règne des règles « anonymes » gouvernant les « régularités discursives » et les « modes de production scientifiques ». Dans un langage où se mêlent le marxisme, le structuralisme et la sémiotique, le projet de l'épistémologue post-bachelardien évoque irrésistiblement le behaviorisme. On y retrouve le même désir d'éliminer toute terminologie mentaliste, la même confiance exorbitante dans des schémas déterministes. Au lieu de prétendre expliquer les processus cognitifs par une relation de conditionnement entre des stimulations sensorielles et une réaction-réflexe, l'épistémologie post-bachelardienne invoque des déterminismes politiques, sociaux ou symboliques. L'histoire de l'empirisme du vingtième siècle conduit à une attitude beaucoup plus modeste, sinon plus morale : le conditionnement, fût-il « idéologique », ne peut exercer, sur les capacités cognitives de l'espèce humaine, qu'une influence tout à fait superficielle.

Chapitre premier

LA REALITE DES OBJETS LOGIQUES ET MATHEMATIQUES : LE LOGICISME DE FREGE, RUSSELL ET MOORE

Certaines traditions intellectuelles naissent plusieurs fois. En histoire des sciences, le phénomène des « découvertes simultanées » est bien connu : Leibniz et Newton ont inventé en même temps et indépendamment l'un de l'autre le calcul infinitésimal ; Darwin et Wallace la théorie de l'évolution des espèces par sélection naturelle ; on a récemment recensé pas moins de douze formulations du principe de la conservation de l'énergie, entre 1830 et 1850 [1]. Certaines innovations passent d'abord inaperçues, puis sont redécouvertes — comme les lois de Mendel. Parfois, deux théories naissent séparément et sont réunifiées plus tard : les lois de la mécanique céleste et celles de la mécanique terrestre par exemple furent formulées respectivement par Kepler et par Galilée. Leurs seuls points communs étaient d'être coperniciens et d'utiliser des sections coniques (d'ailleurs différentes) pour décrire, l'un le mouvement des planètes autour du Soleil, l'autre le mouvement des projectiles à la surface de la Terre. C'est seulement soixante ans plus tard que Newton en fit la « synthèse », grâce à la théorie de la gravitation universelle.

La philosophie analytique, elle, est née deux fois : en Allemagne dans les années 1880 et en Angleterre dans les années 1900. Trois différences entre les deux accouchements font du second un événement à la fois plus spectaculaire (en tout cas, plus bruyant) et moins révolutionnaire que le premier. L'œuvre de Frege se borne à la logique, au logicisme et à l'analyse des significations. Elle ignore purement et sim-

1. Cf. par exemple T. S. Kuhn, « Energy conservation as an example of simultaneous discovery », 1959, in T. S. Kuhn, 1977, p. 66-104.

plement la philosophie générale et notamment la théorie de la connaissance. Les contributions de Russell et de Moore sont au contraire complètement embourbées dans des controverses générales. A en croire Dummett[2], c'est justement par les bornes qu'il s'est imposées que Frege s'est assuré (certes au détriment de sa renommée immédiate) une place aussi révolutionnaire que Descartes dans l'histoire de la philosophie. Son œuvre en tire une perfection formelle qui manque à celle de Russell et Moore. Entre 1897 et 1918-1919, Russell n'aura pas épousé moins de trois attitudes philosophiques globales. En même temps, la logique et l'analyse linguistique ne pouvaient instaurer une tradition (philosophique) sans courir le risque de se diluer en abordant des thèmes généraux, notamment la théorie de la connaissance. Mais, comme a raison de le souligner Dummett[3], il faudra attendre le *Tractatus* de Wittgenstein pour retrouver l'austérité et la retenue du propos de Frege.

Les différences de personnalité ne suffisent certainement pas à expliquer ce contraste. Mais, entre le contexte intellectuel des universités allemandes et celui des universités anglaises à la fin du dix-neuvième siècle, il y a une différence importante : c'est la place de l'idéalisme hégélien. A partir des années 1840-1850, deux phénomènes corrélatifs se produisent en Allemagne : le renouveau de l'empirisme et du matérialisme battent en brèche l'influence du romantisme, de l'idéalisme hégélien et de la *Natürphilosophie* ; et c'est le début de la prééminence européenne de la science allemande sur certains domaines de la physique, sur la chimie et les sciences de la vie (notamment la physiologie). Certes, l'influence de la *Natürphilosophie* sur les savants allemands, dans les deux décennies antérieures, leur aura conféré à la fois le sentiment de l'unité des phénomènes naturels et une hauteur de vues plus philosophique qu'en France ou en Angleterre. Mais elle est désormais contrebalancée par la vague de réductionnisme dont se réclame par exemple la remarquable école berlinoise de physiologistes. Chez les penseurs scientifiques, l'idéalisme

2. M. Dummett, 1973, p. 664-84.
3. *Ibid.* et M. Dummett, 1978, p. 88-89.

hégélien a largement perdu son attrait [4]. Frege n'éprouve donc pas, à Iéna, vers 1880, le besoin d'entrer en polémique avec un courant scientifiquement caduc.

Or, par une de ces ruses dont l'histoire intellectuelle a le secret, à l'époque où l'idéalisme hégélien reflue en Allemagne, sous la poussée du matérialisme, il envahit les côtes britanniques gagnées par le dégoût de l'empirisme de John Stuart Mill et du naturalisme darwinien de Spencer. A la suite d'Edward Caird et surtout de T. H. Green fleurit à Oxford, dans les années 1880, une école néo-hégélienne d'inspiration religieuse. Les principaux représentants en sont Bernard Bosanquet et surtout Francis Herbert Bradley, l'auteur du réquisitoire le plus éloquent de l'époque contre le sens commun, publié en 1893, *Appearance and Reality.* A Cambridge, les professeurs de Russell et de Moore, comme George Stout (le directeur de la revue *Mind*) et John McTaggart Ellis (de six ans l'aîné de Russell), se font l'écho d'Oxford.

Russell, qui est rapidement devenu à Cambridge le protégé de Whitehead, étudie les mathématiques et la philosophie. Ebloui par la dialectique de McTaggart qu'il côtoie constamment, Russell embrasse l'hégélianisme. Ce qui ne l'empêche nullement de se consacrer à l'étude des fondements de la géométrie. Il est aujourd'hui surprenant de lire dans *An Essay on the Foundations of Geometry*, publié en 1897, son hommage aux « logiciens modernes », Bradley et Bosanquet, célébrés pour avoir « démontré » que « tout jugement est à la fois synthétique et analytique ; qu'il combine les parties en un tout et analyse un tout en ses parties, (...) que couper

4. Pour un aperçu général, cf. J. T. Merz, 1904-1912. Pour plus de détails, notamment sur l'école des physiologistes berlinois, le matérialisme, le réductionnisme et les idées d'hommes comme Johannes Müller, Robert Mayer, Rudolf Virchow, Emil Dubois-Reymond, Hermann von Helmholtz, Carl Vogt, Ludwig Büchner et d'autres, cf. W. Coleman, *Biology in the Nineteenth Century,* New York, John Wiley & Sons, Inc., 1971 et notamment T. S. Kuhn, *op. cit.* ; E. Mendelsohn, « The biological sciences in the nineteenth century: some problems and sources », *History of Science,* 3, 1964, p. 39-59 ; « Revolution and reduction: The sociology of methodological and philosophical concerns in nineteenth century biology », in Y. Elkana, ed., 1974, p. 407-26 ; O. Temkin, « Materialism in French and german physiology of the early nineteenth century », *Bull. Hist. Med.*, 20, 1946 ; R. S. Turner, « The growth of professorial research in Prussia, 1818 to 1848. Causes and context », in R. McCormmach, ed., *Historical Studies in the Physical Sciences,* 3, 1971.

un jugement de son contexte, c'est lui arracher sa vitalité, (...) que dans son propre contexte [un jugement] n'est ni purement synthétique ni purement analytique ; car il est d'un côté la détermination plus complète d'un certain tout, et donc de ce point de vue analytique, et de l'autre côté il implique l'émergence de *nouvelles* relations à l'intérieur du tout, et de ce point de vue il est synthétique [5] ».

C'est en 1899 que l'aile britannique de la philosophie analytique prend son essor, avec un article de Moore dans *Mind*, alors remplie de prose néo-hégélienne, et les cours de Russell sur Leibniz, transformés en un livre publié en 1900. En 1903, la parution des *Principles of Mathematics* de Russell « montre en toute clarté », comme l'a écrit John Passmore, « qu'une force nouvelle avait pénétré dans la philosophie britannique. (...) Aucun livre depuis Aristote n'a eu sur la logique habituellement enseignée dans les universités un effet aussi frappant [6] ». Ce qui ne veut pas dire, au contraire, que la pensée de Russell a désormais atteint la clarté d'un cristal. Un critique a récemment divisé l'évolution de la pensée de Russell depuis sa répudiation de l'idéalisme néo-hégélien jusqu'en 1921 en trois phases [7]. Je discerne quant à moi deux événements importants : la découverte de la théorie des descriptions, en 1905, qui simplifie l'ontologie, et la rencontre avec Wittgenstein, à partir de 1912, qui altère complètement la philosophie de la logique et des mathématiques exposée depuis 1900.

1. *La répudiation de l'idéalisme et la défense de l'abstraction.*

Pourquoi la tradition de Frege, Russell et Moore est-elle qualifiée d'« analytique » ? Parce que Russell et Moore ont brandi l'*analyse* contre deux prémisses du mode de pensée néo-hégélien, qu'ils avaient fini par abhorrer : l'idée que la réalité authentique est toujours formée de « totalités orga-

5. B. Russell, 1897, p. 58-59. Pour l'afflux d'idéalisme hégélien en Angleterre et une discussion des idées de Bradley, cf. J. T. Merz, 1904-1912 et J. Passmore, 1957.
6. J. Passmore, 1957, p. 218.
7. R. Jager, 1972, p. 36-41.

niques » (à moins qu'elle ne forme qu'*un* gigantesque tout) ; et l'idée que « l'abstraction est une falsification » ou que la décomposition d'une totalité organique est toujours une abstraction illégitime [8]. Comme l'affirmait Russell [9], « pour la compréhension de l'analyse, il est nécessaire d'étudier la notion de tout et de partie, notion qui a été enveloppée dans l'obscurité — non sans d'ailleurs qu'il y ait, à cela, certaines raisons logiques plus ou moins valides — par les auteurs qu'on peut approximativement qualifier d'hégéliens ».

En 1903, Russell et Moore dirigent leurs coups contre ces deux propositions. Selon Russell [10], à moins qu'elles ne servent qu'à déguiser « la paresse, en apportant une excuse à ceux qui n'aiment pas les labeurs de l'analyse », elles ne peuvent avoir d'autre sens que le suivant : « Bien que l'analyse nous procure la vérité, et rien que la vérité, elle ne peut jamais nous la procurer tout entière. » Désormais, Russell et Moore ne se départiront plus, contre leurs adversaires néo-hégéliens, de ce style d'arguments : *ou bien* ce que vous dites est vrai mais trivial, *ou bien* c'est faux. Or, à l'analyse, cette hantise de l'abstraction se révèle elle-même ou triviale ou fausse.

Dans « The Refutation of Idealism » (1903), Moore applique la méthode « ou bien... ou bien » à ce que ses contemporains prennent pour « l'une des principales conquêtes de la philosophie moderne » — à savoir nos deux propositions néo-hégéliennes (il existe des totalités organiques et c'est commettre une abstraction illégitime de les décomposer). Alors, de deux choses l'une, dit Moore. Ou bien vous dites que, dans certains cas particuliers, c'est effectuer une abstraction illégitime que d'affirmer d'une partie ce qui n'est vrai que du tout auquel elle appartient. C'est parfois vrai mais c'est trivial. Ou bien vous dites que toute assertion au sujet d'une partie ne peut être vraie que du tout. Mais, dans ce cas, vous abolissez la différence entre une partie et son tout que vous aviez présupposée [11] :

8. B. Russell, 1900, chap. 9, § 58 (trad. fr. p. 122).
9. B. Russell, 1903, § 133, p. 137.
10. *Ibid.*, § 138, p. 141.
11. G.E. Moore (1903), in G.E. Moore, 1922, p. 15-16.

> Si en effet on peut, si même on *doit* substituer le tout à la partie dans toutes propositions et dans toutes circonstances; c'est qu'alors simplement le tout est absolument identique à la partie. (...) C'est ainsi que de nombreux philosophes, tout en admettant une distinction, affirment froidement leur droit (en prenant la suite de Hegel), sous une forme légèrement plus obscure, à la nier *simultanément*. Le principe des unités organiques, tout comme celui de la combinaison de l'analyse et de la synthèse, est surtout utilisé pour défendre la pratique consistant à maintenir à la fois deux propositions contradictoires, chaque fois qu'on en ressent le besoin. A ce sujet, comme pour le reste, le principal service rendu par Hegel à la philosophie a consisté à donner un nom à, et à ériger en principe, un type de sophisme dont, l'expérience le montre, les philosophes, pas plus que le reste de l'humanité, ne peuvent se passer. Il n'est donc pas surprenant qu'il ait des disciples et des admirateurs.

Russell approfondira ce genre d'arguments dans sa critique de la théorie « moniste » des relations internes. Dans « The Monistic Theory of Truth » (1906), il s'en prend à la doctrine selon laquelle aucune vérité n'est tout à fait vraie si ce n'est la vérité « totale ». Des vérités partielles, comme « 2 + 2 = 4 », ne seraient « vraiment » vraies que replacées dans le contexte global de la vérité totale. Sa critique est triple : d'abord, la vérité affirmant qu'une vérité partielle fait partie de la vérité totale est elle-même une vérité partielle. Donc, selon la doctrine moniste, elle est elle-même partiellement vraie. Plus généralement, toute proposition énonçant qu'aucune vérité partielle n'est tout à fait vraie n'est elle-même tout à fait vraie. A moins que pour la théorie moniste, la totalité de la vérité ne se réduise à l'affirmation sceptique : « aucune vérité partielle n'est tout à fait vraie » (ce qui est trivial). Ensuite, si l'on suppose que les êtres humains n'ont jamais accès à la totalité de la vérité, alors ce qu'ils connaissent n'est jamais tout à fait vrai. Autrement dit, la théorie moniste ne peut pas être vraie, puisque, si elle l'était, les idéalistes (qui n'en sont pas moins hommes) ne pourraient pas la saisir. Enfin, tout énoncé portant sur les parties d'un tout est une vérité partielle. Mais tout énoncé partiellement vrai est aussi partiellement faux. Donc, toute partie mentionnée dans un énoncé partiellement vrai et partiellement faux n'est pas vraiment la partie d'un tout. Conclusion : la doctrine moniste de la vérité présuppose qu'un tout est formé de parties et implique simultanément qu'un tout n'est pas (vraiment) formé de parties. Autrement dit, aucune proposition n'est jamais ni tout à fait vraie ni tout à fait fausse [12].

Lorsqu'en 1943 [13] ou en 1959 [14], Russell se ressouvient de cette période de « rébellion » contre l'idéalisme néo-hégélien comme d'un retour « émancipateur » au *sens commun*, sa mémoire lui joue un tour et lui fait amalgamer quinze ans d'évolution mentale. Bradley, dit-il en substance, maintenait que tout ce à quoi croit le sens commun n'est que de l'apparence pure et simple. Moore et moi décidâmes au contraire que tout ce à quoi croit le sens commun est parfaitement réel. Dans son Autobiographie, il parle de cette émancipation comme d'une « sortie de prison », grâce à laquelle l'ancien détenu peut percevoir de ses propres yeux le vert de l'herbe, se dire que le Soleil et les étoiles existeraient même si personne n'était présent pour les observer et qu'il existe un « monde pluraliste d'idées platoniques où le temps est aboli. Soudain, le monde qui avait été jusque-là mince et logique devint riche, varié et solide ».

En réalité, ce dont témoignent les textes de Russell et de Moore, entre 1898 et 1905, c'est une adhésion, non pas au monde du sens commun, mais à ce que Peter Hilton a bien fait d'appeler l' « atomisme platonicien [15] ». Il est plus facile de dire ce que n'est pas l'atomisme platonicien que ce qu'il est. Ce n'est pas un empirisme. Il n'aborde aucune question épistémologique. Il ignore ou déforme les contributions subtiles de Frege à l'analyse linguistique. Son ontologie exubérante n'a rien à voir avec celle du sens commun. Son souci principal est d'assurer l'objectivité des propositions logiques et mathématiques, sans jamais se soucier ni de savoir comment les hommes parviennent à les appréhender, ni d'ailleurs de la

12. B. Russell (1906), in B. Russell, 1910, p. 132-35.
13. Cf. B. Russell, « My mental development », in P.A. Schilpp, ed., 1944, p. 12.
14. Cf. B. Russell, 1959, p. 54.
15. P. Hilton, 1978.

connaissance du monde empirique. Trois fils conducteurs en guident néanmoins l'élaboration : une violente antipathie à l'égard de l'ontologie « moniste » de l'idéalisme néo-hégélien (pour lequel tout est dans tout et réciproquement) ; la nausée à l'égard du point de vue qui veut que les vérités mathématiques ne soient jamais « tout à fait » vraies, mais soient un simple stade dans l'ascension dialectique (vers une compréhension supérieure ?) ; et enfin, le sentiment, partagé par Frege et Meinong, que l'Esthétique transcendantale de Kant menace l'objectivité des vérités mathématiques, bien défendue, au contraire, par le réalisme platonicien.

L'été 1900, au congrès de Paris, Russell fait la connaissance de Giuseppe Peano, le mathématicien italien qui a le premier présenté une axiomatisation complète de l'arithmétique. Il a, semble-t-il, commencé à lire Frege sérieusement à son retour de Paris. La lecture d'Alexis Meinong a, jusqu'en 1903, poussé Russell vers le platonisme : entre 1899 et 1907, il n'aura pas consacré moins de sept longs comptes rendus aux travaux de cet ancien élève de Franz Brentano, à Vienne. Or, dès 1903, Russell n'hésite pas, dans sa préface à la première édition des *Principles of Mathematics*, à attribuer à Moore la paternité des idées philosophiques, sans lesquelles, « je me serais trouvé », dit-il, « complètement incapable de construire la moindre philosophie de l'arithmétique », et sans lesquelles, « aucune philosophie des mathématiques un tant soit peu acceptable » n'est possible. Quarante et même cinquante ans plus tard [16], il rend toujours hommage à Moore : « il ouvrit la voie et je le suivis de près ». Mais, Meinong devient, sous sa plume, à partir de 1905 [17], le symbole caricatural d'une incontinence ontologique sans limite : un penseur que tout sens de la réalité a déserté et qui croit aux cercles carrés, aux montagnes d'or et aux chevaux ailés. Or, cette incontinence a justement été la sienne. Il accuse donc Meinong comme pour se dédouaner.

Dans un langage mi-ontologique, mi-grammatical, Russell impute à Moore les idées suivantes [18] : « la nature non existentielle des propositions » ; leur « indépendance vis-à-vis

16. Cf. B. Russell, 1959, p. 54.
17. Cf. B. Russell, 1905 et B. Russell, 1919.
18. B. Russell, 1903, p. xviii.

de tout esprit humain » ; « le pluralisme, qui caractérise aussi bien le monde des existants que celui des entités, composés d'un nombre infini d'entités mutuellement indépendantes, et contenant des relations qui sont ultimes et ne sont pas réductibles aux adjectifs de leurs termes ou du tout que ces derniers composent ». Avant d'élucider le sens mystérieux de la première idée, retenons donc trois assertions, dont la dernière est la plus révolutionnaire : la thèse antikantienne sur l'indépendance des propositions logiques et mathématiques par rapport à l'esprit humain ; une ontologie pluraliste, faite d'une infinité d'atomes, et inconciliable avec le monisme hégélien ; enfin, la réalité de relations irréductibles aux êtres qu'elles relient. Cette dernière affirmation, qui occupe la partie centrale des *Principles*, rompt, sans en avoir l'air, avec toute l'analyse traditionnelle des propositions, d'Aristote à Leibniz et Kant. Quant à la formule « la nature non existentielle des propositions », elle ne prend tout son sens qu'en tenant compte de la distinction entre *être* et *exister*, que Russell adopte à la suite de Meinong. Finalement, entre le manifeste lancé par Moore dans *Mind* en 1899 et les *Principles*, l'atomisme platonicien aura progressé vers la clarté.

2. *Le statut des propositions dans l'atomisme platonicien.*

Aujourd'hui comme il y a quatre-vingts ans, les philosophes analytiques continuent à se demander : les propositions existent-elles ? Si oui, quelles entités sont-elles ? A quelles conditions deux propositions sont-elles identiques ? Frege avait une réponse à la fois élégante et convaincante [19] : les propositions existent. Chacune d'entre elles est le contenu de sens (*Sinn*) d'une phrase affirmative. Comme le sens d'une proposition est une fonction du sens des termes composant la phrase dont la proposition est le sens, deux propositions ont le même sens si et seulement si les termes composant la phrase dont l'une est le sens ont le même sens que les termes composant la phrase dont l'autre est le sens.

19. Cf. G. Frege, « Über Sinn und Bedeutung », trad. fr. Cl. Imbert, 1971.

Dans son manifeste, « The Nature of Judgment[20] », Moore pose, comme Frege, que les propositions existent. Mais sa pensée est beaucoup plus confuse, comme en témoigne notamment le fait qu'il n'opère encore aucune distinction entre une « proposition » et un « jugement ». Il analyse les trois notions de vérité, de proposition (ou jugement) et de concept, dans le but général d'en proposer une conception d'où aura disparu toute référence « mentaliste » à l'esprit humain.

Dans le cas de la notion de vérité, ce principe général prend la forme d'une opposition inattendue à une thèse qu'il attribue à Bradley et selon laquelle « la vérité et la fausseté dépendraient de la relation entre nos idées et la réalité ». Que cette thèse ait été soutenue par Bradley ne la rend pas totalement absurde, ni surtout facilement réfutable. Comme elle ressemble à s'y méprendre à la doctrine de la vérité-correspondance, on dirait que Moore n'a d'autre alternative que de défendre une version de la théorie de la vérité-cohérence. Ce qui est paradoxal, car Moore incline plutôt vers le réalisme, dont les défenseurs sont d'habitude friands de la théorie de la vérité-correspondance, alors que les idéalistes raffolent de sa rivale. Mais — et c'est un second signe de la confusion règnante — son désir d'abolir toute allusion à des états mentaux prend le dessus sur son réalisme et lui interdit de parler d' « idées ». Pour ne pas choisir entre deux maux, Moore décrète que les notions de vérité et de fausseté ne sont pas définissables. Ce sont des notions logiquement primitives : « On ne peut pas définir le genre de relation qui rend une proposition vraie, une autre fausse ; on ne peut que la reconnaître immédiatement » (p. 180). Moore donne d'ailleurs un argument pour justifier l'idée que la vérité est un « *datum* ultime », « logiquement antérieur à toute proposition ». C'est un argument du type du troisième homme platonicien[21] : supposons que la vérité d'un jugement dépende de la conformité entre certaines de nos idées et la réalité (dans l'espace et le temps). Pour déterminer cette conformité, nous aurions besoin d'un second jugement. Pour déterminer la valeur de vérité de ce second jugement, il nous

20. Cf. G.E. Moore, 1899.
21. G.E. Moore, 1899, p. 192.

en faudrait un troisième, et ainsi de suite, à l'infini. Donc, la seule manière d'interrompre cette régression à l'infini est de conférer à la vérité le statut d'un *datum* primitif.

Les analyses que fait Moore des notions de proposition et de concept sont indissociables. Ni l'une ni l'autre ne sont des notions mentales. Mais elles désignent toutes les deux des réalités d'une certaine espèce. Ce ne sont pas non plus des êtres linguistiques. Ainsi Moore lance-t-il cette déclaration surprenante qui symbolise tout l'atomisme platonicien : « Il semble donc nécessaire de considérer que le monde est composé de concepts » (p. 182).

Ce qui est clair, c'est qu'il rejette, avec la même fermeté que Frege, la doctrine empiriste de J. S. Mill, selon laquelle les concepts (qui sont des entités mentales) sont formés par abstraction à partir des données sensorielles. Notamment parce qu' « une chose ne devient d'abord intelligible que lorsqu'elle a été analysée en ses concepts constituants » (p. 182). Mais l'opposition à Mill ne suffit pas à expliquer cette ontologie platonicienne d'un monde fait de concepts (qui, à n'en pas douter, est aux antipodes du sens commun). Au tout début de son article, Moore cite une distinction faite par Bradley, qu'il semble reprendre à son compte, entre les idées considérées comme des « états d'esprit » ou des « états mentaux » et les idées considérées comme des « signes de l'existence d'autre chose qu'elles ». Les concepts de Moore sont des signes de l'existence d'autre chose qu'eux. D'un côté, Moore annonce que l' « opposition entre les concepts et les existants disparaît, puisqu'un existant n'est autre qu'un concept ou un complexe de concepts ayant avec le concept d'existence une relation unique » (p. 182-183). De l'autre, « il est douteux », affirme-t-il, « qu'on puisse dire que les concepts dont sont formées les propositions existent. Il nous faudrait, pour supposer que 2 a jamais été, est, ou sera un existant, étirer notre notion d'existence au-delà de toute intelligibilité » (p. 180). Il n'est pas étonnant, à ce compte, qu'il ait pris la peine de préfacer ses analyses par ces mots : « Je suis parfaitement conscient de ce que cette théorie doit sembler paradoxale, et même méprisable » (p. 181).

« Une proposition, dit-il, n'est pas composée de mots, ni même de pensées, mais de concepts » (p. 179). Les deux conséquences les plus durables et peut-être aussi les plus surprenantes de ces analyses, c'est d'une part que toute proposition (ou jugement) est nécessaire : « Un jugement est universellement une combinaison nécessaire de concepts, également nécessaire qu'elle soit vraie ou fausse » (p. 192). C'est d'autre part, que toute proposition est « synthétique ». Cette dernière conséquence sera plus explicitement développée dans « Necessity », paru en 1900.

Lorsque je dis par exemple « Ce papier existe », si cette proposition est vraie, alors le ou les concepts composant ce papier sont unis au concept d'existence par une relation unique, qui rend vraie cette proposition. Par conséquent, « les propositions existentielles les plus simples doivent être considérées comme des propositions nécessaires d'une espèce particulière » (p. 191).

Dans « Necessity[22] », un an plus tard, Moore explique pourquoi toutes les propositions (même existentielles) sont, non seulement nécessaires, mais « synthétiques ». C'est que toute proposition contient au moins deux concepts (fût-ce celui d'existence), irréductibles l'un à l'autre, et une relation entre eux. Or on peut toujours affirmer, sans contradiction, la négation de cette proposition, puisque la relation n'est jamais contenue dans l'un ou l'autre des concepts. Des arguments exactement semblables sont développés dans les conférences de Russell sur Leibniz, transformées en un livre publié en 1900. Ces arguments fondamentaux expliqueront pourquoi Russell a soutenu, jusqu'à sa rencontre avec Wittgenstein, une philosophie des mathématiques aussi originale que la sienne.

Deux distinctions cruciales manquaient à Moore, en 1899-1900. Leur absence explique la confusion de son premier manifeste. Ces deux distinctions sont présentes dans les *Principles* : l'une semble avoir été empruntée provisoirement par Russell à Meinong, avant qu'il ne trouve un moyen beaucoup plus élégant de résoudre le problème auquel elle était destinée. C'est la distinction entre *être* et *exister*. L'autre distinction semble avoir été forgée par Russell, peut-être partiellement grâce à sa lecture de Frege, après l'été 1900, encore que, si c'est le cas, il a déformé les catégories

22. G. E. Moore, 1900, p. 295.

employées par Frege. C'est la distinction entre une *chose* et un *concept*, qui sont tous deux des *termes*.

3. *Dénotation chez Russell en 1903 et référence chez Frege.*

Dans les *Principles* de 1903, Russell est fidèle à l'univers ébauché par Moore. Simplement, il le débarrasse de certaines de ses scories. Pour Russell, comme pour Moore, une proposition « ne contient pas des mots : elle contient les entités indiquées par les mots » (§ 51, p. 47). Mais, là où Moore parlait de « concepts » (pour désigner les constituants des propositions et les constituants du monde), Russell parle de « termes ». La notion russellienne de terme, en 1903, se confond avec celle d'être (*Being*). Tout ce qui peut recevoir le statut de terme possède la propriété d'être. Avec cette différence, toutefois, qu'un terme est un être doué d'une certaine individualité (ce n'est pas l'être heideggerien). Comme dit Russell, le mot « terme » est « le mot le plus large du vocabulaire philosophique » (§ 47, p. 43). Il est synonyme des mots « unité », « individu » et « entité » (*ibid.*). « Un homme, un moment, une classe, une relation, une chimère, tout ce qui peut être mentionné est à coup sûr un terme » (*ibid.*).

Ailleurs, il dit que « les nombres, les dieux homériques, les relations, les chimères et les espaces à quatre dimensions ont tous l'être » (§ 427, p. 449). Si en effet ces entités ne possédaient pas l'être, nous ne pourrions pas les mentionner dans des propositions douées de signification (vraies ou fausses). L'être est donc, pour Russell en 1903, une garantie que les propositions possèdent une signification. C'est déjà un progrès sur la confusion entre le fait qu'une proposition soit fausse et le fait qu'elle soit dénuée de signification. Par contre, l'existence est une prérogative de certaines des entités qui possèdent l'être. Exister, c'est entretenir une certaine relation avec l'existence — « relation, d'ailleurs, que l'existence ne possède pas » (*ibid.*). Cette clarification par rapport à Moore est indéniablement le fruit de l'apport de Meinong.

Dès lors, la mystérieuse critique de la théorie dite « existentielle » des propositions prend tout son sens : à nos yeux, la théorie, empruntée par Russell à Meinong, qui impute l'être aux termes mentionnés par les propositions, à seule fin que celles-ci ne soient pas dépourvues de sens, témoigne d'une prodigalité ontologique très excessive. Mais la théorie « existentielle » des propositions est encore pire, puisqu'elle attribue non seulement l'être mais aussi l'existence aux termes mentionnés dans des propositions douées de sens. Autrement dit, par rapport à la théorie « existentielle », Russell et Meinong réalisent un bénéfice ontologique. Le débat entre les deux points de vue tourne autour de la question : comment rendre compte de la possibilité de propositions existentielles négatives, qui soient douées de sens ? Comment une proposition comme « La licorne n'existe pas » ou « Les chimères n'existent pas » peut-elle être douée de sens ? La distinction entre être et existence permet à Russell de ne pas attribuer l'existence aux licornes, aux chimères, ou aux cercles carrés [23] :

> Ce qui n'existe pas doit être quelque chose, ou alors nier son existence n'aurait aucun sens ; nous avons donc besoin du concept d'être, comme ce qui appartient même à ce qui n'existe pas.

Russell dit explicitement que sa notion de « terme » résulte de la « modification » de la notion de concept, exposée par Moore dans « The Nature of Judgment », « dont elle diffère à certains égards importants » (§ 47, p. 44). Si Russell, comme Moore quatre ans plus tôt, envisage toujours concepts et propositions comme des entités ni mentales ni linguistiques, il se livre néanmoins à des analyses linguistiques et grammaticales. Mais elles ne sont pas entièrement consistantes les unes avec les autres. D'abord, il opère une distinction fondamentale entre ce qu'il appelle l' « indication » et la « dénotation ». Un *mot indique* un terme (soit une chose, soit un concept). Par exemple, dans « Socrate est un homme », le nom propre « Socrate » *indique* un terme, qui est une *chose* (l'individu Socrate). La relation d'indication est donc une relation linguistique (que Russell qualifie aussi de « psychologique »), entre des êtres linguistiques et des êtres non linguistiques. Cette relation n'intéresse pas Russell, dans

23. B. Russell, 1903, p. 449-50.

les *Principles* [24]. En revanche, ce qui l'intéresse, c'est la relation purement logique de dénotation entre un concept et ce qui n'est pas un concept, mais est « décrit » par le concept. Dans une proposition, où existe une relation de dénotation entre un concept et ce que dénote le concept, la proposition concerne, non le concept, mais ce qu'il dénote. Autrement dit, le concept est un instrument, qui permet à la proposition de parler simplement de certains êtres. Faute de la dénotation, il serait beaucoup plus difficile de les mentionner. Par exemple, dans une proposition comme « J'ai rencontré un homme », la proposition ne porte pas sur le concept *un homme*, mais, grâce à ce concept, elle porte sur un « certain bipède dénoté par le concept » (§ 51, p. 47). Lorsqu'on dit « L'homme est mortel », la proposition peut difficilement porter sur le concept d'*homme*. Pour la bonne raison qu'à supposer (ce qui est raisonnable) qu'elle soit vraie, si elle portait sur le concept d'*homme*, on devrait en conclure que le concept d'homme est mortel. On devrait donc s'attendre à trouver un jour une notice nécrologique du concept d'*homme* (§ 56, p. 53-54). Ce qui est absurde, même si le faire-part émane de Michel Foucault.

Si la relation cruciale est la dénotation (logique) entre un concept et un ou des termes, nous devons évidemment disposer de critères nous permettant de distinguer entre les deux catégories de termes, les choses et les concepts, ou les mots les indiquant. Considérons par exemple « Socrate est un homme ». La raison pour laquelle « Socrate » indique plutôt une chose qu'un concept est une raison grammaticale : le nom propre, qui indique le terme *Socrate*, ne peut normalement occuper dans la phrase que la place du sujet grammatical [25]. En gros, les noms propres logiques, qui forment une

---

24. *Ibid.*, chap. 4 et 5.

25. Un exemple de la négligence terminologique de Russell : après avoir distingué entre la signification (*meaning*) linguistique-psychologique des mots (qui ne l'intéresse pas) et la signification logique (dénotation) qui l'intéresse, Russell n'est pas toujours précis sur la signification qu'il donne à son emploi de « signification » dans le reste du livre. Un exemple de son inconsistance terminologique : il commence par définir un « terme » comme la notion la plus générale d'une entité ou d'un individu, notion qui se subdivise en chose et concept (cf. § 47-48, p. 43-44). Puis il l'emploie presque aussitôt dans le sens grammatical d'un élément linguistique, qui ne peut occuper que la place d'un sujet dans une phrase : « Socrate est

classe plus étendue que les noms propres des langues naturelles, correspondent aux mots qui ne peuvent occuper que la place de sujet grammatical dans une phrase. Telle était également la position de Frege [26]. Les mots qui indiquent des concepts sont donc les verbes et les adjectifs — ceux qui peuvent *aussi* occuper la place de prédicat grammatical dans la phrase. Sur ce point, il y a un désaccord très significatif entre Russell et Frege. En général, pour Russell, un mot indiquant un concept (dénotatif) est préfixé d'un quantificateur (« un », « certains », « n'importe lequel », « tous »). Ainsi, dans « tous les hommes », on a affaire au concept d'*homme*.

Ce qu'il faut donc immédiatement observer, c'est que pour Russell, en 1903, les mots indiquant des concepts, donc des entités dénotatives, n'ont aucune fonction référentielle. Il y a, entre l'usage moderne de la notion de *référence* et l'usage russellien, en 1903, de la notion de *dénotation*, deux différences fondamentales : d'abord, la notion moderne de référence est une propriété appartenant à des êtres linguistiques (par exemple des noms propres ou des expressions indexicales, comme « je » ou « ici »). La notion russellienne de dénotation, en 1903, est, elle, une propriété appartenant à certaines entités logiques, « indiquées par des mots ». Ensuite, si on met de côté cette première différence, les mots qui sont aujourd'hui associés à une fonction référentielle et les mots que Russell associe, en 1903, à une fonction de dénotation, appartiennent à deux classes opposées : en gros, les premiers sont les mots en position de sujet grammatical dans une phrase. Les seconds sont les mots en position de prédicat grammatical. Or, la conception moderne est celle qu'on trouve déjà chez Frege.

---

une chose, parce que Socrate ne peut apparaître dans une proposition autrement que comme un terme : Socrate n'est pas capable de cet étrange usage dédoublé dont témoigne *humain* et *humanité* » (§ 48, p. 45). Ce passage est étonnant de la part d'un logicien de la dimension de Russell, tant il contient de confusions : il confond usage et mention d'un mot ; il confond la phrase et la proposition ; il confond la notion logique de « terme » avec un emploi linguistique (grammatical) du même mot. Le problème n'est pas simplement que Russell viole la distinction subtile entre usage et mention ; mais qu'après avoir fait de « terme » une notion plus générale que celles de « chose » et de « concept », il finit par l'employer comme un synonyme de « chose ».

26. G. Frege, 1892 b, trad. fr. Cl. Imbert, 1971.

La discussion par Russell de la distinction frégéenne entre le sens (*Sinn*) et la référence (*Bedeutung*) d'une expression linguistique, dans l'Appendice A des *Principles*, est extrêmement confuse. Frege voulait avant tout expliquer comment une assertion d'identité peut à la fois être vraie et informative (c'est-à-dire ne pas être une tautologie). Lorsqu'on dit, en effet, « L'étoile du soir est l'étoile du matin », on ne fait pas la même assertion que lorsqu'on dit « L'étoile du matin est l'étoile du matin ». La première assertion est le résultat d'une découverte astronomique, pas la seconde. Dans « Über Sinn und Bedeutung » (1892) (malheureusement traduit en français par « Sens et dénotation », plutôt que par « Sens et référence [27] »), Frege résout le problème de la façon suivante. Dans une assertion d'identité informative, les deux expressions linguistiques, figurant respectivement à gauche et à droite du signe d'identité, ont la même référence (le corps céleste désigné par l'une ou l'autre expression, ou encore par le nom propre « Vénus »). Mais elles ont des sens différents, car le sens d'une expression un tant soit peu complexe est, pour Frege, une fonction du sens de ses constituants, et « le matin » et « le soir » n'ont pas le même sens. Puis, Frege étend sa distinction aux phrases affirmatives ellesmêmes : une assertion a un sens, qui est la proposition qui lui correspond, et une référence, qui est sa valeur de vérité (le vrai ou le faux). Toutes les phrases vraies ont la même référence et toutes les phrases fausses aussi. Il ne fait aucun doute que, pour Frege, le sens et la référence sont deux propriétés distinctes d'une seule catégorie d'entités — des entités linguistiques. Le sens et la référence d'une expression linguistique sont, tous deux, fonction, respectivement, du sens et de la référence des constituants linguistiques de l'expression considérée. Enfin, c'est en passant par le sens qu'on accède à la référence : autrement dit, pour savoir à quelle entité extralinguistique une expression linguistique fait référence, le locuteur d'une langue (qu'elle soit naturelle ou for-

27. « Malheureusement », comme, je l'espère, mes remarques le montrent. D'ailleurs, la traduction canonique en anglais par P. Geach et M. Black, eds, 1970, est « On sense and reference ». A remarquer que le *sens,* pour Frege, n'a aucune des connotations psychologiques attribuées à la « représentation » (trad. fr. p. 105-106) ou à la « coloration » (*ibid.,* p. 131).

melle) doit d'abord comprendre (saisir) son sens. La seule différence entre une langue naturelle (souvent défectueuse, du point de vue de Frege) et une langue formelle « bien faite », c'est que, dans le cas de la dernière, aucun mot ne peut manquer de référence. Ainsi, lorsqu'on dit en français « Le Père Noël apporte des cadeaux aux petits enfants », « le Père Noël » est, en général, tenu pour dénué de référence. Or, comme la référence de la phrase entière (sa valeur de vérité) dépend de la référence de ses constituants, une telle phrase est, aux yeux de Frege, dépourvue de valeur de vérité. A ce défaut des langues naturelles, un constructeur de langage artificiel pourrait aisément remédier. Cette doctrine harmonieuse rencontre certaines difficultés, à partir du moment où l'on considère le discours indirect et les phénomènes d'enchâssement de phrases dans des contextes (inévitables) d'attitudes propositionnelles [28]. Mais elle n'en représente pas moins une construction aujourd'hui « classique ».

En 1903, et beaucoup plus allusivement en 1905, Russell, qui est occupé par tout autre chose que l'énigme des assertions d'identité informatives, se livre à un exercice de traduction entre Frege et lui, où le malentendu paraît le disputer au quiproquo [29]. Dans son long Appendice, il commence par une double assimilation presque contradictoire : « la distinction entre la signification (*Sinn*) », que Russell nomme ici *meaning*, « et l'indication (*Bedeutung*) est approximativement, mais pas exactement, équivalente à ma distinction entre un concept en tant que tel et ce que le concept dénote » (p. 502). Admettons que l'*indication* (au sens de Russell) ressemble à la *référence* (au sens de Frege) : il s'agit dans les deux cas d'une relation entre une entité linguistique et quelque chose de non linguistique. Mais, pour Russell, la relation entre un concept dénotatif et sa dénotation n'est pas linguistique, puisque le concept et le terme dénoté sont tous deux les constituants de cette entité (non linguistique) qu'est la proposition, elle-même « indiquée » par la phrase. En fin

28. Cf. p. 58 et L. Linsky, 1967, trad. fr. Ph. Devaux et al., 1974.

29. Sur cette question, il existe une abondante littérature, qui exprime en général un sentiment d'outrage à l'égard des déformations que Russell a fait subir à Frege. Cf. par exemple, A. Church, 1943 ; R. J. Butler, 1954 ; J. R. Searle, 1957-58 ; la meilleure discussion, à mon avis, est celle de C. E. Cassin, 1970.

de compte, comme l'a montré C. E. Cassin, 1970, Russell semble avoir pris le *Sinn* de Frege pour sa propre notion d'*indication* et la *Bedeutung* de Frege pour sa notion de *dénotation*. Ce qui a rendu plausible cette assimilation, c'est qu'en 1903, pour Russell, les mots « le président de la République française » *indiquaient* le concept *le président de la République*, qui lui-même dénotait la « chose » Valéry Giscard d'Estaing.

Reste à savoir pourquoi Russell a adopté des vues tellement plus extravagantes que celles de Frege. La réponse est que Russell est encore marqué par la problématique néo-hégélienne dont il a du mal à se débarrasser et que cette problématique est complètement étrangère à Frege.

D'abord, dans son analyse de la structure interne de la proposition (chap. IV), il retrouve cocassement des accents quasi hégéliens pour souligner le fait qu' « une proposition est, en fait, essentiellement une unité, et que lorsque l'analyse a détruit cette unité, aucune énumération de ses constituants ne pourra plus restaurer la proposition » (p. 50). C'est, selon lui, le verbe qui est mystérieusement responsable de l'unité de la proposition. N'est-il pas piquant de le voir limiter les pouvoirs de l'analyse, au nom de l'unité ineffable de la proposition, qui « rend celle-ci distincte de la somme de ses constituants » (p. 52) ? C'est en se dégageant d'une gangue néo-hégélienne que naît l'un des concepts de base de la nouvelle logique, le concept de fonction propositionnelle. Russell l'engendre à partir d'un concept tout à fait ambigu : celui d' « assertion ».

Dans un premier temps, l'assertion est distinguée de la proposition : la proposition est une entité inerte (par exemple, « le fait que A soit plus grand que B ») ; l'assertion fait pour ainsi dire « vivre » la proposition (« A est plus grand que B »). Avec l'assertion, la proposition gagne son unité. Comme si, au-dessous de la proposition, il y avait la liste de ses éléments ; et au-dessus, l'assertion, qui lui confère vie et unité, en en affirmant la vérité (§ 38, p. 35). Cette capacité de l'assertion à faire vivre la proposition, en en affirmant la vérité, introduit évidemment une différence de statut entre propositions vraies et propositions fausses. Toutes deux sont des entités, capables d'être des sujets logiques : la proposition (vraie ou fausse) « César est mort » peut être enchâssée dans l'énoncé « "César est mort" est une proposition ». Mais, en un sens non psychologique, « lorsqu'une proposition est vraie, elle a une qualité supplémentaire, pardessus celles qu'elle a en commun avec des propositions fausses, et c'est cette qualité supplémentaire qui est ce que j'entends par assertion en un sens logique » (§ 52, p. 49).

Dans un second temps, Russell divise la proposition en un terme, indiqué par le sujet grammatical (disons, « Socrate »), et une assertion faite à propos du terme (disons, « est un homme »), autrement dit un prédicat. Grammaticalement, le verbe, qui confère à la proposition son unité, est du côté de l'assertion. Maintenant, si je prends l'assertion et si j'enlève le sujet de la proposition, j'obtiens une matrice qui n'est ni vraie ni fausse. A partir de « Socrate est un homme » (qui est une proposition vraie ou fausse), j'obtiens l'assertion « est un homme » (qui n'est ni vraie ni fausse). Si j'insère une variable, à la place du sujet, j'obtiens une fonction propositionnelle « x est un homme » (ni vraie ni fausse), telle que, si je remplace « x » par une constante appropriée, j'obtiens de nouveau une proposition (§ 80-85, p. 82-88). Alors que, pour Frege, l'assertion est un acte accompli avec des entités linguistiques particulières (des phrases affirmatives), les reliant à leur référence (le vrai ou le faux), pour Russell, l'assertion est à la fois un acte logique, qui fait « vivre » les propositions, et une composante de la proposition (qui se confond avec le concept).

Enfin, le poids de l'idéalisme hégélien se fait sentir dans la formulation choisie par Russell pour suggérer la portée philosophique d'une théorie satisfaisante de la dénotation. Grâce à cette relation purement logique entre des concepts et des termes dénotés, l'esprit humain est capable, moyennant des instruments de complexité finie, de manier des entités de complexité infinie. Par exemple, grâce au concept *tous les nombres*, nous pouvons dénoter un objet infiniment complexe. C'est pourquoi Russell qualifie la dénotation de « ressort le plus secret de notre pouvoir d'appréhender l'infini » (§ 72, p. 73). Tout se passe comme si Russell avait conservé de son passé philosophique la fascination pour la question de savoir comment l'esprit fini peut saisir des entités infiniment complexes. Mais il veut aussi à tout prix bloquer la prolifération des contradictions (dialectiques) « dont seule se nourrit la philosophie hégélienne » (§ 105, p. 105). Comme il le note avec satisfaction [30],

> on peut en fait dire que la mission logique remplie par la théorie de la dénotation est de permettre à des propositions de complexité finie de traiter de classes de termes infinies : cet objectif est réalisé grâce à *tous, n'importe lequel,* et *chaque,* et, s'il ne l'était pas, toute proposition générale devrait être infiniment complexe. Je ne vois pas, quant à moi, de moyen de décider si les propositions de complexité infinie sont ou non possibles ; mais ce qui est, du moins, clair, c'est que toutes les propositions qui nous sont connues (et, semble-t-il, toutes celles que nous *pouvons* connaître) sont de complexité finie.

Dans son fameux article de 1905, « On Denoting », où il proposera sa théorie des descriptions, Russell fera d'une pierre deux coups. Premièrement, il fera une nouvelle économie ontologique, en ne supposant plus (comme il l'avait fait en 1903, avec Meinong) qu'une assertion n'est douée de signification qu'à la condition que les expressions linguistiques qui la composent désignent des entités qui possèdent, sinon l'existence, du moins l'être. A partir de 1905, il aura trouvé le moyen de n'attribuer ni l'existence ni l'être aux licornes, aux centaures et aux cercles carrés. Deuxièmement, il se débarrassera des entités intermédiaires, entre les signes linguistiques et leur référence extralinguistique, qu'étaient, en 1903, les concepts et les propositions. Les entités dénotatives deviennent à partir de 1905 les signes linguistiques eux-mêmes. Etant donnée son assimilation (cf. C. E. Cassin, 1970) entre sa notion d'indication et le *Sinn* frégéen d'une part, et entre sa dénotation et la *Bedeutung* frégéenne de l'autre, il est moins surprenant que la critique qu'il adresse en 1905 à *sa* doctrine de 1903 lui soit aussi apparue comme une mise en cause du *Sinn* frégéen. C'est qu'à partir de 1905 il n'a plus besoin de postuler, entre signes et concepts, cette relation d'indication, qui était, en 1903, préalable à la relation de dénotation entre concepts et entités dénotées.

---

30. B. Russell, 1903, § 141, p. 145.

4. *Concepts et choses chez Russell en 1903 ; concepts et objets chez Frege.*

Il existe une autre différence intéressante entre l'ontologie de Russell en 1903 et celle de Frege. Et cette différence atteste aussi de la prépondérance du contexte néo-hégélien sur la formation de la pensée de Russell. Depuis *Die Grundlagen der Arithmetik* (1884) [31], Frege a divisé son univers en deux : les concepts et les objets. En 1892, dans « Concepts et objets », il répond aux critiques de Benno Kerry.

Dans la phrase « César était un général romain », « César » désigne un objet et « un général romain » désigne un concept. Selon Frege, la grammaire nous aide en général à reconnaître les objets et les concepts. Car, d'ordinaire, les objets sont la référence des sujets grammaticaux et les concepts la référence des prédicats grammaticaux. Mais parfois il faut se méfier : la grammaire peut masquer les véritables relations logiques. Par exemple, dans « Tous les mammifères ont le sang chaud », « tous les mammifères », contrairement aux apparences, ne désigne pas un objet, mais un concept. Frege, qui a créé la quantification logique, analyse en effet cettre phrase de la façon suivante : « pour tout x, si x est un mammifère, alors x a le sang chaud », où apparaît la nature prédicative du concept désigné par « tous les mammifères ». Donc, tout signe qui occupe la place logique d'un prédicat a un concept pour référence. Un objet ne peut jamais être la référence de la totalité d'un prédicat logique. Mais il peut être la référence d'un sujet logique. Or, contrairement à Frege, Russell soutient qu'un concept peut être alternativement la référence d'un prédicat et d'un sujet et que la doctrine qui veut que « les concepts ne puissent être des sujets est intenable » (Appendice A, § 483, p. 510). Il faut donc voir les raisons respectives qu'ont Frege et Russell de s'opposer sur ce point.

Commençons par Frege, dont les arguments sont, une fois de plus, exemplaires. Dans *Les Fondements de l'arithmétique*, Frege a pour but de montrer que l'arithmétique se réduit à des constructions sur les nombres entiers, que le concept de

31. Toutes les références sont à la trad. fr. Cl. Imbert, 1969.

nombre entier peut se réduire à des notions logiques fondamentales et que les axiomes de l'arithmétique sont dérivables de lois logiques fondamentales. Il rencontre donc sur sa route la question suivante : de quoi les nombres sont-ils la propriété ? C'est cette question qui suscite la scission de son univers en objets et concepts. Il récuse d'abord la réponse de John Stuart Mill, pour qui les nombres sont la propriété d'objets physiques. Lorsque, dit Frege, je considère *un* objet physique, comme le poème d'Homère, l'*Illiade*, je peux le concevoir comme un poème, comme vingt-quatre livres, ou comme un grand nombre de vers. Lorsque je pense au feuillage d'un arbre, il existe une différence frappante entre la manière dont je peux lui associer soit la couleur verte, soit un nombre : je peux assigner le vert à chaque feuille ou au feuillage pris dans sa totalité. Mais, à supposer que l'arbre ait mille feuilles, je ne peux assigner le nombre 1 000 ni au feuillage ni à chaque feuille en particulier (§ 22, p. 148). A quoi donc appartient le nombre 1 000 ? Toujours contre Mill, Frege montre que les différences entre les nombres peuvent ne correspondre à aucune différence physique perceptible : une paire de bottes et deux bottes ne se distinguent pas physiquement (§ 25, p. 152) ; et, surtout, au nombre 0 ne correspond aucun phénomène physique (§ 7, p. 132 et § 23, p. 150). Considérons maintenant le nombre 1 : s'il était la propriété d'un objet, comme l'adjectif « sage », on devrait pouvoir dire « un homme », comme on dit « homme sage », et « Solon était un » comme « Solon était sage ». Surtout, à partir de « Solon était un » et « Thalès était un », on devrait, par transformation, pouvoir obtenir « Solon et Thalès étaient uns » (ce qui est impossible), comme on obtient « Solon et Thalès étaient sages » à partir de « Solon était sage » et « Thalès était sage » (§ 29, p. 158-159). Tous ces arguments suggèrent donc que les nombres ne sont pas la propriété d'objets.

Frege rejette aussi la possibilité que les nombres soient des entités « subjectives », comme le veut notamment la doctrine kantienne selon laquelle les propositions arithmétiques dépendent de l'intuition pure du temps. La notion d'intuition numérique perd toute signification lorsqu'on l'applique à des nombres suffisamment grands (§ 5, p. 129-130 et § 12, p. 139-140). Frege peut dès lors répondre à la question : de quoi les nombres sont-ils la propriété ? Les nombres, qui sont eux-mêmes des objets, sont la propriété, non pas d'objets, mais de concepts. « C'est peut-être dans le cas du nombre 0 que la chose se voit le plus clairement », dit-il (§ 46, p. 175). Si en effet je dis « Vénus a 0 lune », il n'existe à proprement parler aucun objet lunaire dont je peux dire que le nombre 0 lui appartient. Par contre, je prédique une propriété du concept « lune de Vénus », à savoir la propriété « de ne rien subsumer » (*ibid.* p. 175-176). Si maintenant je dis « Le carrosse de l'empereur est tiré par quatre chevaux », j'attribue le nombre quatre au concept « cheval qui tire le carrosse de l'empereur » (*ibid.*). Grâce à cette réponse, Frege peut donner un statut à 0, et surtout définir la notion d'équinuméricité, grâce à laquelle la notion de nombre entier peut être construite sur une base purement logique.

Après cette première thèse révolutionnaire (qui fait des objets numériques la propriété de concepts), Frege bouleverse en effet l'ordre traditionnel, qui allait du nombre à l'égalité entre les nombres. Il construit au contraire la notion de nombre à partir de la notion d'équinuméricité (§ 62-70). « Le nombre qui appartient au concept F est l'extension du concept "équinumérique au concept F" » (p. 194). Comme il le dit, « si un maître d'hôtel veut s'assurer qu'il y a sur la table autant de couteaux que d'assiettes, il n'a pas besoin de compter les uns et les autres dès lors qu'il met un couteau à droite de chaque assiette, en sorte que chaque couteau soit, sur la table, à droite d'une assiette. Les assiettes et les couteaux sont dans une correspondance biunivoque parce qu'ils sont liés entre eux par le même rapport de position » (§ 70, p. 195-196). La relation d'équinuméricité ou de correspondance biunivoque entre concepts (ou classes) est logiquement antérieure à la notion de nombre. Si, comme l'a fait remarquer Russell, on considère un pays où la polygamie et la polyandrie sont exclues, alors, sans compter les individus des deux sexes, on sait d'avance que la classe des épouses et celle des époux auront le même nombre de membres. La similitude entre deux classes est définie par leur correspondance biunivoque. Dès lors, le nombre d'une classe (ou d'un concept) est défini comme la classe de toutes les classes qui lui sont semblables. Quant au nombre 0, il est la classe de toutes les classes qui n'ont aucun membre, ou, dans le langage de Frege, l'extension du concept : équinumérique au concept « non identique à soi-même » (§ 74, p. 200).

Huit ans après *Die Grundlagen*, Frege défend sa distinction entre objets et concepts avec de nouvelles armes, forgées dans « Fonction et concept » (1891) et « Sens et dénotation » (1892). En réponse à Kerry, il commence par mettre en évidence l'ambiguïté logique de la copule « est » (dans une langue naturelle, comme le français). Il y a une différence fondamentale entre l'usage de « est » dans les deux premières phrases et dans les suivantes :

(i) quelque chose est vert
(ii) quelque chose est un mammifère
(iii) quelque chose est Alexandre le Grand
(iv) quelque chose est le nombre 4
(v) quelque chose est Vénus.

Dans (i) et (ii), « est » est un signe de prédication, reliant un signe d'objet à un signe de concept. Sa fonction sémantique est de faire qu'un objet « tombe sous un concept ». Mais dans (iii)-(v), « est » est un signe d'identité. Contrairement aux apparences purement grammaticales, qui donnent à penser que, dans (iii), un signe d'objet est en position de prédicat, l'analyse appropriée de (iii) est la suivante : « Quelque chose n'est autre qu'Alexandre. » Donc, le nom propre « Alexandre » n'est (pas en position de prédicat logique mais n'est) qu'un constituant du prédicat « n'est autre qu'Alexandre ». Dans une phrase comme « L'étoile du matin est Vénus », on a apparemment deux noms propres (donc des signes d'objets) dont l'un en position de prédicat. Pourtant, selon la même analyse que précédemment, le véritable prédicat n'est pas « Vénus », mais « n'est autre que Vénus ». La différence entre « L'étoile du matin est Vénus » et « L'étoile du matin est une planète » est, selon Frege, que dans la première phrase, on a affaire à une équation réversible, et dans la seconde, à une équation irréversible [32]. Jusqu'à nouvel ordre, Frege s'estime ainsi fondé à préserver sa distinction entre les signes d'objets (les noms propres, jamais en position de prédicat, et généralement précédés de l'article défini) et les signes de concepts.

32. Trad. fr. Cl. Imbert, 1971, p. 129.

Ontologiquement, l'univers de Frege se scinde donc en deux classes bien distinctes. Comme il le dit dans « Fonction et concept », d'un côté, les concepts sont des êtres essentiellement *incomplets* ou *non saturés* (*ungesättigt*), qu'il conçoit sur le modèle des fonctions, c'est-à-dire munis d'une place vide (comme les fonctions propositionnelles de Russell). De l'autre, les objets sont des entités qui se suffisent à elles-mêmes, et qu'il conçoit sur le modèle des arguments d'une fonction. Sur le plan linguistique, un concept est la référence d'un prédicat (convenablement analysé) et un objet n'est jamais la référence globale d'un prédicat, mais peut être celle d'un sujet grammatical.

Ces deux distinctions ontologique et linguistique sont effectivement productives. Considérons les deux énoncés suivants : « Il existe au moins une racine carrée de 4 » et « Le concept racine carrée de 4 est satisfait ». Dans le premier, on fait une assertion concernant un concept, le concept *racine carrée de 4*, et non pas des nombres définis (2 ou — 2), qui sont des objets, lesquels « tombent sous » le concept *racine carrée de 4*. Plus précisément, on attribue l'existence (qui est une propriété des concepts) au concept en question. Mais, dans le second énoncé, les mots « le concept racine carrée de 4 » désignent un objet. Ce que veut dire l'énoncé, c'est qu'un certain concept de niveau 1 (le concept *racine carrée de 4*) tombe sous un concept de niveau 2. Et Frege prend acte de la différence entre les « marques d'un concept » et les « propriétés d'un objet ». Dans le premier énoncé, le concept *racine carrée de 4* est subordonné au concept d'existence, ou encore, le concept d'existence y est une marque du concept *racine carrée de 4*. D'après le test de Frege, « une racine carrée de 4 » désigne bien un concept, puisque les mots « racine carrée de 4 » sont précédés, non d'un article défini, mais d'un article indéfini. Dans le second énoncé, l'objet désigné par les mots « le concept *racine carrée de 4* » se voit attribué le concept *être satisfait*. L'assertion est ici faite au sujet de l'objet [33].

Seulement, on ne peut pas ne pas être frappé, comme Russell semble l'avoir été, par un air de paradoxe : si je dis

33. *Ibid.*, p. 134-35.

« Le concept racine carrée de 4 est satisfait », les mots « le concept racine carrée de 4 » désignent un objet ! D'après le test de Frege, c'est indéniablement le cas, puisque l'expression entre guillemets commence par l'article défini. Donc, si je dis « Le concept "cheval" est un concept qu'on acquiert aisément », alors les mots « Le concept "cheval" » désigneraient un objet ? De même, si j'analyse (dans la « métalangue ») la phrase « Cette rose est rouge », et que je dis « dans cette phrase, le prédicat grammatical "est rouge" appartient au sujet "cette rose" », alors dans cette dernière phrase les mots « le prédicat grammatical "est rouge" » désignent, non pas un concept, mais un objet. Ces mots sont en effet en position de sujet et non pas de prédicat, et j'ai employé l'article défini. Le fait même de préfixer les mots « cheval » ou « est rouge », respectivement par les mots « le concept » ou « le prédicat grammatical » leur confère automatiquement le statut de constituant du sujet grammatical et leur fait donc désigner des objets. Comme le dit Frege, « le concept "cheval" n'est pas un concept, bien que la ville de Berlin soit une ville et que le volcan Vésuve soit un volcan [34] ». Frege baptise ce phénomène une « difficulté » ou plutôt une « bizarrerie linguistique ». Ce n'est nullement, à ses yeux, un paradoxe, dans la mesure où cette « bizarrerie » résulte tout simplement du passage d'un niveau linguistique à un autre : il découvre, sans la formuler tout à fait explicitement, la nécessité de distinguer entre un « langage-objet » et un « métalangage ». Pour marquer cette différence de niveau, il faut, fait-il observer, utiliser des procédés linguistiques (guillemets ou italiques), permettant de reconnaître qu'on se situe sur le plan du métalangage.

Il n'en demeure pas moins que ce bel édifice pose deux difficultés. Et Russell semble avoir été particulièrement sensible à la seconde. D'abord, étant donné la distinction entre le sens et la référence de toute expression linguistique, un sujet grammatical aura un certain sens, qui n'est pas l'objet qui constitue sa référence. Plutôt, le sens est la manière dont l'objet référentiel est détecté par le locuteur du langage, grâce à sa compréhension du langage. Et un prédicat gram-

34. *Ibid.*, p. 131.

matical aura aussi un sens, qui ne se confond pas avec le concept qui sert de référence au prédicat. Mais il est légitime de se demander ce qu'est le sens du prédicat grammatical, si ce n'est pas un concept. C'est aussi l'intermédiaire, grâce à la compréhension duquel le locuteur du langage peut accéder à l'être qu'est le concept. Mais la nature exacte de ce sens n'est pas excessivement claire. Cette première difficulté est d'ailleurs liée aux problèmes rencontrés par Frege lorsqu'il lui faut concilier son ontologie avec l'analyse du discours indirect. Si je dis par exemple « Copernic croyait que les orbites des planètes sont circulaires », dans cette phrase, les mots qui suivent « Copernic croyait que » n'ont pas leur référence ordinaire. Frege pose qu'ils ont pour référence « oblique » leur sens ordinaire. Supposons que ce soit le cas : alors, quel est leur sens ? Dans la mesure où, en adoptant ce point de vue, Frege est amené à superposer à la couche du sens ordinaire un nombre infini de couches de sens « oblique » se pose la question de savoir comment il envisage d'individualiser les éléments appartenant à ces couches superposées [35].

Ensuite, et c'est la seconde difficulté, le fait que chaque fois qu'on parle « du concept "cheval" », ces mots désignent un objet implique qu'on ne peut apparemment jamais parler d'un concept en tant que tel. Sur le plan linguistique, l'usage de guillemets ou d'italiques nous permet d'employer, sans ambiguïté, une expression comme « le concept "cheval" ». Mais, sur le plan ontologique, Frege doit opérer un tour de passe-passe : pour parler d'un concept, il faut au préalable le convertir en objet. A défaut de cette conversion, les propriétés du concept resteraient ineffables. Mais, du fait de cette conversion, ce n'est plus tout à fait des propriétés du concept que l'on parle.

C'est exactement ce qui pousse Russell à contredire Frege : pour Russell, un mot indiquant un concept peut alternativement se trouver en position de sujet ou en position de prédicat, sans que la nature du concept (indiqué) s'en trouve altérée. Considérons par exemple la différence entre le prédicat « un » et le terme 1 (n'oublions pas qu'en 1903 Russell ne respecte pas la distinction entre usage et mention des

35. Cf. L. Linsky, 1967.

signes). Nous disons par exemple « 1 est un nombre » et « César en est un ». Mais lorsque nous prononçons les mots « Considérons la différence entre le prédicat "un" et le terme 1 », dit Russell, nous avons conféré au prédicat « un » le statut d'un terme. Nous pourrions en effet faire une phrase dans laquelle les mots « le prédicat "un" » pourrait facilement occuper la place du sujet. Alors, de deux choses l'une : ou bien, le prédicat « un » est devenu le terme 1. Auquel cas la supposition initiale (qui voulait qu'ils soient irréductiblement différents) est contredite. Ou bien il existe une autre différence entre les deux. Auquel cas il doit exister des phrases concernant le prédicat « un ». Mais toutes ces phrases devraient être fausses, puisque toute phrase au sujet du prédicat « un » place « un » en position de sujet et concerne en réalité le terme. Aucune phrase affirmant qu'une phrase au sujet du prédicat « un » est fausse ne pourrait elle-même être vraie, pour la même raison. Conclusion : la supposition selon laquelle les mots indiquant un concept ne peuvent pas alternativement être en position de prédicat et de sujet (sans changer de signification), est fausse. Car elle a des conséquences paradoxales [36].

Or, il existe aussi une raison métaphysique explicite en vertu de laquelle Russell n'accepte pas que les concepts doivent se transmuer en objets pour que nous puissions les évoquer. C'est qu'il pose, par fidélité aux principes de l'atomisme platonicien et contre l'idéalisme néo-hégélien, que tous les termes (concepts ou choses) sont « immuables et indestructibles » (§ 47, p. 44), ou, comme Moore en 1899, que, « tout comme les concepts sont immuablement ce qu'ils sont, de la même façon ils sont unis les uns aux autres par des relations également immuables et en nombre infini ». Sur le plan ontologique, il est crucial, pour Russell et Moore, avant 1905, que les concepts (et les choses aussi) soient conçus comme des atomes inaltérables et totalement insensibles aux efforts que nous effectuons pour les appréhender. Russell est tellement obsédé par son désir de détruire l'idée attribuée à l'idéalisme hégélien que « la connaissance a une importance cosmique qu'elle ne mérite nullement (...) et que

36. Cf. B. Russell, 1903, § 49, p. 45-46.

l'esprit a une sorte de suprématie sur l'univers non mental, ou même que l'univers non mental n'est qu'un cauchemar imaginé par l'esprit pendant l'un de ses rêves les moins philosophiques[37] », qu'il voit probablement la transmutation frégéenne des concepts en objets comme une menace idéaliste.

5. *La réalité des relations et la critique du monisme et du monadisme.*

D'Aristote à Leibniz et Kant, les théories métaphysiques des substances et de leurs attributs étaient étroitement dépendantes d'une analyse de la structure logique des propositions, selon laquelle toute proposition sensée était de la forme sujet-prédicat, sur le modèle de « Socrate est un homme ». Avec Peano, Frege, Russell et Moore, au tournant du siècle, deux découvertes mettent en cause l'analyse traditionnelle : la première, c'est la découverte de l'ambiguïté logique de la copule « est », telle qu'elle est employée dans les langues naturelles. Lorsqu'on dit « Platon est le disciple de Socrate », on emploie « est » dans le sens de l'identité entre un nom propre et une description définie. Lorsqu'on dit « Socrate est un homme », on utilise la copule pour affirmer l'appartenance de l'individu nommé « Socrate » à la classe des hommes. On note donc cet usage de la copule du signe « $\in$ » d'appartenance d'un élément à une classe (ou à un ensemble). Lorsqu'on dit « Les hommes sont des mammifères », on emploie la copule pour affirmer l'inclusion d'une classe dans une autre, qu'on note « $\subset$ ». Lorsqu'on dit « Certains mammifères sont bipèdes », on emploie la copule dans le sens du quantificateur existentiel, suivi d'une conjonction : « Il existe des mammifères et ils sont bipèdes. » Si l'on dit « Tous les hommes sont rationnels », on emploie la copule dans le sens du quantificateur universel, suivi d'un conditionnel : « Pour tout x, si x est un homme, alors x est rationnel. »

La seconde découverte, c'est que de nombreux énoncés (notamment en mathématiques, mais pas seulement là)

37. B. Russell, 1959, p. 16.

contiennent des relations, qui ne se laissent pas transcrire dans la forme sujet-prédicat. Si je dis par exemple « Paris est à l'est de New York », et si je veux donner à cet énoncé la forme logique sujet-prédicat, je dois pouvoir décider si Paris est le sujet authentique, auquel cas le prédicat est « être à l'est de New York », ou bien si New York (pourquoi pas ?) est le sujet, auquel cas le prédicat est « être à l'ouest de Paris ». Tout l'appareillage frégéen des concepts, êtres fonctionnels non saturés, et celui des fonctions propositionnelles russelliennes est destiné à rendre compte élégamment de phénomènes relationnels que la logique sujet-prédicat ne peut pas traiter normalement.

Comme à son habitude, Frege restait muet sur les conséquences philosophiques globales de cette révolution, que Russell et Moore ne perdent jamais de vue. A leurs yeux, toute la métaphysique traditionnelle s'est méprise en adoptant ce qu'ils appellent l' « axiome des relations internes », qui veut que « toute relation soit ancrée dans la nature des termes reliés [38] ». Russell discerne dans la tradition une bifurcation entre ceux qu'il appelle les « monistes » et ceux qu'il appelle les « monadistes ». Parmi les premiers, il range Spinoza, Hegel et Bradley, parmi les seconds, Leibniz et Lotze. Pour les monistes, il existe une et une seule Substance, à laquelle appartiennent divers attributs et divers modes. Pour un moniste, toute proposition convenablement analysée consiste donc à prédiquer un mode ou un attribut de la Substance. Pour un monadiste, il existe une infinité de substances (les monades leibniziennes ou les substances individuelles aristotéliciennes), chacune douée d'une infinité de propriétés. En imputant au monisme et au monadisme l'axiome des relations internes, Russell et Moore accusaient les deux variétés de métaphysique traditionnelle de croire que toute proposition a la forme sujet-prédicat et de nier la réalité des relations. Dans l'univers de l'atomisme platonicien, au contraire, les relations sont sur un pied d'égalité avec les concepts (ou les choses). Si, comme l'écrivait Bradley dans *Appearance and Reality* (cité par Moore, 1919-1920 [39]),

38. B. Russell, 1910, p. 139.
39. G. E. Moore, 1919-1920, in G. E. Moore, 1922, p. 276.

toutes les relations sont « intrinsèques » aux êtres reliés, si « toute relation pénètre essentiellement l'être de ses termes, et est, en ce sens, intrinsèque », si « aucune relation n'est externe » par rapport aux êtres reliés, alors la forme logique de toute proposition sensée sera effectivement réductible à celle du sujet-copule-prédicat. Pour le moniste, comme pour le monadiste, le sujet grammatical est toujours occupé par le nom d'une substance et le prédicat grammatical par le nom d'une de ses propriétés. La seule différence entre eux concerne le nombre de ces substances. Qui plus est, si toute relation authentique est intrinsèque aux termes reliés, si donc aucune relation authentique n'est externe, alors les relations apparemment externes sont des artefacts mentaux, qui reflètent simplement notre incapacité à saisir l'intérieur des êtres. Inversement, pour l'atomisme platonicien, les termes (concepts et choses) sont des atomes reliés par des relations réelles.

Dans son livre sur Leibniz (publié en 1900 [40]), Russell montre que l'adhésion de Leibniz à la croyance que les relations (en géométrie ou en arithmétique) sont mentales ou « idéales » a des conséquences paradoxales. Supposons que, pour Leibniz, la connaissance d'une monade consiste à lui attribuer, selon une proposition de la forme sujet-prédicat, l'un des prédicats qu'elle possède effectivement. Alors, à la différence d'une telle proposition « monadique », une proposition « monadologique », témoignant du rapport entre deux (ou plusieurs) monades, n'est certainement pas réductible à la forme canonique sujet-prédicat. Aucune monade n'est en effet la propriété d'une autre monade — les monades n'ont ni portes ni fenêtres. Supposons que seul Dieu puisse appréhender une proposition monadologique, reliant (par une relation « externe ») deux monades. Alors, de deux choses l'une : ou bien, seules les propositions prédicatives (où la relation est « interne ») sont logiquement bien formées. Auquel cas aucune proposition monadologique (fût-elle connue de Dieu) ne peut être bien formée, et *a fortiori* vraie. Ou bien il existe des propositions bien formées et vraies de ce type. Auquel cas des relations réelles, correspondant aux assertions faites par des propositions de ce type, existent.

---

40. B. Russell, 1900, trad. fr. 1908, § 10, p. 13-16.

Si Dieu en a connaissance, il a connaissance de propositions bien formées. Mais il faut admettre l'existence de relations externes réelles.

Conformément à son projet logiciste (de reconstruction des mathématiques sur une base purement logique), la démarche de Russell dans les *Principles* est la suivante : il édifie le concept de nombre (partie II), de quantité (partie III), d'ordre (partie IV), d'infini et de continuité (partie V), d'espace (partie VI) et de matière et mouvement (partie VII). Tous les concepts requis par la mécanique s'enchaînent donc l'un après l'autre. Pour accomplir cette tâche, il a besoin de *relations* — la construction du concept d'ordre requiert notamment l'existence de relations *asymétriques*. Une relation xRy est symétrique, si, comme « être égal », elle implique yRx. Une relation, comme « être le frère de », qui ne possède pas cette propriété, est non symétrique : si x est le frère de y, y peut être soit le frère, soit la sœur de x. xRy est asymétrique, si elle exclut yRx. La relation « être le fils de » est asymétrique. Considérons une relation transitive asymétrique, comme « A est plus grand que B ». Selon le monadisme, affirme Russell, une telle proposition doit s'analyser comme la conjonction des deux propositions suivantes (de la forme sujet-prédicat) : dans l'une, le sujet A, qui est une quantité déterminée, a une grandeur déterminée, qui est son prédicat. Dans l'autre, le sujet B, qui est une autre quantité, a pour prédicat une autre grandeur. Le but du monadiste, vu par Russell, est de se passer de relation entre quantités, en concevant la relation entre A et B comme deux propositions de la forme sujet-prédicat, où le sujet est une quantité et le prédicat une grandeur. Mais, à moins de déboucher sur une régression à l'infini, le monadiste devra tôt ou tard admettre l'existence de relations irréductibles entre les grandeurs (§ 212-214, p. 221-224).

Le monisme, pour sa part, affirme Russell, analyserait la même proposition de la manière suivante : R (la relation « être plus grand que ») est conçue comme le prédicat du tout (AB), composé de A et B, de telle sorte que « (AB) R » veut dire « le tout (AB) contient la propriété "être de grandeur différente" ». Mais, en essayant à tout de prix de préserver la forme sujet-prédicat, le monisme vu par Russell transformerait une relation asymétrique en relation symétrique, laissant échapper, dans la tractation, ce que Russell appelle le « sens » (c'est-à-dire l'orientation) de la relation [41].

Enfin, s'il faut abandonner la théorie traditionnelle affirmant que toute proposition est de la forme sujet-prédicat, reste à savoir si toutes les relations sont elles-mêmes réductibles à une forme dyadique canonique. Comme le dit Russell [42], « la déviation la plus limitée par rapport à l'opinion traditionnelle consiste à maintenir que, lorsqu'une proposition n'est pas réductible à la forme sujet-prédicat, il n'y a jamais plus de deux termes, et un concept qui n'est pas un terme. (...) Ce qui suggère l'opinion que les relations unissent toujours deux termes. (...) Mais il n'y a apparemment aucune raison *a priori* de limiter les relations à deux termes ». La relation « entre », comme dans « Paris est entre San Francisco et Léningrad » ou « Paul est entre Marie et Jeanne », est une relation triadique. Or il existe des relations entre un nombre infini de termes, qui ne sont pas réductibles aux relations dyadiques, ainsi que semblait déjà le dire Moore en 1899 et 1900.

6. *Pourquoi Russell et Moore croyaient-ils que la logique est synthétique ?*

Pour les besoins de la réfutation du monisme et du monadisme, qui soutenaient que toutes les propositions sont de la forme sujet-prédicat, il suffisait à Russell et Moore de montrer qu'il existe certaines propositions relationnelles irréductibles à cette forme prédicative. Or, ils ne s'en sont pas contentés, puisqu'ils s'en sont pris aussi d'une part à une thèse chère à Leibniz, selon qui les propositions logiques et mathématiques sont « analytiques », et d'autre part à une thèse chère à Kant, selon qui il existe une différence radicale entre les propositions logiques, qui sont (comme le voulait Leibniz) « analytiques », et les propositions mathématiques, qui sont « synthétiques ».

La notion traditionnelle d' « analyticité » est complètement liée à l'analyse des propositions en sujets (qui sont des

41. B. Russell, 1903, § 215, p. 225 et § 94, p. 95.
42. *Ibid.*, § 200, p. 212.

noms de substances ou de monades) et en prédicats (qui sont des noms de propriétés de ces substances). Pour Leibniz, comme pour Hume et pour Kant, une proposition analytique est une proposition sur la vérité de laquelle aucun doute n'est permis. Leibniz les appelle des « vérités de raison », par opposition aux « vérités de fait », Hume des « relations d'idées », par opposition aux « relations de fait ». Si l'empirisme et le rationalisme classiques sont en désaccord sur l'extension de ces termes, ils leur donnent néanmoins le même sens, et s'accordent pour postuler l'existence d'un domaine de vérités indubitables (dont, par exemple, le principe de non-contradiction, « il est faux qu'une proposition soit à la fois vraie et fausse » ; ou le principe du tiers-exclus, « il faut qu'une proposition soit ou vraie ou fausse »). Selon Leibniz, il existe plusieurs critères, permettant de déterminer si une proposition est analytique, si c'est une vérité de raison. Par exemple, l'inclusion du concept du prédicat dans le concept du sujet : dans « Tous les hommes sont rationnels », si le concept d'être rationnel est logiquement inclus dans le concept d'homme, alors la proposition est analytique. D'après ce critère, ce qui explique que le principe de non-contradiction soit analytique, c'est que la propriété de ne pas pouvoir être jointement vraie et fausse fait logiquement partie du concept de proposition. Un autre critère leibnizien consiste à se demander si la proposition examinée serait vraie « dans tous les mondes possibles ». Si elle l'est, alors elle est analytique. Aucun de ces critères n'échappent à une certaine circularité, car les principes de la logique classique sont subrepticement utilisés pour déterminer leur propre statut. Mais, intuitivement, la notion d'analyticité s'applique à ces propositions dont la négation paraît absurde ou contradictoire. Ce qui ne sera mis en lumière que dans la période récente, c'est que les critères classiques confondent la *certitude* (qui est un état mental) et la *nécessité* (qui est, en principe, un état de la nature). Pour Leibniz, une proposition analytique est automatiquement à la fois vraie *a priori* (nous jugeons de sa vérité mentalement, sans recourir à des observations empiriques) et *nécessaires*.

Kant reprit à son compte le concept leibnizien d'analyticité, qu'il appliqua intégralement aux vérités logiques. Mais, désireux de répondre au défi de Hume, il souhaitait montrer que les propositions de la physique possèdent la même certitude que les propositions mathématiques. Hume avait en effet laissé entendre que toutes les propositions qui reposent sur des relations de fait (comme la causalité, qui est au cœur de la mécanique classique) font intervenir un mécanisme inductif, qu'aucune loi logique ne peut justifier. Pour répliquer au scepticisme de Hume, Kant décida de montrer que la physique a le même statut que les mathématiques. Mais, ce faisant, il préféra dissocier les mathématiques de la logique. Il développa ainsi (dans l'Esthétique transcendantale) une théorie des formes *a priori* de l'intuition pure, l'espace et le temps. La vérité ou la fausseté d'une proposition mathématique dépendait donc, selon Kant, d'une synthèse entre le concept du sujet et celui du prédicat, effectuée dans l'espace et le temps, c'est-à-dire dans les formes de l'intuition, qui font partie de la structure de l'esprit humain. Au contraire, selon lui, la vérité des propositions logiques, qui ne requiert aucune synthèse entre le concept du sujet et celui du prédicat, n'a nullement besoin de l'intuition. Restait évidemment à montrer que les principes employés en physique peuvent recevoir le même traitement que la géométrie et l'arithmétique.

D'une part, la découverte de l'irréductibilité des relations à la forme sujet-prédicat a évidemment convaincu Russell et Moore que l'idée d'analyticité, fondée sur l'inhérence du concept du prédicat dans le concept du sujet, devait avoir beaucoup moins d'applications à la logique que Leibniz et Kant ne l'avaient cru. Elle les a aussi poussés à épouser cette ontologie des atomes et des relations. D'autre part, le succès du logicisme a convaincu Frege et Russell que Kant avait eu tort de séparer propositions mathématiques et propositions logiques. D'autant qu'en rendant les premières tributaires de l'intuition, le kantisme menaçait à leurs yeux l'objectivité des mathématiques.

Si Frege et Russell considèrent tous deux que le logicisme réfute la séparation kantienne entre la logique et l'arithmétique, que prouve, à leurs yeux, le logicisme ? En apparence, leurs réponses sont contradictoires. Pour Frege, le fait que l'arithmétique se réduise à la logique montre que les propositions de l'arithmétique sont, comme les lois logiques, analytiques. Pour Russell, le même fait montre que les lois logiques sont aussi synthétiques que les propositions de l'arithmétique. D'ailleurs, Frege fait une distinction, que ne fait pas Russell en 1903, entre l'arithmétique et la géométrie, puisqu'il critique Kant pour avoir affirmé que les propositions de l'arithmétique sont synthétiques *a priori*, mais par contre, « en qualifiant les vérités géométriques de synthétiques et *a priori*, il [Kant] a dévoilé leur véritable nature [43] ». De son côté, Russell écrivait en 1900 que [44] « Kant, en montrant que les énoncés mathématiques sont à la fois nécessaires et synthétiques, a préparé la voie à la théorie qui dit que c'est vrai de *tous* les jugements ». En 1903, il le félicitait d' « avoir correctement perçu que les propositions mathématiques sont synthétiques », et il ajoutait que, « depuis, il s'est avéré que la logique est tout aussi synthétique que toutes les autres sortes de vérités [45] ». Il faisait d'ailleurs écho aux assertions de Moore, en 1900, qui se demandait s'il existe la moindre vérité analytique [46].

Lorsqu'on compare ces assertions à la conclusion des *Fondements de l'arithmétique*, où Frege « espère » modestement avoir « rendu vraisemblable l'idée que les lois de l'arithmétique sont des jugements analytiques [47] », la contradiction entre Russell et Frege semble flagrante. En fait, elle est plus terminologique que substantielle. C'est qu'en réalité Frege et Russell n'emploient pas le mot « analytique » dans le même sens. Russell l'emploie dans le sens traditionnel de Leibniz ou de Kant, pour désigner ces propositions dont le concept du prédicat est inclus dans celui du sujet. Or, précisément, Frege reproche à Kant d'avoir « sous-estimé la valeur des jugements analytiques [48] » : pour Frege, Kant s'est borné à l'analyse des jugements universels affirmatifs. Il a exclu la possibilité que le sujet soit le nom d'un objet indécomposable. Il a négligé les énoncés existentiels. Et Frege désire élargir le concept d'analyticité pour qu'il puisse prendre en considération les cas négligés par Kant. A la conception kantienne, Frege préfère donc une caractérisation

43. G. Frege, 1884, trad. fr. Cl. Imbert, 1969, § 89, p. 213.
44. B. Russell, 1900, trad. fr. J. et R. Ray, 1908, § 12, p. 27.
45. B. Russell, 1903, § 434, p. 457.
46. G.E. Moore, 1900.
47. G. Frege, 1884, trad. fr., § 87, p. 211.
48. *Ibid.*, § 88, p. 211.

de l'analyticité reposant sur l'examen de la preuve d'une proposition. Si la preuve n'utilise que des principes purement logiques et des définitions, alors la proposition démontrée est analytique. Sinon, elle est synthétique [49]. Reste naturellement à fournir le moyen de reconnaître exactement un principe logique d'un principe non logique. C'est justement ce qui conduit Frege à distinguer l'arithmétique de la géométrie. Il fait observer que, ce qui est caractéristique de la géométrie, c'est que, si les axiomes (E) de la géométrie euclidienne jouissent d'un privilège intuitif par rapport à des axiomes différents ($\sim$ E), en revanche, on peut déduire de $\sim$ E des théorèmes, qui ne contredisent pas plus leurs axiomes que les théorèmes déduits de E ne contredisent les leurs. En revanche, en arithmétique, il nie la possibilité de systèmes d'axiomes rivaux. Il en infère que la géométrie est synthétique et l'arithmétique analytique. La raison semble en être la suivante : aucune loi logique n'impose le choix d'un système d'axiomes géométriques. Seule nous guide l'intuition. Mais, à moins de changer de logique, nous n'avons pas d'alternative aux axiomes présentés dans les *Fondements*. Aussi se demande-t-il [50], « pourrait-on, sans engendrer une confusion totale, nier l'une d'entre elles [les propositions fondamentales de la science du nombre] ? Serait-il encore possible de penser ? (...) Ne faut-il pas (...) que les lois du nombre aient un lien très intime avec celles de la pensée » ?

Ce qui compte, c'est que l'analyticité, au sens de Frege, ne désigne nullement, comme chez les positivistes du Cercle de Vienne, des propositions tautologiques. D'abord, si, au cours des déductions logiques présidant aux démonstrations des théorèmes de l'arithmétique, on a recours à des définitions, ces déductions « accroissent notre connaissance et il faudrait, si on veut être fidèle à Kant, les tenir pour synthétiques. On peut cependant les démontrer d'une manière purement logique : elles sont donc analytiques [51] ». Ensuite, les théorèmes arithmétiques sont « contenus dans les définitions, mais ils le sont comme une plante l'est dans la graine, non

49. *Ibid.*, § 14, p. 141-42.
50. *Ibid.*, p. 142.
51. *Ibid.*, § 88, p. 212.

pas comme une poutre l'est dans la maison [52] ». Quelle que soit l'obscurité de cette métaphore, ce qui ressort, c'est qu' « analytique », pour Frege, ne veut pas dire « tautologique ».

Ce que refusent à la fois Frege et Russell, dans des termes très semblables, c'est l'idée kantienne que les inférences mathématiques exigent des procédés différents de la logique (fournis par exemple par l'intuition, fût-elle « pure » et *a priori*). Leur opposition au « psychologisme » reflète leur souci commun de préserver intégralement l'objectivité mathématique et leur adhésion au réalisme des objets mathématiques. Frege compare les assertions mathématiques à celles du géographe, du botaniste, de l'astronome : nous sommes libres d'associer une fraction déterminée des océans qui recouvrent le globe terrestre au nom « mer du Nord ». « Cela n'entame en rien l'objectivité de ladite mer. » Le nombre de pétales d'une fleur ne dépend pas plus que sa couleur du libre arbitre du botaniste. L'astronome s'intéresse, non pas aux idées des planètes, mais aux planètes elles-mêmes [53]. Russell rejette dans le kantisme l'idée que l'esprit « crée » les êtres mathématiques et l'accuse d'être victime de la théorie « existentielle » des propositions : à ses yeux, les kantiens affirment que les êtres mathématiques sont construits dans l'intuition humaine parce que, « voyant que les nombres, les relations, et beaucoup d'autres objets de la pensée n'existent pas à l'extérieur de l'esprit, ils ont supposé que les pensées dans lesquelles nous pensons ces entités créent en réalité leurs propres objets [54] ». A ses yeux, s'ils avaient eu conscience de la distinction entre être et exister, ils auraient pu reconnaître, avec le réalisme, que les êtres mathématiques possèdent simplement l'être, mais pas l'existence.

Pourtant la différence terminologique entre Frege et Russell sur le statut des propositions de l'arithmétique et de la logique révèle à quel point les tenants de l'atomisme platonicien ont souhaité se démarquer de toute la métaphysique traditionnelle, et notamment de Leibniz (qui fut pourtant un

52. *Ibid.*
53. *Ibid.*, § 26, p. 153-54.
54. B. Russell, 1903, § 427, p. 450-51.

inspirateur du logicisme). Car c'est directement contre l'assertion leibnizienne que les lois logiques sont analytiques que Russell et Moore ont affirmé qu'elles sont synthétiques.

Dans « Epistemology Naturalized[55] », Quine dépeint les motivations du logicisme comme la poursuite de l'idéal cartésien de certitude des vérités mathématiques et de clarté des notions mathématiques. Le logicisme répondrait, selon lui, au désir de définir les concepts « plus obscurs » des mathématiques en termes des concepts « moins obscurs » de la logique (et de la théorie des ensembles) et de dériver les vérités « moins évidentes » des mathématiques à partir des vérités « plus évidentes » de la logique.

Selon cette interprétation, qui convient certainement à Leibniz, le succès du logicisme représenterait un argument favorable à la thèse de l'analyticité des mathématiques, à condition d'admettre les deux prémisses (traditionnelles) suivantes : on a souvent dit, en philosophie, que les inférences mathématiques, contrairement à celles dans les sciences empiriques, sont déductives, en ce sens que, si l'on admet la vérité des axiomes, alors la vérité de leurs conséquences s'ensuit nécessairement. On a également soutenu que les axiomes d'une théorie mathématique (et *a fortiori* d'un raisonnement logique) sont « évidents », c'est-à-dire que leur négation est contradictoire. Traditionnellement, on a dit par exemple que les axiomes de la géométrie euclidienne ou le principe de non-contradiction sont évidents, que leur négation est inconcevable, en un mot qu'ils sont analytiques.

Mais la reconstruction des motivations du logicisme à la Leibniz ne convient pas au Russell d'avant la première guerre mondiale. Celui-ci niait en effet les deux prémisses traditionnelles. Dans la préface à la première édition (1910) des *Principia Mathematica*[56], il dit explicitement que « la raison principale en faveur de toute théorie portant sur le fondement des mathématiques doit toujours être inductive ». Et, par « inductives » il veut justement désigner le genre de considérations qu'on rencontre dans toutes les sciences empiriques. Dans une conférence de 1907[57], il a explicitement

55. Cf. W. V. O. Quine, 1969.
56. A. N. Whitehead et B. Russell, 1970, p. v.
57. B. Russell, 1907, in D. Lackey, ed., 1973, p. 273-74.

déclaré que l' « essence de l'induction » consiste à accepter la vérité d'une prémisse (ou d'un axiome) parce qu'elle conduit à des conséquences que nous croyons être vraies, au lieu de « croire aux conséquences parce que nous savons que les prémisses sont vraies » (comme dans une démarche déductive). Or, la raison pour laquelle Russell affirme que les inférences mathématiques sont « inductives », c'est que, contrairement à la tradition, il pense que « c'est une erreur de supposer qu'une idée ou une proposition plus simple est toujours plus facile à appréhender qu'une idée ou une proposition plus compliquée ». En mathématiques, et surtout dans l'étude du fondement des mathématiques, les notions et propositions initiales sont tellement « simples » qu'elles sont souvent « difficiles à saisir ». Souvent, leurs conséquences sont plus faciles à appréhender. Ce sont donc les conséquences qui nous font adopter les prémisses.

Récapitulons : aux ontologies moniste et monadiste, pour lesquelles, la ou les substances contiennent une infinité de propriétés (modes ou attributs), l'atomisme platonicien oppose un univers d'atomes insécables et de relations irréductibles. Au découpage traditionnel des propositions en sujet et prédicat, il oppose la nouvelle logique des relations et des fonctions propositionnelles. A l'idée traditionnelle depuis Descartes que les axiomes mathématiques sont intrinsèquement évidents et certains, Russell oppose l'idée qu'en mathématiques, comme dans les autres sciences, on procède inductivement. Ce tableau suggère que peu de propositions sont « analytiques », au sens leibnizien d'inclusion du concept du prédicat dans le concept du sujet, ou dont la négation est contradictoire. Mais Russell et Moore ne se contentent pas de rétrécir le domaine traditionnellement réservé aux propositions analytiques. Ils affirment que *toutes* les propositions sont synthétiques (et nécessaires). C'est une chose de découvrir des contre-exemples aux assertions d'analyticité communes à Leibniz et Kant. C'en est une autre de « prouver » qu'il n'existe aucune proposition analytique, en leur sens.

Dans son livre sur Leibniz [58], Russell s'emploie à montrer que la doctrine leibnizienne de l'analyticité est incohérente,

58. B. Russell, 1900, trad. fr. J. et R. Ray, § 10-11, p. 13-25.

à moins de reconnaître que toute proposition satisfaisant le cirtère leibnizien d'analyticité présuppose une proposition synthétique « plus fondamentale ». Pour qu'une proposition soit analytique, au sens de Leibniz, il faut que le concept du sujet contienne logiquement le concept du prédicat. Et, pour que cette inclusion soit possible, il faut que le concept du sujet soit une notion complexe, faite d'une collection de prédicats (ou de propriétés). A cette condition, une proposition analytique peut effectivement consister purement et simplement à affirmer du sujet l'un des prédicats qui le composent. Aussi longtemps que l'analyse révèle la complexité du concept du sujet, on peut considérer que la proposition extrait du sujet une propriété et la place en position de prédicat grammatical. Jusque-là, la doctrine reste cohérente. Mais l'analyse complète d'une proposition doit, d'après Leibniz lui-même, aboutir, à un moment ou à un autre, à la question : le concept du sujet est-il « possible » ? Autrement dit, est-il non contradictoire ? Pour répondre à cette question, il faut savoir si les divers prédicats qui composent le concept du sujet sont compatibles entre eux. C'est justement la tâche assignée par Leibniz à ce qu'il appelle la « définition réelle » d'une notion que de déterminer si celle-ci est contradictoire ou non. Or, à l'issue de ce processus de décomposition du concept complexe du sujet, l'analyse finira par formuler des propositions reliant au moins deux de ses constituants atomiques. Et, de deux constituants atomiques, aucun ne peut être dit « contenir » l'autre (faute de quoi ils ne seraient plus des « atomes »).

Cet argument permet de montrer que toute proposition, jugée analytique par Leibniz, présuppose une proposition synthétique. Concédons même à Leibniz que « 2 + 1 constitue effectivement la *signification* de 3, la proposition selon laquelle 2 + 1 est possible n'en est pas moins nécessairement synthétique [59] ». Par l'argument précédent, la preuve que 2 + 1 est un concept non contradictoire ne peut en effet se conclure que d'une proposition synthétique.

Ce sont ces constituants atomiques de tout énoncé que Leibniz aurait qualifié d' « analytique » qui forment la texture

59. *Ibid.,* p. 24.

de l'univers de l'atomisme platonicien. D'ailleurs, la même année 1900, Russell, dans son livre sur Leibniz, et Moore, dans « Necessity », développent des arguments strictement parallèles. Pour tourner en dérision la notion même d'analyticité, Moore place ses défenseurs devant le dilemme suivant [60]. Aux vérités traditionnellement qualifiées d' « analytiques » ont aussi été associées des propriétés comme l'éternité, l'universalité, une certitude supérieure, ou la nécessité. Prenons le cas de celle-ci. Supposons que « nécessaire » veuille dire « analytique » — autrement dit, que « nécessaire » et « analytique » soient deux termes synonymes. Dans ce cas, « c'est une vérité analytique de dire que les vérités analytiques sont nécessaires ». Mais, du coup, de la nécessité de ces vérités on ne peut rien déduire au sujet de leur éternité, universalité ou certitude supérieure. Ces autres prédicats ne peuvent être affirmés des vérités en question qu'au moyen d'énoncés synthétiques. Ce qui, dit Moore, retire toute son importance à la notion de nécessité. Si, au contraire, « la nécessité des vérités analytiques n'est pas identique au fait qu'elles sont analytiques, alors le fait qu'elles sont nécessaires représente une proposition synthétique ».

En écho à l'argument de Russell, destiné à montrer l'incohérence du critère leibnizien d'analyticité, Moore établit que le principe du tiers-exclu ou celui de non-contradiction ne peuvent pas être analytiques [61]. Dire que ces principes sont analytiques, c'est dire que la notion de proposition a la même signification que la propriété d'être vrai ou faux ou que la propriété formée de la négation de la conjonction être vrai et faux. Cela revient donc à dire que les mots « proposition » et « être vrai ou faux » ou « ne pas être vrai et faux » sont synonymes, ou que « être vrai ou faux » ou « ne pas être vrai et faux » *définissent* le mot « proposition ». Dans ce cas, la négation du principe de non-contradiction ou celle du principe du tiers-exclu ne sauraient être des propositions authentiques. La première dit : « Il est faux qu'il soit faux qu'une proposition soit vraie et fausse ». La seconde dit : « Il est faux que toute proposition soit vraie ou fausse. » Mais, si les principes en question sont des propositions

---

60. G. E. Moore, 1900, p. 294-95.
61. *Ibid.*

authentiques, alors leurs négations devraient jouir du même statut. Par ailleurs, si ces deux principes sont analytiques, alors il ne saurait exister de proposition contradictoire. Mais une tautologie est la négation d'une proposition contradictoire. Donc, aucune tautologie ne saurait être une proposition authentique. Or, pour Moore, dire du principe de non-contradiction (ou celui du tiers-exclu) qu'il est analytique, c'est dire qu'il est tautologique. Donc, dire qu'il est analytique, c'est en fait nier qu'il soit une proposition authentique.

Supposons alors que le défenseur de l'analyticité du principe de non-contradiction essaie la manœuvre suivante : « Vous qui niez l'analyticité de ce principe, vous utilisez dans votre argument la négation du principe. Or, c'est absurde, car une telle négation n'est ni vraie ni fausse. » Mais ce serait là peine perdue, car la négation du principe de non-contradiction n'affirme pas qu'aucune proposition n'est vraie ou fausse. Elle se contente de nier que toutes les propositions le soient. Ce qui revient à affirmer que certaines propositions ne sont ni vraies ni fausses. Du coup, l'adversaire de l'analyticité du principe de non-contradiction peut, sans se contredire, affirmer que le principe et sa négation ont tous deux une valeur de vérité — simplement, il envisage la possibilité que le principe soit faux, et sa négation vraie.

Malgré leurs incertitudes conceptuelles, Russell et Moore ont, pendant leur phase d'atomisme platonicien, élaboré une philosophie de la logique remarquable par son audace et sa modernité. Rien ne leur est, à l'époque, comme à Frege, plus étranger que ce que Quine a nommé « la doctrine linguistique des vérités logiques [62] » — doctrine chère au Wittgenstein du *Tractatus* et aux positivistes logiques du Cercle de Vienne. Pour Russell avant 1914, ni la logique ni les mathématiques n'étaient foncièrement différentes des autres sciences : les unes et les autres s'efforcent inductivement de dessiner un domaine de la réalité objective. En montrant l'inadéquation des conceptions traditionnelles des principes de base de la logique classique, ils accomplissaient une œuvre profondément révolutionnaire. Ils jetaient en effet le doute sur l'idée extraordinairement tenace que les lois logiques sont

62. W. V. O. Quine (1954), in P. A. Schilpp, ed., 1963.

une affaire de définitions (par exemple, du mot « proposition ») ou de règles purement conventionnelles (fixant la signification des mots). Bref, l'idée que la logique ne sert que de langage au reste de la science et n'a rien à voir avec la réalité. La portée subversive de leur remise en cause est telle qu'il faudra attendre un demi-siècle pour que la double solidarité de la logique et des sciences, du langage et de la réalité, soit de nouveau sous les projecteurs de la philosophie analytique. Parce qu'il jugeait intenable la doctrine linguistique, qui transforme les vérités logiques en définitions (ou en tautologies), Moore est un précurseur de cette « épistémologie naturalisée », qui s'épanouira en Nouvelle-Angleterre, à Harvard, dans cette autre Cambridge. En 1900, en des termes qui annoncent irrésistiblement Quine, il « naturalise » la vieille idée de nécessité logique, qui en a bien besoin, tout en montrant les risques inhérents à l'usage trop confiant du critère cartésien de certitude mentale [63] :

> Que nous soyons plus certains de la loi de non-contradiction que de toute autre vérité, je l'admettrai volontiers, bien qu'il soit difficile de le prouver. Mais alors il faut simultanément admettre qu'il fut un temps, dans l'histoire de la race, où les hommes étaient très certains de nombreuses vérités, notamment les plus contingentes, avant même qu'ils aient jamais pensé à la loi de non-contradiction. Il est en effet remarquable que toutes les vérités que nous trouvons particulièrement nécessaires sont tellement abstraites qu'on ne peut pas supposer qu'elles aient été pensées ou admises jusqu'à ce que de nombreuses autres vérités aient cessé de jouir du long bail de certitude qui leur avait été alloué.

Autrement dit, confrontés à la loi de non-contradiction, nous éprouvons sans doute un sentiment de certitude d'autant plus difficile à révoquer que nous avons du mal à imaginer une description du monde, qui s'en passerait, ou qui reposerait sur sa négation. Mais, justement, pour déterminer la nécessité de cette loi et de ses semblables, il faudrait pouvoir confronter une description de la réalité conforme à la loi et une autre conforme à sa négation, et décider laquelle

63. G.E. Moore, 1900, p. 297-98.

représente le plus fidèlement ladite réalité. Aussi irréalisable que soit cette tâche, son évocation utopique n'en montre pas moins que de la certitude mentale se concluent plutôt les bornes de l'imagination humaine que les lois de la nécessité naturelle.

Chapitre II

LA LOGIQUE CONTRE LA METAPHYSIQUE : LA NAISSANCE DU POSITIVISME LOGIQUE

1. *Le legs de Russell : la théorie des descriptions et la théorie simple des types.*

La logique, créée par Frege et Russell, c'est d'une part l'analyse des liaisons entre des propositions élémentaires, formant des propositions complexes (calcul propositionnel) ; et d'autre part l'analyse de la structure interne de toute proposition affirmative. La théorie de la quantification permet de traiter toute proposition dont on a besoin pour exprimer l'arithmétique : c'est une théorie de la liaison (*binding*) entre les variables et les quantificateurs qui les « lient ». Considérons une proposition arithmétique tout à fait élémentaire : $3 + 4 \times 2$. Etant donnée l'associativité de l'addition et de la multiplication, cette proposition reste ambiguë tant qu'on ne lui ajoute pas de parenthèses. En spécifiant les parenthèses, on supprime l'ambiguïté : $(3 + 4) \times 2 = 14$; $3 + (4 \times 2) = 11$. On précise l' « histoire » de chaque formule : dans le premier cas, on compose l'égalité, en partant de la somme $(3 + 4)$, qu'on multiplie ensuite par 2. Dans le second cas, on part du produit (4×2), auquel on additionne 3.

Les langues naturelles fourmillent d'ambiguïtés que dissipe l'analyse logique. Non seulement le verbe « être » en français masque souvent des fonctions logiquement différentes. Non seulement la forme grammaticale sujet-prédicat cache souvent une forme logique différente. Mais les mots exprimant dans les langues naturelles différentes formes de généralité sont souvent trop imprécis pour supprimer toute ambiguïté. Le calcul des prédicats du premier ordre fut créé par Frege et développé par Russell pour remédier aux ambiguïtés de ce dernier type. Une phrase aussi simple que « Chaque homme aime une femme » est ambiguë, car elle a deux interprétations possibles. Ou bien, tout homme appartenant à un groupe (présent dans cette salle de bal, par exemple) aime l'une des femmes d'un groupe de femmes. Auquel cas la phrase affirme qu'il existe un nombre égal d'hommes et de femmes, chaque élément du premier groupe aimant un élément du second. Ou bien il existe une femme unique que chaque homme aime.

L'usage des quantificateurs, en associant à chaque interprétation une forme logique différente, met fin à l'ambiguïté. A la première interprétation correspond (1), à la seconde (2) :

(1) (x) (∃y) (x aime y)

(2) (∃y) (x) (x aime y).

Dans (1), le quantificateur universel a la préséance sur le quantificateur existentiel, qui a une « portée » (*scope*) inférieure. Dans (2), c'est le contraire. Le principe fondamental de construction de la forme logique, dans le langage canonique du calcul des prédicats consiste à partir de phrases atomiques et à les compliquer, si besoin est, à l'aide des connecteurs propositionnels, en phrases moléculaires. On adjoint ensuite les quantificateurs. La portée d'un quantificateur indique son domaine de juridiction. Ce dont l'écriture logique, mais pas la langue naturelle, garde la mémoire, c'est l' « histoire constructionnelle » de la forme logique de la phrase, édifiée séquentiellement, étape par étape [1].

Russell lègue à ses successeurs deux paradigmes d'analyse logique : la théorie des descriptions et la théorie simple des types. La première, exposée dans « On Denoting » (1905), puis raffinée dans les *Principia Mathematica*, révèle la forme logique authentique de phrases contenant des descriptions définies, c'est-à-dire des expressions commençant par l'article défini « le », comme « l'homme qui » ou « le plus petit commun multiple ». La seconde, esquissée dans les *Principles*, abandonnée, puis reprise en 1908, en 1910, et dans les *Prin-*

1. M. Dummett, 1973, p. 12. Cf. la notion d' « histoire transformationnelle » d'une phrase au sens de N. Chomsky, 1957, trad. fr. M. Braudeau, 1969, p. 100.

cipia, est une règle de formation des axiomes de la théorie des ensembles.

Dans « On Denoting », Russell avait plusieurs objectifs : améliorer sa théorie de la dénotation de 1903 ; accomplir une économie ontologique : cesser de postuler qu'une phrase contenant des expressions dénotatives, dénuées de référence, n'a de signification qu'à la condition que les entités dénotées, sans exister, possèdent l'être. Autrement dit, cesser de postuler que « Les centaures n'existent pas » n'a de signification que si les centaures possèdent l'être. Enfin, éliminer l'occurrence de l'article défini, grâce à une méthode de traduction dans le langage canonique de la quantification du premier ordre. Sur son chemin, il rencontre le problème de la combinaison des quantificateurs et d'autres opérateurs logiques, suscité par les ambiguïtés inhérentes aux descriptions définies.

La première énigme que doit résoudre la théorie des descriptions est la suivante : quel statut a la phrase « L'actuel roi de France est chauve », prononcée en 1905 ? Est-elle vraie, fausse ou dénuée de signification ? On se souvient que, pour Frege, le sens et la référence d'une phrase sont deux entités distinctes, respectivement fonction du sens et de la référence des constituants de la phrase. Pour Frege, cette phrase a un sens, mais elle dénuée de référence, puisque le constituant « l'actuel roi de France » en est dénué. Comme, pour Frege, la référence d'une phrase est sa valeur de vérité, cette phrase en est dénuée. Elle n'est donc ni vraie ni fausse. Par une analyse détournée, quarante-cinq ans plus tard, dans sa fameuse critique de Russell, P. F. Strawson retrouvera le même résultat que Frege.

Mais deux principes différents guident l'analyse de Russell : d'abord, toute phrase sensée est, selon le principe du tiers-exclu, vraie ou fausse. Ensuite, il faut se débarrasser de l'impression fallacieuse, engendrée par la forme superficielle de la phrase, qu'elle a la forme sujet-prédicat. Si, conformément au premier principe, « nous énumérions les choses qui sont chauves et celles qui ne le sont pas, nous ne trouverions l'actuel roi de France sur aucune des deux listes. Les hégéliens, qui raffolent de la synthèse, en concluront probablement qu'il porte une perruque [2] ». L'erreur consisterait,

2. B. Russell, 1905, in R. C. Marsh, ed., 1956, p. 48. Toute mon analyse de la théorie des descriptions s'appuie sur Russell, 1905, et Whitehead et

selon le second principe, à chercher un référent au sujet grammatical apparent. Enfin, à la différence de Frege, Russell veut éliminer l'article défini « le ». Il a donc toutes les raisons de nier que le sujet grammatical apparent soit le sujet logique authentique de la phrase. Il s'agit, pour lui, d'un énoncé existentiel, correspondant à la conjonction des trois assertions suivantes : il existe actuellement un et un seul roi de France et il est chauve. L'article défini a été remplacé par une clause d'unicité, qui signifie : il existe au moins et au plus un certain individu.

Supposons que « Φx » veuille dire « x est actuellement roi de France », « Ψx », « x est chauve », et que « (ιx) » soit l'opérateur d'unicité, signifiant, comme l'implique « le », « il existe un et un seul x, ni plus ni moins ». Alors, notre énoncé peut s'écrire symboliquement :

(3) $\Psi (\iota x) (\Phi x)$

Russell propose ensuite d'éliminer le symbole qui tient lieu de la description définie, au moyen de la forme suivante :

(4) $(\exists x) (y) [(\Phi y \equiv (y = x)) \& \Psi x]$

qui se lit « il existe un x, tel que, pour tout y, y a la propriété Φ si et seulement si y est égal à x et x a la propriété Ψ ». Comme cet énoncé n'est pas dénué de signification (il est bien formé), et comme rien ne satisfait le domaine du quantificateur existentiel, il est faux. Plus besoin d'attribuer l'être à un chimérique roi de France.

La seconde énigme consiste à combiner la théorie des descriptions avec d'autres opérateurs, comme la négation, les modalités et les contextes de croyance. Considérons d'abord la négation du premier énoncé, « L'actuel roi de France n'est pas chauve » (autrement dit, « il est faux que l'actuel roi de France soit chauve »). Pour Russell, cet énoncé est ambigu. Dans l'une de ses interprétations il est faux, dans l'autre il est vrai. C'est la seconde, qui représente la véritable négation de l'énoncé initial, symbolisé par (3). Représentons la négation de (3) par (5) :

Russell, 1910-1913, notamment Introduction à la seconde édition, chapitre III et § 14, section B, partie I. L'une des discussions les plus utiles de la théorie se trouve dans L. Linsky, 1962.

(5) $\sim \Psi (\iota x) (\Phi x)$

De nouveau, on élimine le symbole tenant lieu de description définie. On aboutit alors à deux formes logiques différentes, selon qu'on donne la préséance (*primary occurrence*) aux quantificateurs (résultant de l'élimination de la description définie) sur la négation, ou au contraire. Dans (6), les quantificateurs ont, dans la dérivation de l'énoncé, une portée (*scope*) supérieure ; dans (7), la négation a une portée supérieure. Autrement dit, dans la dérivation de (6), la négation est adjointe à un constituant *avant* que les quantificateurs ne soient insérés. Dans (7), la « chronologie » est inversée.

(6) $(\exists x) (y) [(\Phi y \equiv (y = x)) \& \sim \Psi x]$

(7) $\sim \{(\exists x) (y) [(\Phi y \equiv (y = x)) \& \Psi x]\}$

(6) affirme qu'il existe un et un seul roi de France et qu'il n'est pas chauve. Donc, (6) est faux. En revanche, (7) affirme qu'il n'existe pas d'individu qui soit roi de France et qui soit chauve. Donc, (7) est vrai.

Considérons un énoncé, dont l'ambiguïté dépend de la préséance entre les quantificateurs et l'opérateur modal, signifiant « il est possible que », et symbolisé par « $\Diamond$ ». Soit l'énoncé « L'actuel président de la République française aurait pu ne pas être l'actuel président de la République française ». Soit « Φx », « x est actuellement président de la République française ». Une fois la description définie remplacée par les quantificateurs, conformément à la méthode de Russell, on obtient deux interprétations, selon que les quantificateurs ou l'opérateur de modalité reçoivent la préséance :

(8) $(\exists x) (y) [(\Phi y \equiv (y = x)) \& \Diamond \sim \Phi x]$

(9) $\Diamond \{(\exists x) (y) [(\Phi y \equiv (y = x)) \& \sim \Phi x]\}$

(8), qui affirme qu'il existe un individu unique satisfaisant la propriété être-actuellement-président-de-la-République-française, et que cet individu aurait pu ne pas avoir cette propriété, est vrai. Mais (9), qui affirme qu'il est possible qu'un individu unique satisfasse et ne satisfasse pas la propriété en question, est faux.

Un dernier cas d'ambiguïté peut provenir de la combinaison d'une description définie avec un opérateur exprimant une croyance. Russell mentionne l'échange suivant entre le propriétaire pointilleux d'un yacht et l'un de ses invités. Celui-ci dit à celui-là : « Je croyais que votre yacht était plus grand qu'il n'est. » « Mais non », lui répond son hôte, « mon yacht n'est pas plus grand qu'il n'est[3] ». De la même façon, l'inférence suivante est apparemment impeccable. Mais sa conclusion est pourtant fausse :

(a) Georges IV voulait savoir si Scott était l'auteur de *Waverley*.

(b) Scott = l'auteur de *Waverley*.

(c) George IV voulait savoir si Scott était Scott.

On obtient (c), à partir de la substitution de « Scott » à « l'auteur de *Waverley* » dans (a), en se fondant sur (b). Or, si (a) est vrai, (c) est faux. Selon Russell, la source du malentendu vient de l'ambiguïté de (a), que dissipe la théorie des descriptions. Soit (a) veut dire :

(a') George IV voulait savoir si un et un seul homme écrivit *Waverley* et si Scott était cet homme.

Soit (a) veut dire :

(a'') Un et un seul homme écrivit *Waverley* et George IV voulait savoir si Scott était cet homme.

Dans (a'), « l'auteur de *Waverley* », ou plutôt l'expression qui la remplace, « un et un seul homme écrivit *Waverley* », est enchâssée à l'intérieur du contexte formé par « George IV voulait savoir si », qui a la préséance. L'occurrence de l'expression descriptive (ou de ce qui la remplace) est donc, dans (a'), *secondaire*. Or, pour éviter de conclure (c), à partir de (a) et de (b), Russell exclut la possibilité de substituer « Scott » à « l'auteur de *Waverley* », si l'occurrence de « l'auteur de *Waverley* » n'est pas *primaire*. Si on interprète (a) dans le sens de (a'), l'occurrence de « l'auteur de *Waverley* » n'est pas primaire. Donc, la substitution est interdite. Symboliquement, avant élimination de l'expression descriptive, (a), interprétée dans le sens de (a'), s'écrit :

(10) $X \{\Psi (\imath x) (\Phi x)\}$,

où « X » veut dire « George IV voulait savoir si » ; « Φx », « x est l'auteur de *Waverley* » ; « Ψx », « x est Scott ». Après élimination de l'expression descriptive, (a') s'écrit :

(11) $X \{(\exists c) [(x) ((\Phi x) \equiv (x = c)) \& (\Psi c)]\}$.

(a), interprétée dans le sens de (a'') s'écrit, avant élimination de l'expression descriptive :

(12) $[(\imath x) (\Phi x)] \{\Psi (\imath x) (\Phi x)\}$,

---

3. B. Russell, 1905, *ibid.*, p. 52.

où « Φx » veut dire « x est l'auteur de *Waverley* » ; « Ψx », « George IV voulait savoir si Scott était x ». Après élimination de l'expression descriptive, (a″) s'écrit :

(13) $(\exists c)\ [(x)\ ((\Phi x)\ \equiv\ (x = c)\ \&\ (\Psi c)]$.

Quant à la théorie simple des types, elle permet de résoudre les paradoxes récemment découverts au cœur des fondements de la théorie des ensembles. Parmi les paradoxes, certains, dont celui de Cantor et celui de Burali-Forti, font intervenir des notions apparemment mathématiques, comme celle de nombre ordinal. D'autres, comme le vieux paradoxe d'Epiménide le Crétois, simplifié sous la forme de la phrase « Je mens », font intervenir les notions sémantiques de vérité et de fausseté. Mais le plus logiquement pur est le paradoxe découvert par Russell, qui consterna Frege lorsqu'il en prit connaissance, en juin 1902 [4] : il concerne purement et simplement la notion de classe ou d'ensemble.

De nombreuses classes ne sont pas membres d'elles-mêmes. Par exemple, la classe de toutes les citrouilles n'est pas une citrouille. Soit W la classe de toutes les classes qui ne sont pas membres d'elles-mêmes. Est-ce que W est un membre d'elle-même ? Le paradoxe est inévitable : si W est un membre de W, alors elle est un membre de la classe de toutes les classes qui ne sont pas membres d'elles-mêmes. Dans ce cas, W n'est pas membre d'elle-même. Si, au contraire, W n'est pas un membre de W, alors elle n'est pas un membre de la classe de toutes les classes qui ne sont pas membres d'elles-mêmes. Dans ce cas, W est membre d'elle-même. Autrement dit, W est membre d'elle-même si et seulement si W n'est pas membre d'elle-même ; et W n'est pas membre d'elle-même si et seulement si W est membre d'elle-même. On peut symboliser les étapes du paradoxe de la façon suivante : on commence par définir une classe x, telle que

$$x \in W \equiv \sim (x \in x).$$

Puis, on substitue W à x :

$$W \in W \equiv \sim (W \in W).$$

De l'avis de Russell, tous les paradoxes portent sur une totalité dont les membres sont définis en termes d'elle-même.

4. Cf. Lettre de Russell à Frege, du 16 juin 1902 et la réponse de Frege à Russell, du 22 juin 1902, in J. van Heijenoort, ed., 1967, p. 124-28.

La théorie des types est une règle de formation des énoncés de la catégorie « x ∊ y », répondant au principe dit « du cercle vicieux » : aucune totalité ne doit contenir de membres qui soient définis à l'aide d'elle-même. La formulation de la théorie pose de nombreux problèmes : s'applique-t-elle aux propositions, aux fonctions propositionnelles, aux phrases, aux classes ou aux attributs les définissant ? En 1903 [5], Russell part du concept de fonction propositionnelle. Une telle fonction, Φx, a d'une part un domaine (*range*) de vérité (bien que seule une proposition soit vraie ou fausse), et d'autre part un domaine de signification, c'est-à-dire un domaine à l'intérieur duquel doit se situer la variable x pour qu'à partir de la fonction on puisse former des propositions. Les domaines de signification constituent des *types*, qui sont autant d'ensembles d'arguments admissibles, pour lesquels la fonction a un sens. D'un point de vue extensionnel, l'univers de discours se stratifie en types : le type inférieur (type 0) est formé de tous les individus ; le type immédiatement supérieur (type 1) est formé de toutes les classes d'individus ; le type suivant (type 2) est formé de toutes les classes de classes d'individus, et ainsi de suite. On peut reformuler cette hiérarchie en termes intensionnels de propriétés ou d'attributs. Les successeurs de Russell hériteront des difficultés inhérentes à une telle théorie, dont on ne sait pas si elle porte sur le système de notation ou sur les objets mentionnés par les signes, sur les propositions et les fonctions propositionnelles, ou sur les individus et les classes (ou les attributs). Désormais, le concept même de *forme logique* connaîtra les mêmes félicités et les mêmes infortunes que ces deux théories.

2. *L'impact du « Tractatus »*.

A l'automne 1911, Ludwig Wittgenstein, qui avait vingt-deux ans, décida d'abandonner des études d'ingénieur, entreprises à Manchester, pour se consacrer à la logique et au fondement des mathématiques. Sur les conseils de Frege, il s'inscrit au Trinity College pour suivre les cours de Russell.

5. B. Russell, 1903, § 497, p. 523. Cf. B. Russell, 1908, in J. van Heijenoort, ed., 1967, p. 150-82.

Après les trois trimestres de 1912 et les deux premiers trimestres de 1913, il disparaît dans les solitudes de la Norvège, avant de s'engager dans l'armée autrichienne. Pendant trois ans et demi, ni Russell, ni Moore, ni Keynes n'ont de ses nouvelles. Puis, en février et mars 1919, il fait savoir qu'il est prisonnier des Italiens et qu'il a finalement achevé la rédaction d'un manuscrit qui met un terme à tous les problèmes débattus à Cambridge [6].

Ce manuscrit, c'est le *Tractatus logico-philosophicus*. Il avait débarqué à Cambridge, de sa Vienne natale, comme une tornade. A son contact, Russell, qui, à quarante ans, achevait, avec Whitehead, la publication des *Principia Mathematica* et pouvait, au sommet de ses facultés, se prévaloir de deux révolutions, l'une en logique, l'autre, en philosophie, accepte de se remettre en question. Vers Pâques 1914, Moore se rend personnellement en Norvège, où Wittgenstein lui dicte des notes, que ni Russell ni Moore n'ont, semble-t-il, pu comprendre.

Pendant que Wittgenstein concevait le *Tractatus* sur le front autrichien, Russell effectuait, pour pacifisme, un séjour dans les prisons londoniennes, au cours duquel il rédigea une *Introduction à la philosophie mathématique*. Grâce aux bons offices de Keynes, ils échangèrent leurs œuvres. A peine accusait-il réception du livre de Russell que Wittgenstein, au désespoir, lui déclarait [7] : « Je n'aurais jamais cru que ce que j'ai dicté à Moore, en Norvège, il y a six ans, aurait pu glisser sur vous sans laisser la moindre trace. Bref, je crains maintenant qu'il ne me soit très difficile de me faire comprendre de vous. » Mais l'éditeur potentiel exigeait une préface de Russell. Pendant plusieurs mois, Russell écrit pour demander des éclaircissements. En réponse, Wittgenstein tempête contre l'incompréhension dont est victime son manuscrit, y compris de la part de Frege [8]. En décembre 1919, ils se rencontrent à La Haye, où Russell se fait expliquer le livre ligne à ligne. Wittgenstein attend impatiemment mais, en

6. Cf. G. H. von Wright, 1958 ; P. Engelmann, 1967 ; G. H. von Wright et B. F. McGuinness, eds, 1974.

7. Lettre de Wittgenstein à Russell du 12 juin 1919, in G. H. von Wright et B. F. McGuinness, eds., 1974, p. 70.

8. Lettre de Wittgenstein à Russell du 19 août 1919, *ibid.*, p. 71.

avril 1920, la lecture de la préface tant convoitée le désespère de nouveau. Le sentiment de son génie alterne avec des phases de dépression morbide. Devant les exigences de l'éditeur et l'incompréhension de Russell, il décide, l'été 1920, de suspendre la publication [9], qui aura finalement lieu, sur l'initiative de Russell. A la fin de 1921, le texte et la préface paraissent en allemand dans les *Annalen der Natürphilosophie*, la revue du chimiste Wilhelm Ostwald, disciple d'Ernst Mach. L'année suivante paraît une traduction anglaise, effectuée par C. K. Ogden et F. P. Ramsey.

Il y a deux manières de prendre la mesure de l'interaction entre Russell et Wittgenstein. La première consiste à observer Russell faire littéralement peau neuve en adoptant l'interprétation du logicisme, diamétralement opposée à celle qu'il défendait avec Moore, avant que ne débarque Wittgenstein. Dans ses *Problèmes de philosophie*, publiés en 1912, il soutient toujours le caractère synthétique des vérités logiques et mathématiques [10]. En 1914, dans sa préface au livre contenant les conférences faites, au printemps, à Boston, il mentionne les « découvertes d'importance vitale » de son ami L. Wittgenstein [11], auxquelles il refait allusion dans une série de conférences prononcées à Londres, au début de 1918 [12]. La même année, dans le livre sévèrement jugé par Wittgenstein, il épouse explicitement la thèse du caractère analytique ou tautologique des vérités logiques et mathématiques imputée à Wittgenstein [13]. Désormais, il adhérera sans réserve à une interprétation carrément « linguistique » des vérités logiques, comme en témoignent en 1937, les préfaces aux secondes éditions du livre sur Leibniz et des *Principles*, où il salue la publication de *La Syntaxe logique du langage* de Carnap. Enfin, en 1943, résumant sa conversion, il écrira, contrairement à Moore, un an plus tôt [14] : « J'éprouvais du

9. Lettre de Wittgenstein à Russell du 7 juillet 1920, *ibid.*, p. 89.
10. B. Russell, 1912, p. 127-30.
11. B. Russell, 1914 a, trad. fr., Ph. Devaux, p. 25.
12. B. Russell, 1918a, in R. C. Marsh, ed., 1956, p. 177.
13. B. Russell, 1919, trad. fr., G. Moreau, 1970, p. 243.
14. Cf. B. Russell, « My mental development », in P. A. Schilpp, ed., 1944, p. 19 et G. E. Moore, « A reply to my critics », in P. A. Schilpp, ed., 1942, p. 67.

respect pour les mathématiques, et j'ai souffert lorsque Wittgenstein m'amena à n'y voir que des tautologies. »

La seconde manière consiste, comme l'a fait B. F. McGuinness [15], à comparer les passages pertinents du *Tractatus* et certains textes écrits par Russell en 1914, les uns recueillis dans *Mysticism and Logic*, les autres constitués par les conférences de Boston. Dans « Mysticism and Logic » (1914), Russell attribue au mystique quatre croyances, qu'on retrouve dans le *Tractatus*. Premièrement, le mystique croit détenir une voie d'accès intuitive à la réalité, qui n'est ni expérimentale ni logico-mathématique, mais leur est supérieure (cf. *Tr.* 6.522). Peut-être la poésie offre-t-elle le meilleur moyen de l'exprimer verbalement, en la laissant « se manifester ». Deuxièmement, le mystique croit à l'unité profonde de la réalité. « Sentir le monde comme un tout limité », dit Wittgenstein, « c'est cela qui est mystique » (*Tr.* 6.45). Troisièmement, le mystique croit à l'irréalité du temps (cf. *Tr.* 6.4311 et 6.45). Enfin, le mystique croit que le bien et le mal ne sont que des apparences (cf. *Tr.* 6.4 *passim*). Dernière similitude inattendue : la sévérité du jugement porté par Russell sur le statut philosophique de l'évolutionnisme darwinien [16]. A toute philosophie évolutionniste (Hegel, Spencer ou Bergson), Russell reproche de confondre faits et valeurs et de préférer les vastes généralités à l'ascèse analytique (cf. *Tr.* 4.1122). Aussi saisissant que soit le parallélisme révélé par cette comparaison, les deux cheminements ne se rejoignent jamais. Son adhésion sans réserve à l'attitude « scientifique » empêche Russell d'embrasser le mysticisme que vit Wittgenstein. D'autant que l'expérience de la guerre et sa lecture de Tolstoï [17] ont, semble-t-il, aiguisé sa sensibilité à l'importance de l'ineffable. A la même époque, Russell, de plus en plus intrigué par la physique, préoccupé par la théorie de la connaissance, se rapproche de l'empirisme.

De l'exceptionnelle collaboration entre les deux hommes

---

15. B. F. McGuinness, 1966 ; cf. J. Bouveresse, 1973 a, chap. I
16. B. Russell, 1914 a ; et 1914 b, 1914 c, in B. Russell, 1918 b.
17. Cf. Lettre de Wittgenstein à Keynes du 4 juillet 1924, *op. cit.*, p. 115, où il déclare avoir énormément changé en onze ans. Cf. G H. von Wright, *op. cit.*, p. 19-22 ; P. Engelmann, *op. cit.*, p. 70-81 ; lettre de Russell à Lady Ottoline du 20 décembre 1920, in G. H. von Wright et B. F. McGuinness, eds, *op. cit.*, p. 82 ; B. F. McGuinness, 1966.

est né ce qu'il est convenu d'appeler l' « atomisme logique ». Cette transition entre l'atomisme platonicien et le positivisme logique de la fin des années 1920 est le rejeton hybride de deux problématiques divergentes. Russell et Wittgenstein partagent une nouvelle interprétation du logicisme : les vérités logiques sont tautologiques. Ils caressent le même projet : dresser le catalogue des formes logiques de toutes les phrases possibles du langage idéal exposé dans les *Principia*. Ils se font le même tableau de la relation entre le langage et la réalité. Mais leurs conceptions mêmes de la philosophie divergent. Russell, comme les grands constructeurs de systèmes traditionnels, quoique avec des moyens tout neufs, est à l'affût d'une philosophie scientifique. Wittgenstein, qui introduit une nouvelle pratique de la philosophie, ressemble davantage à Pascal, Kierkegaard ou Schopenhauer. Russell veut édifier une théorie du rapport entre le langage parfait de la logique et le monde. Wittgenstein affirme qu'une telle théorie échappe au langage. Le « mysticisme » dans lequel baigne le *Tractatus* n'a pas pour origine la conscience religieuse d'une divinité transcendante. Il résulte du fait que Wittgenstein a cru percevoir les *limites* du dicible et du pensable. C'est pourquoi il aboutit logiquement à un silence, auquel Russell n'est nullement prêt à se résigner. Aux deux interprétations inconciliables que chacun confère au produit de leur accouplement convient comme un gant la maxime qu'affectionnait, paraît-il, le physicien Niels Bohr[18] : il y a deux sortes de vérités ; les trivialités et les vérités profondes. La négation d'une trivialité est toujours absurde, mais une vérité profonde se reconnaît à ce que sa négation est aussi une vérité profonde.

Les aphorismes sybillins du *Tractatus* sont les cristaux déposés, après évaporation, par la déshydratation d'un composé de Russell et Frege chauffé à blanc. Ils tissent simultanément deux trames : la trame des propositions (qui expriment des pensées) et celle des états de la nature (*Sachverhalten* ou *states of affairs*). Propositions et états de la nature sont des faits (*Tatsachen*). Toute proposition vraie tient sa

18. Cité par G. Holton, 1970, in G. Holton, 1973, p. 148-49. Holton cite aussi cette phrase de Bohr, très wittgensteinienne : « On ne peut pas connaître quelqu'un à la fois à la lumière de l'amour et de la justice. »

vérité de ce qu'elle dépeint un état de la réalité correspondant. Toute proposition est soit atomique, soit moléculaire. Si elle est atomique et vraie, elle correspond à un état élémentaire de la réalité. Si elle est moléculaire, alors sa valeur de vérité dépend de la valeur de vérité de ses constituants atomiques et des connecteurs propositionnels qui les relient. On peut déduire la valeur de vérité d'une proposition composée à partir de la connaissance de ses constituants (propositions atomiques et liaisons inter-propositionnelles) grâce à la méthode des tables de vérité, inventée par Wittgenstein (cf. *Tr.* 4.3-5.1, *passim*). A toute proposition moléculaire vraie correspond un état complexe de la réalité.

Il y a pourtant une catégorie de propositions, logiquement impeccables, auxquelles ne correspond aucun état individualisable de la réalité : ce sont les tautologies et les contradictions. Alors que toute proposition vraie non tautologique, élémentaire ou composée, doit, pour dépeindre un état de la réalité, constituer la négation d'une infinité d'états *possibles* de la réalité, une tautologie ne ferme aucune possibilité, et une contradiction les ferme toutes. Si je dis « Il pleut ou il ne pleut pas », je ne dépeins aucun état de la réalité. Tous les états possibles de la réalité sont compatibles avec cette proposition. Si je dis « Il pleut et il ne pleut pas », je ne me donne la possibilité de décrire aucun état possible de la réalité.

De leur côté, toutes les propositions vraies non tautologiques ont la capacité de dépeindre un état quelconque de la réalité, en vertu de leur forme *picturale* (*Form der Abbildung* ou *pictorial form* (*Tr.* 2.1 *passim*)). Autrement dit, la composante sémantique du langage idéal a la structure d'une image de la réalité. Or, il doit exister un point commun entre l'image (ou le tableau) et ce dont elle est l'image : c'est la « forme logique » (*Tr.* 2.18).

Mais, si une image peut dépeindre la réalité dont elle est l'image, il y a une chose qu'elle ne peut pas dépeindre, c'est *sa* propre forme picturale, autrement dit, sa forme logique. Elle ne peut que laisser cette dernière « se manifester » (*es weist sie auf ; it displays it, Tr.* 2.172). D'où ces nombreux aphorismes : « Les propositions peuvent représenter la totalité de la réalité, mais pas ce qu'elles doivent avoir en commun avec la réalité pour pouvoir la représenter — à savoir la forme logique. Pour pouvoir représenter la forme logique, nous devrions pouvoir nous placer, avec nos propositions, quelque part à l'extérieur du monde » (*Tr.* 4.12). Les propositions *montrent* mais ne représentent pas la forme logique, qu'elles ont en commun avec la réalité. « Ce qui *peut* être montré, *ne peut pas* être dit » (*Tr.* 4.1212).

Plusieurs critiques contre la philosophie de la logique de Russell et Frege s'ensuivent, notamment les trois suivantes. Toutes les propositions de la logique ont le même statut. Aucune n'est plus primitive qu'une autre (*Tr.* 6.127). Toute présentation axiomatique est arbitraire et ne révèle aucune préséance logique authentique. La réalité ne contient aucune hiérarchie entre les propositions élémentaires (*Tr.* 5.556). Les hiérarchies sont indépendantes de la réalité (*Tr.* 5.5561). Il s'ensuit que tout l'appareillage extra-logique est soit erroné, soit superflu : « il incombe à la logique de s'occuper d'elle-même » (*Tr.* 5.4373). En même temps, les lois de la logique ne peuvent être elles-mêmes sujettes aux lois de la logique (*Tr.* 6.123). Donc, si la théorie des types par exemple a raison d'affirmer qu'aucune proposition ne peut faire une assertion sur elle-même (*Tr.* 3.332), elle commet néanmoins deux erreurs : elle hypostasie une hiérarchie parfaitement arbitraire (*Tr.* 5.556-5.5561) et elle introduit en logique la mention de la référence des signes (*Tr.* 3.331). Enfin, les constantes logiques (*ou*, *et*, etc.) n'ont pas de dénotation (*Tr.* 4.0312) : ce ne sont pas des signes, qui tiennent lieu d'une réalité différente d'eux. Par exemple, « p » (« il pleut ») et « ~~ p » ou « non non p » (« il est faux qu'il soit faux qu'il pleuve ») veulent dire la même chose. Ce qui montre, selon Wittgenstein, que « rien dans la réalité ne correspond au signe "~" » (*Tr.* 4.062). De la même façon, les signes « v » (« ou ») et « ⊃ » (« si alors ») ne dénotent pas plus des relations que les signes de parenthèses (*Tr.* 5.4-5.43 et 5.461). Autrement dit, il n'existe pas d' « objets logiques » ou de « constantes logiques », comme le requérait le réalisme platonicien de Frege et Russell : le signe de négation ne désigne pas une « négatité » platonique.

On retrouve dans le *Tractatus* des traces de l'influence de Frege. Mais leur interprétation exige une exégèse particulièrement compliquée. Wittgenstein utilise les termes frégéens *Gedanke* (la pensée), *Gegenstand* (objet), *Sinn* (le sens),

Bedeutung (la référence), mais dans un cadre anti-platonicien, contraire au cadre frégéen. Wittgenstein refuse de poser l'existence d'objets comme les nombres ou les constantes logiques. Il emploie *Gedanke* dans un sens explicitement psychologique [19], banni par Frege. Il ne distingue pas aussi clairement que Frege entre une phrase (*Satz*) et la pensée ou le contenu propositionnel exprimé par la phrase, probablement parce qu'il ne veut pas poser l'existence de contenus de pensée platoniques, ni psychologiques, ni linguistiques. Pourtant, lorsqu'il distingue entre les « caractéristiques essentielles et accidentelles » des propositions (*Tr.* 3.34-3.341), il emprunte tout de même à Frege son concept de *Sinn*.

On ne saurait sous-estimer l'impact du *Tractatus* sur la logique, au cours des années 1920. Il attire l'attention de tous sur l'importance du concept de *forme logique*, souvent masquée par la forme grammaticale superficielle, en rendant hommage à la théorie des descriptions de Russell (*Tr.* 3.24 et 4.0031). La théorie de la forme picturale des propositions, qui fait de la forme logique la structure commune au modèle (la proposition) et à ce qui est représenté (la réalité) est dirigée, selon toute vraisemblance, contre la théorie platonicienne des concepts et des propositions, soutenue par Russell et Moore une quinzaine d'années plus tôt. Elle rend ainsi caduc l'atomisme platonicien. Moore avait refusé de faire dépendre la vérité d'une proposition de son accord avec la réalité, Wittgenstein affirme exactement le contraire (*Tr.* 4.05 et 4.06) : il faut comparer les propositions avec la réalité.

Deux de ses doctrines vont particulièrement frapper les positivistes logiques : sa distinction tranchée entre les propositions des sciences et celles de la philosophie ; sa théorie du caractère tautologique des propositions logiques et mathématiques. Toutes les propositions vraies qui sont des modèles de la réalité, appartiennent aux sciences de la nature. La philosophie n'est pas une science. C'est une « activité » d' « élucidation » logico-linguistique (*Tr.* 4.1 *passim*). Les propositions de la logique, auxquelles se réduisent (grâce à Frege et Russell) les propositions mathématiques, sont des tautologies

---

19. Sur cette question épineuse, cf. Lettre de Wittgenstein à Russell du 19 août 1919, in G.H. von Wright et B.F. McGuinness, eds, *op. cit.*, p. 72 ; et les commentaires de A. Kenny, 1973 et J. Bouveresse, 1976.

(*Tr.* 6.1-6.2 *passim*). Donc, en logique, il n'y a jamais de surprises (*Tr.* 6.1251). A ce sujet, Wittgenstein codifie une terminologie, qui sera reprise par Carnap : les tautologies sont *sinnlos*. Elles manquent de *Sinn* : elles n'ont aucun contenu informatif, car ce ne sont pas des modèles de la réalité (*Bidler der Wirklichkeit*). Mais elles ne sont pas pour autant *unsinnig* : elles ne sont pas absurdes, puisqu'elles sont logiquement bien formées (*Tr.* 4.461-4.4611). Pour posséder un contenu informatif, une proposition doit d'abord être bien formée. Ensuite, elle doit représenter un état de la réalité. Ce faisant, elle ferme la possibilité d'en décrire d'autres. Une tautologie ne ferme rien du tout. Les positivistes logiques ont aussi cru lire dans le *Tractatus* une théorie vérificationniste de la signification cognitive des propositions des sciences : « comprendre une proposition veut dire savoir quels sont les faits si elle est vraie » (*Tr.* 4.024).

Des deux distinctions, entre la logique et les sciences et entre la philosophie et les sciences, il ressort qu'il n'y a pas de connaissance *a priori* de la réalité : pas de modèles *a priori* (*Tr.* 2.225). Il y a pourtant des croyances *a priori* sur la forme possible des lois scientifiques : le principe de raison suffisante, le principe de moindre action, la présupposition qu'en mécanique on ne mentionne que des points matériels quelconques, sont des postulats *a priori* sur la forme de toute loi classique possible. Mais ce ne sont pas des lois. Ce sont des conditions de possibilité des lois, donc de description de la réalité. Les lois de la mécanique classique, par exemple, constituent un modèle réduit de la réalité. Les présuppositions *a priori* ne portent pas sur la réalité captée par le modèle réduit, mais sur les règles de construction du modèle (*Tr.* 6.3 *passim*). Ces passages d'inspiration kantienne auront, par-delà les positivistes logiques, un profond retentissement sur la remise en cause de l'empirisme, quarante ans plus tard. C'est qu'en effet d'un côté Wittgenstein y conforte l'assertion empiriste selon laquelle aucune connaissance scientifique n'est *a priori* ; de l'autre, il ébauche une critique de l'empirisme, en soutenant qu'aucune connaissance scientifique n'est possible sans une présupposition *a priori.* De quoi réjouir Niels Bohr.

Mais, surtout, le mysticisme du *Tractatus* projette dans la logique, fût-ce dans un style mystérieux, une problématique entièrement étrangère à Russell et Frege, qui portera tous ses fruits chez Kurt Gödel, Alfred Tarski et Rudolf Carnap : c'est la problématique des *limites* d'un système logique. Dans le langage mystique, qui est le sien, Wittgenstein accuse Russell [20] de ne pas saisir sa thèse la plus importante, qui est « le problème cardinal de la philosophie ». Il s'agit toujours de ce qui échappe à la logique : ce qui *se montre* mais ne se dit pas. Ce qui se laisse manifester mais ne s'énonce pas. Il s'agit de la forme logique des propositions qui sont des modèles ou des miroirs de la réalité (*Tr.* 4.12 *passim*) : cette forme logique se montre dans les propositions, mais celles-ci ne peuvent pas la représenter, comme elles représentent la réalité. Il s'agit aussi de la forme logique des tautologies : la logique est « transcendantale » (*Tr.* 6.13). Sans elle, nous ne pouvons pas penser. Elle dessine les limites du pensable. Mais, sur ces limites, nous ne pouvons que garder le silence (*Tr.* 6.5 *passim*).

Or, ce n'est pas un hasard si, à la fin de sa vie, Russell, non sans légèreté, déclarera dans la même phrase que, pour « disposer du mysticisme de Wittgenstein et (...) des énigmes (*puzzles*) plus récemment présentées par Gödel », il suffit d'adopter une distinction, suggérée dans sa préface au *Tractatus* (puis amplifiée par Tarski), entre un langage-objet et un métalangage, dans lequel sont formulées les propositions mentionnant les propriétés du langage-objet [21]. En 1930, Gödel prouvait la complétude du calcul des prédicats du premier ordre : toute formule valide de ce calcul admet une preuve formelle. Mais, la même année, il ouvrait une ère nouvelle de la logique et des mathématiques en prouvant l'incomplétude de tout langage (comme la logique de *Principia Mathematica*), capable d'exprimer l'arithmétique élémentaire. Il inventait une méthode de construction des phrases de la logique du premier ordre, dans la notation de la théorie élémentaire des nombres. Grâce à cette méthode, il démontrait que tout système capable d'exprimer l'arithmétique contient au moins une phrase bien formée, prouvable si et seulement si elle est fausse. Si les règles de la preuve sont valides et si une telle phrase est vraie, alors elle est indécidable. A ce

20. Lettre de Wittgenstein à Russell du 19 août 1919, *op. cit.*, p. 71.
21. B. Russell, 1956, p. 114.

théorème s'ajoutait un corollaire qui mettait fin aux espoirs (nourris notamment par David Hilbert) de prouver la consistance (la non-contradiction) absolue de tout système logique ou mathématique. Hilbert avait réussi à prouver, en coordonnant tous les axiomes et les théorèmes de la géométrie euclidienne à un axiome et à un théorème de la théorie des nombres, que la première était aussi consistante que la seconde. Autrement dit, si on ne déduit pas un théorème et sa négation, à partir des axiomes de la théorie des nombres, on ne déduit pas plus un théorème et sa négation à partir des axiomes de la géométrie. Restait à prouver la consistance de la théorie des nombres sans présupposer la consistance d'une autre théorie. Gödel prouvait justement que c'est impossible : on ne peut jamais prouver qu'une théorie est consistante sans recourir à une autre théorie dont les axiomes sont plus forts. L'espoir de découvrir une méthode de preuve de théorèmes de consistance absolue s'envolait donc en fumée [22].

La double preuve gödélienne d'incomplétude (ou d'indécidabilité) de l'arithmétique et d'impossibilité de toute preuve de consistance absolue est aussi distante de l'obsession de Wittgenstein pour l'indicible qu'une preuve formelle l'est de l'intuition. Mais le *Tractatus* crée un climat d'inquiétude, auquel Russell a été réfractaire. S'agissant des systèmes formels, qui jouissaient de la plus grande confiance des logiciens, il a esquissé au fusain la courbure de leurs bornes, en laissant à d'autres le soin de les édifier patiemment.

La « complémentarité » entre Russell et Wittgenstein n'est pas sans évoquer la dualité presque contemporaine entre Einstein et les défenseurs de la mécanique quantique, Heisenberg et Bohr lui-même. Les grandes contributions de Russell et d'Einstein se font à la même époque. Ils accomplissent chacun une révolution spectaculaire, l'un en logique, l'autre en physique. Einstein, plus que Max Planck, est le créateur de la théorie quantique. Mais il ne tolère pas l'indéterminisme introduit par le principe d'incertitude d'Heisenberg. Pas plus qu'il n'adhère au principe de complémentarité, introduit par Niels Bohr, pour concilier la description ondulatoire

22. Cf. J. van Heijenoort, ed., E. Nagel et J.R. Newman, 1958, et H. Wang, 1974.

et la description corpusculaire d'une particule atomique. Aux suggestions de Hans Reichenbach d'adopter une logique à trois valeurs (vrai, faux et ni vrai ni faux), Russell opposera le même refus classiciste [23]. Le goût des uns pour une description conforme aux lois sereines de la logique classique contraste avec l'attirance des autres pour une version plus « méphistophélique » du monde (cf. G. Gamow, 1966). D'ailleurs, les questions que se pose, à la fin des années 1920, au début des années 1930, la physique atomique ont ceci de commun avec les discussions des logiciens et des mathématiciens de cette époque : doit-on préserver coûte que coûte l'adhésion aux principes classiques, en présence de faits récalcitrants ? Peut-on encore penser après avoir abandonné l'un de ces principes, ou faut-il se résigner à calculer sans comprendre ? Les mathématiciens intuitionnistes, comme Brouwer et Heyting, recommandent l'abandon du principe du tiers-exclu : pour eux, une proposition mathématique n'est pas vraie ou fausse. Elle est, ou non, prouvée. Peut-on penser des théorèmes mathématiques selon la méthode intuitionniste ? Ou doit-on se contenter d'isomorphies entre mathématique classique et mathématique intuitionniste ? Peut-on penser une description du comportement d'un électron, dans laquelle l'impulsion et la position ne sont pas simultanément déterminées ? Est-ce l'effet sur l'électron de l'intrusion de l'équipement expérimental du physicien requis pour l'observer ? Ou l'indétermination entre les deux propriétés classiquement attribuées à une particule est-elle une de ses caractéristiques, indépendamment de toute observation ? Niels Bohr lui-même étendra à la biologie ce genre de question : la limite à l'analyse physico-chimique d'un organisme, c'est sa survie [24]. Reste que sa notion de complémentarité décrit bien ces dualités intellectuelles.

3. *La formation du Wiener Kreis.*

Trinity College, sur les bords de la rivière Cam, était un havre de paix. La défaite allemande de 1918 signifiait pour

23. In P. A. Schilpp, ed., 1944.
24. Cf. G. Holton, *op. cit.*, p. 149-55 ; D. Fleming, 1968, p. 164-71.

l'Allemagne wilhelmienne et l'Autriche habsbourgeoise la fin d'une dynastie. Le bouillonnement culturel de Vienne n'a d'équivalent que l'effervescence politique de la jeune république de Weimar[25]. C'est à la fois la transition entre deux sociétés et entre deux guerres. Carnap et ses amis, alors à Berlin, saluent la révolution socialiste allemande, comme ils avaient salué la révolution russe, un an plus tôt[26]. Jusqu'au triomphe catastrophique du nazisme, aucune décennie de l'histoire n'aura été marquée par une telle volonté d'expérimentation et de renouvellement, dans la politique, la musique, l'architecture, la peinture, la littérature, le cinéma, les mathématiques, la physique, la psychologie, la pédagogie. Dans chaque discipline, un mot est sur toutes les lèvres : *Krisis*. En 1918 paraît la bible de la nouvelle *Lebensphilosophie*, *Le déclin de l'Occident* d'Oswald Spengler. Lukacs, les avocats de la « théorie critique » de l'Ecole de Francfort comme Horkheimer et Adorno, et même Husserl, diagnostiquent la « destruction », l' « éclipse de la raison ». Paul Forman a, dans une récente étude[27], documenté l'effet conjoint de la défaite et de la *Lebensphilosophie* jusque sur les mathématiciens et les physiciens allemands. Suggérant une analogie entre l'attirance des mathématiciens pour l'intuitionnisme et la séduction exercée sur les physiciens par l'indéterminisme, il montre qu'avant la naissance du formalisme de la nouvelle mécanique quantique, en 1925-1926, pour s'adapter aux imprécations romantiques contre le déterminisme scientifique, accusé de déshumaniser la culture, les physiciens ont « capitulé devant le spenglérisme ». Leur adoption anticipée, sincère ou contrefaite, d'une « attitude acausale » fait soudain irruption à partir de 1919 chaque fois qu'une occasion sociale les met en contact avec un large public, assoiffé d'intuition, de totalité organique et de vie spirituelle. Max Planck et Albert Einstein regardent avec un dégoût mêlé de sarcasme nombre de leurs collègues revêtir les oripeaux de l'idéalisme hégélien et de la *Natürphilosophie*, remis au goût du jour. Lorsqu'en 1929 le philosophe américain Sydney Hook rap-

25. Cf. P. Gay, 1968 et A. Janik et S. Toulmin, 1973.
26. R. Carnap, « Intellectual autobiography », in P. A. Schilpp, ed., 1963, p. 10.
27. P. Forman, 1971.

porte ses « impressions personnelles de la philosophie allemande contemporaine », après un séjour d'un an en Allemagne, il est atterré par l' « indifférence » et même l' « hostilité » à l'égard des sciences, manifestée par la grande majorité des philosophes universitaires, sauf Hans Reichenbach, d'ailleurs ignoré de ses collègues berlinois [28].

Mais, sept ans plus tard, un autre philosophe américain, Ernest Nagel, peut faire état de la popularité de l'enseignement de Moritz Schlick auprès des étudiants de l'université de Vienne. Il attribue une double fonction à l'exercice de la philosophie analytique, dans le contexte de crise économique, sociale et politique grandissante : « Elle offre aux praticiens de l'analyse intellectuelle de verts pâturages paisibles, où ils peuvent se réfugier pour échapper à un monde perturbé et cultiver leurs jeux intellectuels, avec l'indifférence de joueurs d'échecs ; et c'est aussi une lame brillante et tranchante destinée à démanteler les croyances irrationnelles et à mettre en évidence la structure des idées. C'est à la fois le passe-temps d'un reclus et une aventure terriblement sérieuse [29]. »

C'est à la même époque que se forme, à Berlin, autour de Reichenbach, le *Gesellschaft für Empirische Philosophie* (la Société de philosophie empirique) et, à Vienne, autour de Moritz Schlick, le *Verein Ernst Mach* (le groupe Ernst Mach), qui va devenir, en 1929, le *Wiener Kreis* (le Cercle de Vienne). Entre Vienne et Berlin, il y a plusieurs différences, qui expliquent le succès de Moritz Schlick et l'échec de Reichenbach. Comme l'a fait observer Otto Neurath, l'un des représentants des sciences sociales, au sein du Cercle de Vienne [30], il existe en Autriche et en Tchécoslovaquie une tradition « leibnizienne » catholique et anti-kantienne, qui tranche avec la tradition allemande sous deux aspects positifs et un aspect négatif. Une forte tradition scholastique a permis (comme en Pologne) à la logique (dont Kant disait qu'elle avait complètement stagné depuis Aristote) de se développer. Trois prêtres en sont les représentants symboliques : Bolzano, Brentano et Marty, qui combinent leur préoccupation théolo-

28. S. Hook, 1929.
29. E. Nagel, 1936, in E. Nagel, 1956, p. 196-97. Cf. M. Turk, 1975.
30. O. Neurath, 1935, p. 33-45.

gique avec des travaux en logique et sur le fondement des mathématiques. L'ouverture aux influences culturelles du reste de l'Europe rappelle les grands voyages de Leibniz (alors que Kant n'a jamais quitté Königsberg). En Allemagne, la descendance métaphysique du kantisme (Fichte, Hegel et Schelling) représentait, chez les philosophes, un obstacle au développement de la logique. En revanche, dans le kantisme, perçu par la monarchie autrichienne comme une dangereuse émanation de la révolution française, et, par rapport à la tradition scholastique, Neurath voit un progrès vers l'empirisme.

Qui plus est, un intense mouvement de va-et-vient entre Vienne et Prague met en contact physiciens et philosophes-savants, du tournant du siècle à la fin des années 1920. Le symbole de ces allées et venues, c'est le physicien Ernst Mach : ayant reçu son doctorat à Vienne, il se rend à Graz en 1864. En 1867, il devient professeur à l'université Charles de Prague. En 1895, il retourne à Vienne, où lui succède Boltzmann, jusqu'à son suicide en 1906. Lorsque Einstein quitte l'université de Vienne, en 1912, il est remplacé par un futur membre du Cercle de Vienne, Philipp Frank. En 1922, Schlick prend possession, à Vienne, de la chaire de philosophie des sciences inductives, occupée par Mach et Boltzmann. Il y enseignera jusqu'à son assassinat par l'un de ses étudiants dément. En 1926, Schlick fait venir Carnap à Vienne, jusqu'en 1931, lorsque Carnap devient professeur de philosophie naturelle à l'université Charles de Prague.

Dans les années 1920, un groupe de savants et de philosophes se réunissent, au cours des séances du groupe Ernst Mach. Parmi les participants, il y a plusieurs mathématiciens : Gustav Bergmann, Hans Hahn, Kurt Gödel et Karl Menger. Philipp Frank, ami d'Einstein, est physicien. Rudolf Carnap, Victor Kraft, Moritz Schlick (qui a obtenu un doctorat de physique) et Friedrich Waismann sont philosophes. Les sciences sociales sont représentées par Otto Neurath[31]. Sur l'insistance de Hans Hahn, le groupe Ernst Mach procède à

31. Parmi les sympathisants figurent Walter Dubislav, Josef Frank, Kurt Grelling, Hasso Harlen, E. Kaila, Heinrich Loewy, Frank Ramsey, Hans Reichenbach, Kurt Reidmeister et Edgar Zilsel.

une lecture détaillée du *Tractatus*[32]. En 1926, Schlick, l'animateur du groupe entre en contact avec Wittgenstein, qui demeure réticent. Schlick et Waismann subissent l'influence de sa forte personnalité et deviennent ses amis. Mais les discussions sur la méthodologie scientifique agacent Wittgenstein, qui ne se rend qu'une fois ou deux aux réunions du groupe, pour y lire à haute voix des poèmes de Rabindranath Tagore. De Carnap, qui lui demande de s'expliquer plus complètement, il dira[33] : « S'il ne sent rien, je n'y peux rien. C'est qu'il n'a pas d'odorat. » Comme l'a vu Carnap, l'attitude globale de Wittgenstein se rapprochait plus de celle d'un artiste que de celle d'un chercheur scientifique[34]. Ironiquement, Wittgenstein avait déjà, par ses conversations d'avant-guerre poussé Russell vers l'empirisme. Dix ans plus tard, le *Tractatus* sert involontairement de catalyseur à l'empirisme du Cercle de Vienne.

En 1929, quelques mois après avoir entendu une conférence du mathématicien intuitionniste hollandais Jan Brouwer, Wittgenstein décide brusquement de reprendre ses activités philosophiques et retourne à Cambridge, où il résidera jusqu'à sa mort, en 1951. La même année, pour fêter son retour d'un voyage en Californie, Carnap, Hahn et Neurath dédicacent à Schlick leur *Conception scientifique du monde*, le manifeste du Cercle de Vienne. Ils y mentionnent l'influence de cinq domaines scientifiques sur le nouvel empirisme qu'ils défendent : le positivisme et l'empirisme plus anciens (de Comte et de Mach) ; l'étude des fondements, des buts et des méthodes des sciences empiriques ; la logistique et ses applications à la réalité ; les axiomatiques ; enfin, l'hédonisme et la sociologie positiviste. Par-dessus tout, ils placent leur entreprise sous l'égide de trois représentants de la « conception scientifique du monde » : Albert Einstein, Bertrand Russell et Ludwig Wittgenstein[35].

32. Cf. G.H. von Wright, 1958 ; P. Engelmann, 1967 ; H. Feigl, 1968 ; B.F. McGuinness, 1966 ; R. Carnap, in P.A. Schilpp, ed., 1963.

33. Rapporté par H. Feigl, 1968, p. 638.

34. R. Carnap, in P.A. Schilpp, ed., 1963, p. 25-27.

35. R. Carnap, H. Hahn et O. Neurath, *Wissenschaftliche Weltauffassung: Der Wiener Kreis,* trad. angl., in M. Neurath et R.S. Cohen, eds., 1973. A chaque domaine, ils associent Hume, les Lumières, Comte, Mill, Avenarius et Mach ; Helmholtz, Riemann, Mach, Poincaré, Enriques, Duhem, Boltz-

La même année, Carnap et Reichenbach fondent une nouvelle revue, *Erkenntnis*. Ils organisent plusieurs congrès sur la méthodologie et l'unité de la science. L'un d'entre eux se tient à Paris, en 1935. Ce sera la seule pause, marquée en France par la philosophie analytique. Certains membres de la plus jeune génération y rencontrent pour la première fois Bertrand Russell, leur inspirateur. Ce qui donne lieu au dialogue suivant entre Herbert Feigl et Russell (selon le témoignage du premier) :

— Nous sommes en quelque sorte vos petits-fils intellectuels.

— Et qui est votre père ?

— Nous en avons trois : Schlick, Carnap et Reichenbach.

Les membres du Cercle de Vienne ressentent vivement l'imminence de la crise, partout proclamée. Dans la préface à *La Construction logique du monde* (1928), son premier grand livre, Carnap témoigne de sa sensibilité à la culture de son temps. Au sentiment de la crise il veut répondre en soulignant la responsabilité morale d'une pensée rigoureuse. Il se sent solidaire des mêmes exigences formelles que celles qui animent l'architecture de ses contemporains (probablement les membres du *Bauhaus*). Il ne cache pas non plus qu'il ressent deux besoins caractéristiques de la *Lebensphilosophie* : celui de former une communauté spirituelle et celui de ressaisir la totalité que masquent toujours les détails. Il rattache son « style de pensée » à « une orientation qui réclame la clarté partout, mais qui se rend compte que la fabrique de la vie ne sera jamais tout à fait comprise. Cette orientation nous pousse à être attentifs au détail et en même temps, elle recherche les grandes lignes qui parcourent la totalité[36] ».

Dans un contexte apocalyptique, les membres du Cercle de Vienne réincarnent la philosophie des Lumières. Ils s'élèvent, au nom de la science, contre l'obscurantisme. Ils attribuent

---

mann, Einstein ; Leibniz, Peano, Frege, Schroder, Russell, Whitehead, Wittgenstein ; Pasch, Peano, Vailati, Pieri, Hilbert ; Epicure, Hume, Bentham, J. S. Mill, Comte, Feuerbach, Marx, Spencer, Muller-Lyer, Popper-Lynkeus, Carl Menger.

36. R. Carnap, 1928, trad. angl., R. A. George, 1967, p. xi. Cf. les commentaires de Karl Popper, 1976, p. 87-90.

une valeur morale autant qu'intellectuelle au savoir scientifique, comme en témoignent leur passion de l'unité de la science et leur penchant pour l'encyclopédie. Ils ne doutent pas que le progrès scientifique favorise le progrès social. Pardessus tout, et contrairement à Russell et Moore, dans les jardins de Trinity, trente ans plus tôt, ils conçoivent leur tâche de manière collective.

4. *La syntaxe logique du langage selon Carnap.*

Le positivisme, c'est l'espoir d'abolir (*überwinden*) la métaphysique. Mais, pour les membres du Cercle de Vienne, il y a une bonne et une mauvaise métaphysique. La seconde tombe sous la critique du *Tractatus* : les propositions les plus typiques sont des phrases intrinsèquement absurdes (*unsinnig*), dont la formulation résulte simplement d'erreurs logiques (*Tr.* 4.003). En 1928 et en 1932, Carnap espère montrer par exemple que les mauvaises propositions métaphysiques violent la théorie russellienne des types. Autrement dit, à la différence d'une suite agrammaticale de mots français, comme « Bleu les et est », une proposition métaphysique typiquement absurde, grammaticalement acceptable, ressemblerait à « César est un nombre premier » ou « Le nombre cinq est bleu ». Hegel et Heidegger sont les proies d'élection d'une analyse logique qui permet de les accuser de commettre des « confusions de sphères » (sphère de généraux romains et sphère d'objets numériques ou sphère d'objets numériques et sphère de couleurs, ou plus précisément sphères des noms de ces différentes espèces d'objets [37]). Ces métaphysiciens, dit Carnap, sont des « musiciens sans talent musical » ou des poètes (sans talent poétique) qui croiraient, dans leurs poèmes respectifs, pouvoir réfuter les vers des poèmes des autres [38]. Cette théorie de l'inintelligibilité intrinsèque des pires propositions métaphysiques vaut ce que vaut la théorie des types et présuppose que la dialectique hégélienne ou l'ontologie heideggerienne peuvent se formuler dans le langage formel

37. R. Carnap, 1928, trad. angl., R. A. George, 1967, § 29-30, p. 51-54.
38. R. Carnap, 1932, trad. angl., A. Pap, in A. J. Ayer, ed., 1959, p. 79-80.

auquel est destinée la théorie des types et dont Carnap fait une règle de sa « syntaxe logique ».

Mais il existe des thèses métaphysiques, qui ne sont ni intrinsèquement absurdes ni inintelligibles. C'est le cas de l'opposition entre l'idéalisme et le matérialisme, qui revêt, dans le cas de la théorie de la connaissance, la forme de l'opposition entre le phénomènalisme (« Le monde qui fait l'objet de ma connaissance se compose des données sensorielles de mon expérience ») et le physicalisme (« Le monde est une réalité matérielle qui m'est extérieure »). C'est aussi le cas de la controverse sur le fondement des mathématiques entre le logicisme, le formalisme et l'intuitionnisme. Soucieux de disposer d'une méthode de construction de tous les êtres mentionnés dans une théorie, la deuxième et la troisième doctrine reprochent à la première son platonisme. Pour eux, seuls les théorèmes « finis » possèdent une signification. Pour un formaliste strict, les formules mathématiques sont des suites de signes démunis d'interprétation qui répondent aux règles de formation et se déduisent à partir de formules primitives, également démunies d'interprétation, selon les règles d'un jeu. Pour un intuitionniste, ne sont interprétables que les théorèmes effectivement démontrés à la suite d'un nombre fini d'étapes. Dans les deux cas, une proposition mathématique qui n'est ni démontrée ni réfutée n'a pas de sens. Le logicisme leur reproche de ne pouvoir expliquer comment les propositions mathématiques s'appliquent à la réalité physique : comme l'a montré Ramsey, si « 2 » est un symbole dénué de sens, le formaliste peut expliquer la déduction de « $2 + 2 = 4$ » à partir des axiomes, non interprétés, de l'arithmétique. Mais il ne peut pas expliquer comment, à partir de « La gare est à deux kilomètres de l'école et l'église est à deux kilomètres de la gare », on peut légitimement déduire « L'église est à quatre kilomètres de l'école en passant par la gare[39] ». L'objectif de la syntaxe carnapienne est aussi d'offrir un cadre linguistique dans lequel formuler clairement ces alternatives.

A ce titre, le domaine de la syntaxe logique se confond initialement avec celui d'une métathéorie des formes linguis-

39. Cf. B. Russell, 1919 ; F.P. Ramsey, 1931, p. 2-3 et la remarquable étude de J. Bouveresse, 1977.

tiques requises par les divers systèmes logiques et mathématiques mentionnés. Dans *La Syntaxe logique du langage*, paru en 1934, Carnap généralise deux idées, l'une avancée par Hilbert et Russell, l'autre par Hilbert et Wittgenstein, indépendamment l'un de l'autre. Le programme hilbertien, qui visait à construire des preuves de consistance absolue, et qui dut se rabattre, à cause des résultats de Gödel, sur des preuves de consistance relative, était conçu comme un ensemble de théories métamathématiques, ayant chacune une théorie mathématique pour objet. L'objectif formaliste de la théorie métamathématique était de considérer la théorie-objet comme un ensemble de signes, obéissant à des règles strictement formelles. L'une de ces idées avait été évoquée par Russell dans sa préface au *Tractatus*. Il y admettait que Wittgenstein avait raison de penser qu'on ne peut pas décrire la totalité de la structure d'un langage logique L dans L. C'était, après tout, conforme à la morale de la théorie simple des types appliquée au système de notation. Il suggérait en retour la possibilité d'une hiérarchie infinie de langages superposés : pour tout langage, L_{m-1}, il existerait un langage L_m, dans lequel on pourrait décrire la structure de L_{m-1}. Mais, Wittgenstein (qui semble avoir forgé l'expression) souhaitait bannir de la « syntaxe logique » toute considération de la signification des signes (*Tr.* 3.33), de même que Hilbert proscrivait, hors des énoncés métamathématiques, toute assertion non formelle qui ne portât pas sur la forme des signes. C'est la raison pour laquelle Wittgenstein n'acceptait pas l'interprétation sémantique, proposée par Russell, de sa propre théorie des types (*Tr.* 3.331 [40]).

D'un côté, Carnap se rendait à l'argument logiciste contre le formalisme strict : seule la reconstruction logiciste des objets numériques rend compte de la « signification » de « cinq », dans « ma main droite a cinq doigts [41] ». De l'autre, il est sensible au risque, mentionné par Wittgenstein, d'utiliser une notion évanescente de « signification » des signes logiques ou mathématiques : une théorie métalogique ou métamathématique purement « syntaxique », qui ne concerne

40. Cf. Lettre de Wittgenstein à Russell du 19 août 1919, *op. cit.*, p. 72.
41. Cf. R. Carnap, 1934, trad. angl., A. von Zeppelin, 1937, p. 326 ; et R. Carnap, in P.A. Schilpp, ed., 1963, p. 48.

que les règles de concaténation des symboles, sans considérer leur *Sinn* ni leur *Bedeutung*, est plus aisément vérifiable [42]. Mais, comme en témoigne le paragraphe 19 de *La Syntaxe*, l'intérêt de la méthode d'arithmétisation de la syntaxe, due à Gödel, qui permet de coordonner à chaque phrase du langage logique des *Principia* une formule de la théorie élémentaire des nombres, est le suivant : au lieu de se restreindre à des assertions métalogiques sur l'existence d'une preuve *effective* d'une phrase déterminée, fondée sur l'existence d'une série de symboles physiquement représentés, la syntaxe arithmétisée formule des assertions métalogiques sur l'ensemble des preuves *possibles* d'une phrase donnée [43]. Carnap n'adhère donc nullement au formalisme strict ni à une conception intuitionniste de l'acceptabilité des assertions métalogiques.

C'est pourquoi la syntaxe logique est gouvernée par le principe dit de « tolérance », déjà apparu en 1932 [44]. Selon ce principe, la tâche de la syntaxe n'est pas de formuler des « prohibitions », mais d' « arriver à des conventions » pour la bonne raison que, « en logique, il n'y a pas de morale [45] ». Il serait donc inexact de reprocher à Carnap d'avoir, dans les années 1930, adopté une théorie « essentialiste » ou « naturaliste » de la « signification cognitive [46] ». C'est une chose de critiquer la théorie « vérificationniste » de la signification. C'en est une autre d'accuser Carnap, contrairement à toutes ses affirmations, d'avoir soutenu une conception de la signification cognitive des énoncés selon laquelle toute expression linguistique serait intrinsèquement douée ou dénuée de sens, sans prendre soin de spécifier les règles conventionnelles de formation de l'expression dans un langage déterminé.

En revanche, deux critiques sont tout à fait justifiées : la première erreur de Carnap est d'avoir cru qu'une même métathéorie, destinée à « montrer que les concepts de la

42. C'est ce que suggèrent V. Kraft, 1953 et H. Bohnert, in P. A. Schilpp, ed., 1963, p. 412.
43. R. Carnap, 1934, trad. angl., A. von Zeppelin, 1937, p. 57-58.
44. R. Carnap, 1932, trad. angl., A. Pap, in A. J. Ayer, ed., 1959, p. 61.
45. R. Carnap, 1934, trad. angl., A. von Zeppelin, 1937, p. 51-52.
46. K. R. Popper, in P. A. Schilpp, ed., 1963, p. 189 sq. Popper attribue cette théorie à Russell (1910-1913), à Wittgenstein et à Carnap, 1928. Il précise que Carnap l'avait abandonnée dès 1932.

théorie de la logique formelle déductive comme la prouvabilité, la dérivabilité à partir de prémisses déterminées, l'indépendance logique, etc., sont purement syntaxiques, et qu'on peut donc formuler leurs définitions dans la syntaxe logique, puisque leurs concepts ne dépendent que de la forme des phrases, et pas de leurs significations [47] », pouvait aussi servir à la construction d'une théorie générale de toutes les formes linguistiques possibles. Cette erreur consiste à avoir cru que la métalogique permettrait d'élaborer une théorie générale de la signification cognitive pour toutes les phrases de tout langage possible. Il se serait notamment agi de produire un système de « règles de formation » des phrases à partir d'un alphabet de base et de « règles de transformation » (ou d'inférence) de théorèmes à partir d'axiomes, grâce auquel on aurait pu déterminer le statut cognitif de n'importe quel énoncé. L'espoir étant de montrer d'une part que les pires énoncés de la métaphysique spéculative violent une de ces règles (par exemple, la théorie des types) ; et, d'autre part, que les thèses métaphysiques opposées, sur le fondement des mathématiques, ou sur la théorie de la connaissance, étaient mal formulées. Identifiant la tâche de la philosophie à la construction de la syntaxe logique, Carnap distingue, dans l'esprit de la distinction de Hilbert et de Russell, entre l' « idiome formel » et l' « idiome matériel » : le second correspond au langage-objet et le premier au métalangage. Grâce à cette distinction, Carnap croit pouvoir ranger toute phrase qui n'aurait pas violé l'une des règles de formation ou de transformation du langage dans l'une des trois catégories suivantes : « phrase d'objet », « pseudo-phrase d'objet » et « phrase syntaxique ».

(a) La rose est rouge.
(b) M. A s'est rendu en Afrique.
(c) L'étoile du soir et la Terre ont approximativement la même taille.

sont des phrases d'objet : elles mentionnent des propriétés extralinguistiques d'entités extralinguistiques.

(a') La rose est une chose.
(b') La première leçon traitait de métaphysique.

47. R. Carnap, in P. A. Schilpp, ed., 1963, p. 54.

(c') Ce livre est sur l'Afrique.

sont des pseudo-phrases d'objet, maladroitement formulées dans l'idiome matériel, alors qu'elles doivent être formulées dans l'idiome formel et deviennent alors des phrases syntaxiques :

(a") Le mot « rose » est un mot-de-chose.

(b") La première leçon contenait le mot « métaphysique ».

(c") Ce livre contient le mot « Afrique ».

Carnap espérait que les interminables controverses métaphysiques sur la « réalité » du monde ou des objets mathématiques pourraient, grâce à la syntaxe logique, être formulées correctement, non comme un conflit de thèses portant sur des entités extralinguistiques, mais comme un conflit entre des préférences pour tel ou tel cadre linguistique (cadre logiciste ou cadre formaliste, cadre phénoménaliste ou cadre physicaliste).

Mais, comme en témoignent paradoxalement la distinction entre les deux idiomes et les caractérisations respectives des phrases d'objet et des phrases syntaxiques, la théorie proposée n'est pas purement syntaxique : elle fait appel au rapport entre le langage et des entités extralinguistiques. Or, c'est la seconde erreur commise par Carnap en 1934 d'avoir cru que le statut cognitif d'un énoncé d'un langage quelconque pouvait être déterminé sur une base non sémantique. Intuitivement, on accordera à Carnap qu'il existe une différence entre le fait de prédiquer la couleur rouge d'une rose (a) et celui de lui attribuer la « choséité » (a'). Mais, cette différence est sémantique. Cette première erreur lui fait d'ailleurs adopter une traduction inacceptable des pseudo-phrases d'objet en phrases syntaxiques : les conditions dans lesquelles (b') et (c') sont respectivement vraies ne sont nullement les mêmes que les conditions de vérité de (b") et (c") : on peut traiter de métaphysique sans prononcer le mot « métaphysique ». Un livre sur l'Afrique pourrait logiquement, même si c'est improbable, ne pas contenir le mot « Afrique [48] ».

La théorie de la forme logique des phrases d'un langage

48. Cf. J. J. Katz, 1966, p. 34-50.

(qu'il soit naturel ou formel) peut-elle être elle-même une métathéorie purement syntaxique (formelle) ? Ou est-elle inextricablement syntaxique et sémantique ? Un logiciste comme Frege ou Russell répondrait qu'il n'y a pas de réduction possible de l'arithmétique à la logique, sans postuler des objets platoniques (par exemple, des classes). Wittgenstein et les formalistes aimeraient, pour des raisons différentes, que la métathéorie soit une théorie de la manipulation des symboles, selon des règles formelles, et indépendamment du sens et de la référence des symboles. Tant qu'il n'a pas une idée très claire de la frontière entre la syntaxe et la sémantique, Carnap oscille : lorsqu'il croit formuler une théorie « syntaxique », il recourt à des concepts sémantiques.

Pour Carnap, les règles de formation d'un langage formel sont les règles de la *grammaire* du langage : elles stipulent comment les phrases du langage se forment à partir de symboles appartenant à l'alphabet du langage. La métathéorie du langage des *Principia Mathematica* comprend par exemple les deux règles de formation suivante : (i) toute expression formée d'un prédicat (« Φ », « Ψ », etc.) suivi d'une ou plusieurs variables individuelles (« x », « y », etc.) est une phrase ; (ii) une expression formée de deux phrases reliées par un connecteur propositionnel (« v », « & », « ⊃ », « ≡ ») est aussi une phrase. Les règles de transformation, qui sont des règles d'inférence, permettent de déduire des phrases (théorèmes), à partir de phrases primitives (axiomes). Une telle règle dira par exemple : à partir de « Tous les a sont b » et de « Tous les b sont c », on peut conclure « Tous les a sont c ».

5. *Syntaxe et sémantique.*

En 1934, Carnap désirait édifier une théorie « syntaxique » de la « signification cognitive ». Il pensait d'une part que la théorie des types peut jouir du même statut formel que les règles de formation et les règles de transformation. Il pensait d'autre part employer la théorie des types pour faire ressortir l'absurdité intrinsèque des pires propositions métaphysiques. Enfin, grâce à une distinction, qu'il croyait syntaxique, entre l'idiome formel et l'idiome matériel, il croyait pouvoir montrer que des énoncés métaphysiques, qui ne sont pas intrinsèquement absurdes mais ont la prétention de parler de la réalité, sont en réalité des recommandations linguistiques déguisées.

Nous avons aujourd'hui une vision plus claire de la frontière entre la syntaxe et la sémantique, grâce à la linguistique. La linguistique transformationnelle, créée par Noam Chomsky au début des années 1950, a accumulé des preuves convaincantes de l'existence de règles « transformationnelles » de mouvement purement syntaxiques, dans les grammaires des langues naturelles. Ces règles consistent par exemple à déplacer des constituants grammaticaux de droite à gauche, pour transformer une phrase affirmative en phrase interrogative, ou une phrase active en phrase passive. Elles semblent ne rien devoir ni au sens ni à la référence des constituants.

Mais, vingt ans plus tôt, la situation était d'autant moins claire que les logiciens ne s'intéressaient aux langues naturelles que pour en dissiper les ambiguïtés et les imprécisions. Le modèle des langages formels leur a fait croire que les langues naturelles sont dénuées de règles.

Trente ans avant *La Syntaxe logique du langage*, en adhérant à une philosophie platonicienne, Frege et Russell n'éprouvaient aucun scrupule à postuler l'existence d'objets correspondant aux assertions de la logique et des mathématiques. Pour eux, il allait de soi que l'analyse de la forme logique passe par une théorie sémantique. Mais l'influence conjointe de l'empirisme, des théories formalistes et du « mysticisme » de Wittgenstein rend la sémantique suspecte aux positivistes logiques. La sémantique est en effet la théorie du rapport entre le langage et les entités non linguistiques mentionnées par le langage. Or, le souci de la vérifiabilité cher à l'empirisme semble ne jamais s'assouvir dans l'emploi de notions sémantiques comme le sens, la signification, la référence des mots et la vérité des phrases. C'est justement ce qui pousse le formalisme à concevoir une théorie mathématique comme un jeu formel. Enfin, c'est la théorie du rapport entre le langage et ce dont il est un modèle que Wittgenstein avait décrétée ineffable.

Dans cette période de gestation des frontières entre la syntaxe et la sémantique, Carnap et ses amis du Cercle de

Vienne adhéraient à la tripartition des propositions effectuée par le *Tractatus* : la métaphysique traditionnelle engendre des propositions absurdes (*unsinnig*), par ignorance de la nouvelle logique ; l'activité philosophique correctement menée est une élucidation logico-linguistique. Elle se compose d'assertions métalinguistiques, qui servent à décrire la structure de divers langages et à en évaluer les utilités respectives. Ces propositions, tout comme les propositions de la logique et des mathématiques, sont tautologiques ou contradictoires. Elles sont *sinnlos* : elles ne disent rien sur la réalité. Elles sont analytiques. On pourrait donc croire que toute métathéorie fondée sur ces principes peut être purement syntaxique. Enfin, les seules propositions sensées qui nous parlent de la réalité sont les propositions des sciences.

La comparaison entre ce tableau et celui esquissé par Edmund Husserl révèle combien l'adhésion à la tripartition du *Tractatus* a dû peser sur l'exclusion de la sémantique. En 1913, dans la seconde édition de la troisième et de la quatrième de ses *Recherches logiques*, Husserl propose une analyse parallèle des principes régissant l' « ontologie » (le domaine des objets) et la « grammaire pure des significations », présupposés, selon lui, par la logique et les mathématiques. Comme l'ont fait respectivement remarquer Karl Popper et Willard Van Quine [49], l'entreprise de Husserl a dû exercer une certaine influence sur la construction carnapienne d'une métathéorie syntaxique. Mais cette influence est forcément limitée par l'hétérogénéité complète entre la conception de la logique phénoménologique et celle héritée du *Tractatus*. En particulier, Husserl reste attaché à deux idées traditionnelles : l'analyse des propositions en sujet-prédicat et l'idée qu'une proposition est analytique si le concept du prédicat est inclus dans le concept du sujet.

L'ontologie et la grammaire des significations se divisent chacune en deux régions : une région formelle et une région matérielle. Des concepts comme *maison*, *arbre*, *couleur*, *son*, *espace*, *sensation*, *sentiment* sont des catégories appartenant à la sphère de l'ontologie matérielle, désignant des objets

---

49. Cf. K. Popper, in P. A. Schilpp, ed., 1963, p. 191 et W. V. O. Quine, in D. F. Pears, ed., 1972, p. 4. Je me réfère à E. Husserl, 1re éd., 1901, 2e éd., 1913, trad. fr., H. Élie et al., 1962, tome 2.

matériels (*R.L.*, III, § 11, p. 35-36). Des propositions comme « une couleur ne peut exister sans une chose qui ait cette couleur » ou « une couleur ne peut exister sans une certaine étendue qui soit recouverte par elle » sont des propositions synthétiques *a priori*, composées de catégories matérielles. Aux concepts matériels s'opposent les concepts formels comme *quelque chose*, *une chose quelconque*, *objet*, *qualité*, *relation*, *connexion*, *pluralité*, *nombre*, *ordre*, *nombre ordinal*, *partie*, *grandeur*. « Un tout ne peut exister sans parties. » « Il ne peut y avoir de roi, de maître, de père, s'il n'y a pas de sujets, de serviteurs, d'enfants, etc. » sont des propositions analytiques (*ibid.*). Cette classification reste conforme aux principes de la logique d'Aristote, Leibniz et Kant.

Contrairement à Wittgenstein, qui distingue entre le fait qu'une proposition soit absurde (*unsinnig*) et le fait qu'elle soit tautologique (*sinnlos*), Husserl les confond et les oppose aux propositions qui possèdent un sens (*sinnvoll*) (*R.L.*, IV, § 12-14, p. 120-138). En revanche, Husserl distingue entre les propositions dénuées de sens (*unsinnig* ou *sinnlos*) et les propositions contradictoires (*widersinnig*). Dans la grammaire pure des significations, il existe donc un niveau dit de la « morphologie pure » qui permet de séparer les expressions linguistiques grammaticalement acceptables de celles qui sont agrammaticales. Une expression agrammaticale (*unsinnig* ou *sinnlos*) comme « un rond ou » ou « un homme est et » ne correspond à aucun découpage ontologique, formel ou matériel. Elle ne constitue aucune proposition. Les lois de la morphologie pure sont les lois les plus primitives de la grammaire pure : c'est ce que Husserl appelle l' « analytique apophantique au sens étroit ». Ces lois « garantissent contre le non-sens » mais pas contre le « contresens ». Un énoncé contradictoire comme « Ce tapis vert n'est pas vert » n'est pas exclu par les lois de l'analytique apophantique au sens étroit. Il est exclu par les règles du contresens formel : c'est en effet un contresens analytique. Il est probable que, pour Husserl, la négation du principe de non-contradiction serait un contresens analytique : « une proposition peut être vraie et fausse ». Il y a aussi des contresens matériels ou synthétiques, comme « Ce carré est rond », qui est une absurdité géométrique (donc, matérielle). Pour qu'une expression soit un contresens, il faut tout de même qu'elle obéisse aux règles du non-sens de la morphologie pure : une expression absurde ne manque pas de sens. Pour qu'un contresens soit matériel ou synthétique, il faut que les lois du contresens formel ou analytique soient respectées. « Ce tapis vert n'est pas vert » est morphologiquement bien formé, mais c'est une contradiction formelle ou analytique. « Ce carré est rond » ne contredit aucune des lois garantissant contre le contresens formel : seules les règles de la géométrie (qui sont synthétiques et *a priori*) nous révèlent les sources de son absurdité.

Ni Carnap ni Wittgenstein, qui n'admettent pas la possibilité d'énoncés à la fois synthétiques et vrais *a priori*, n'accorderaient à Husserl que les deux énoncés suivants sont synthétiques : « Un carré ne peut pas être rond » et « Aucun objet ne peut être simultanément rouge et vert sur toute sa surface ». Leurs raisons sont simples [50] : d'abord, tout énoncé synthétique est un modèle (ou une image) d'un état de la réalité. Ensuite, si ces deux énoncés sont synthétiques tout court, alors leurs négations doivent l'être aussi. Car la propriété qu'a un énoncé d'être synthétique ou analytique doit vraisemblablement être préservée lorsqu'on passe de l'énoncé à sa négation. Donc, « Un carré peut être rond » et « Un objet peut être simultanément rouge et vert sur toute sa surface » doivent aussi être synthétiques. S'ils l'étaient, alors ils seraient chacun un modèle d'un état logiquement possible de la réalité. Comme, au contraire, aucun état logiquement possible de la réalité ne peut leur correspondre, il est plus raisonnable d'en conclure que ce sont des contradictions, dont les négations sont des tautologies, et d'interpréter ces dernières comme des règles de l'usage du mot « carré » ou de l'usage des mots de couleur « rouge » et « vert ».

Si Husserl se fait des rapports entre la syntaxe et la sémantique une idée plus conforme à leur utilisation linguistique contemporaine et mieux en accord avec l'analyse des langues naturelles, c'est, paradoxalement, à cause de son ignorance de la logique créée par Frege et Russell. Il pense directement à la sémantique des langues naturelles sans se soucier

50. Cf. A. Kenny, 1973, p. 110 sq.

de transcrire les énoncés des langues naturelles dans une forme logique canonique. Il donne d'emblée une place à la sémantique, car il n'éprouve aucun des scrupules exprimés par Wittgenstein et l'école formaliste, et recueillis religieusement par Carnap. Mais Husserl sert de révélateur : il montre que les concepts de base de la « syntaxe logique » (qui sont déjà partiellement sémantiques, quoi qu'en pense Carnap) ne peuvent pas à la fois servir de métalangage à la logique formelle et « renverser » les prétentions de la métaphysique. Considérons les cinq phrases suivantes :

(d) Mon frère est fils unique.
(e) Mon cousin est le fils d'un orang-outang.
(f) La quadruplicité boit la procrastination jusqu'à la lie (Russell).
(g) Cinq est un nombre bleu (Carnap).
(h) Des idées vertes incolores dorment furieusement (Chomsky).

Il est peu plausible de déclarer que (d) et (e) n'ont pas de signification (*unsinnig*, au sens de Wittgenstein), car leurs négations sont vraies. Qui plus est, Wittgenstein traiterait les négations de (d) et de (e) comme des tautologies, qui fixent respectivement l'emploi des mots « frère » et « fils », et « cousin » et « fils ». Mais, si leurs négations sont des tautologies, alors (d) et (e) sont des contradictions. Elles sont donc *sinnlos*, mais pas *unsinnig*. Ce n'est que dans un usage détourné que (f) et (h) peuvent être dites violer la théorie des types ; à moins de considérer celle-ci comme une théorie des catégories sémantiques. Quant à Husserl, s'il traitait les cinq énoncés comme des absurdités synthétiques (ou matérielles), il se heurterait à l'objection de Wittgenstein et Carnap déjà mentionnée, qui s'applique en tout cas à (d) et (e).

En 1942, Carnap se repent de n'avoir pas fait de place à la sémantique dans sa métathéorie [51]. C'est qu'en 1935 Alfred Tarski redonne confiance aux logiciens à penchant empiriste en montrant que les concepts de la sémantique sont assis sur une base solide [52]. Les scrupules formalistes et anti-

---

51. R. Carnap, 1942, § 39, p. 246-50.
52. A. Tarski, 1936 a, trad. fr. dirigée par G. Granger, 1974, vol. 1, p. 157-269 ; A. Tarski, 1944, vol. 2, p. 268-305.

métaphysiques, qui entouraient en particulier l'usage des prédicats « vrai » et « faux », peuvent être mis au rancart. D'une part, la vérité et la fausseté semblaient être deux notions inéluctablement prisonnières de l'insoluble controverse entre le réalisme et le conventionnalisme. Pour la première doctrine, une théorie est vraie si elle correspond à la réalité. Pour la seconde, une théorie est vraie si elle est cohérente (un théorème est vrai s'il est déductible à partir d'axiomes admis au départ). D'autre part, les paradoxes sémantiques entretenaient un climat de suspicion à l'égard de ces notions. Enfin, il était légitime de se demander à quel genre d'entité appartient la vérité : de quelle catégorie d'objet relève-t-elle ? De quel type d'objet est-elle la propriété ?

Ces deux dernières questions rappellent irrésistiblement la démarche de Frege au sujet des nombres. D'ailleurs, Frege avait une réponse à ces questions ; et sa réponse platonicienne suscitait la méfiance des positivistes : le vrai et le faux sont les deux références possibles des phrases affirmatives. Ce sont des objets comme le sont tous les référents d'expressions linguistiques, ayant à la fois un sens et une référence. Nous ne percevons pas ces objets avec nos organes sensoriels, mais les nombres non plus.

Quant aux paradoxes sémantiques, ils suggèrent que l'emploi du prédicat « vrai » doit être réglementé par le principe du cercle vicieux de Russell. Les paradoxes sémantiques résultent de l'emploi des mots « vrai » ou « faux » à l'intérieur d'une phrase, dont on se demande ensuite si elle est vraie ou fausse. Ils n'ont donc rien à voir avec le phénomène d'ambiguïté qu'on rencontre par exemple dans une phrase comme « Je n'ai pas vu un chat dans la rue », laquelle dans son acception familière, ne veut pas dire littéralement ce qu'elle dit. Une telle phrase peut être vraie, même si j'ai vu plus d'un de ces petits félins qu'on nomme « chat ». La phrase n'est nullement paradoxale, mais le mot « chat » est ambigu dans ce contexte. On peut formuler un paradoxe sémantique de trois manières équivalentes :

(A) Epiménide le Crétois dit : « Tous les Crétois sont menteurs. » Ment-il ou dit-il la vérité ?

S'il est vrai, comme le dit Epiménide, que tous les Crétois sont menteurs, alors il ment. Donc, s'il dit vrai, il ment. S'il ment, il vérifie que tous les Crétois sont menteurs. Donc, s'il ment, il dit la vérité.

Appelons « p » la phrase imprimée à la ligne 6 de la page 114 de ce livre. Considérons maintenant la phrase suivante :

p n'est pas une phrase vraie.

Etant donné la définition de « p », on peut constater empiriquement que

(α) « p n'est pas une phrase vraie » est identique à p.

Intuitivement, on admettra que

(β) « p n'est pas une phrase vraie » est une phrase vraie si et seulement si p n'est pas une phrase vraie.

Remplaçant « p n'est pas une phrase vraie » par p dans (β), comme (α) nous y autorise, on obtient l'antinomie suivante :

p est une phrase vraie si et seulement si p n'est pas une phrase vraie.

Autrement dit, si je dis « Cette phrase est fausse », si j'appelle cette phrase « q », et si je me demande : q est-elle vraie ou fausse ?, la réponse est que, si elle est vraie, elle est fausse, et, si elle est fausse, elle est vraie. Enfin, si je dis « Je mens », la phrase que je viens de prononcer est vraie si elle est fausse et fausse si elle est vraie.

Conformément à l'intuition qui avait guidé Russell dans l'édification de la théorie des types et dans sa préface au *Tractatus*, la solution de Tarski réside dans la distinction entre un langage-objet et un métalangage : quel que soit le langage-objet considéré, quel que soit son univers de discours, le prédicat « vrai », appliqué aux phrases du langage-objet n'est pas un prédicat du langage-objet mais du métalangage. Si le langage-objet contient la phrase « La lune est faite de fromage vert », alors la phrase « "La lune est faite de fromage vert" est vraie » appartient au métalangage de ce langage-objet. Autrement dit, les phrases, qui sont des entités linguistiques, ont, comme les autres entités, des *noms*. La ville de New York a un nom. Lorsque je dis « New York est la plus grande ville des Etats-Unis », j'*utilise* le nom de la ville pour *mentionner* la ville. Lorsque je dis « "New York" a sept lettres réunies par un trait d'union », je *mentionne* le nom, mais pas la ville. Or, le nom est une entité linguistique. Pour le mentionner, j'utilise *son* nom : le nom du nom de la ville. De la même façon, une phrase fait référence à la lune, par exemple : la lune n'est pas plus présente dans la phrase qu'une ville. Mais elles sont mentionnées grâce à leur nom. Lorsque, dans le métalangage, je dis d'une phrase qu'elle est vraie, je mentionne la phrase en question et je lui attribue le prédicat « vrai ». Ce faisant, j'emploie le nom de la phrase. Pour former le nom d'une phrase, il y a plusieurs moyens, dont l'utilisation de guillemets aux extrémités gauche et droite de la phrase.

Tarski se donne un critère d'adéquation :

(T) X est vrai si et seulement si p,

où « X » désigne le nom d'une phrase quelconque appartenant au langage-objet et « p » désigne la phrase. Il construit ensuite une définition récursive du prédicat « vrai », de telle sorte que tous les cas particuliers, qui sont autant d'illustrations de (T) (par exemple, « La lune est faite de fromage vert » est vraie si et seulement si la lune est faite de fromage vert), sont des *théorèmes* engendrés à partir des axiomes du métalangage. Désormais, grâce à la hiérarchie des langages, la sémantique fait pleinement partie de la méta-théorie, subdivisée en une syntaxe, une sémantique et une pragmatique.

Tarski a réussi à prouver que tout locuteur qui comprend la phrase « La lune est faite de fromage vert » comprend du même coup l'assertion métalinguistique « La phrase "La lune est faite de fromage vert" est vraie ». Les conditions d'assertion de la seconde sont exactement identiques à celles de la première. Selon Tarski, l'usage du prédicat « vrai » permet simplement ce que Quine appelle « la montée sémantique ».

S'il est important de prendre acte des succès de la théorie sémantique proposée par Tarski, il ne l'est pas moins d'en cerner les limites. D'abord, Tarski, qui concevait sa tâche comme l'élaboration d'une « sémantique scientifique », considérait sa propre contribution comme une « étape transitoire [53] » : il avait offert une « réduction » de concepts sémantiques complexes (comme celui de vérité) à des concepts plus primitifs, comme celui de « satisfaction » et de « désignation ». Une fonction propositionnelle est satisfaite par une

53. A. Tarski, 1936 b, vol. 2, p. 137.

suite ou une séquence : Jean et Paul satisfont par exemple à la condition « X est le frère de Y » ou le triplet des nombres 2, 3 et 5 satisfait à l'équation « $x + y = z$[54] ». Grâce au concept primitif de satisfaction, rapporté à un langage particulier, on peut ensuite définir le concept de modèle : soit une classe quelconque de propositions (ou de phrases) L. On peut remplacer toutes les constantes extra-logiques contenues dans les propositions de L par des variables. On obtient alors une classe L' de fonctions propositionnelles. Toute classe quelconque d'objets qui satisfait à toutes les fonctions propositionnelles de L' est un modèle de la classe L. Or, comme le dit Tarski[55], un concept primitif comme celui de satisfaction a beau avoir un sens intuitivement évident, « si cette méthode devait être la seule possible et non pas être simplement considérée comme une étape transitoire (...), il me semble qu'il serait difficile d'accorder ce point de vue avec les postulats de l'unité de la science et du physicalisme (puisque les concepts sémantiques ne seraient ni des concepts logiques ni des concepts physiques) ». Cet étonnant aveu de modestie n'a d'égal que son caractère vraisemblablement utopique : nous ne nous contenterons d'une théorie sémantique que le jour où ses concepts primitifs se rattacheront naturellement à la logique ou à la physique !

Ensuite, la hiérarchie des langages, si elle permet d'échapper aux antinomies sémantiques, comme la théorie simple des types permettait d'échapper aux paradoxes logiques, n'échappe nullement aux limitations des systèmes formels découvertes par Kurt Gödel. De ce point de vue, le concept métathéorique purement syntaxique de « conséquence logique » ne recouvre pas exactement le concept intuitif. Supposons que la théorie élémentaire formalisée des nombres contienne des propositions telles que[56] :

(A_0) 0 possède la propriété P
(A_1) 1 possède la propriété P

54. A. Tarski, 1936 c, vol. 2, p. 149.
55. A. Tarski, 1936 b, vol. 2, p. 137.
56. A. Tarski, 1933 et 1936 c, vol. 2.

et en général, pour un nombre n quelconque, tant qu'on n'a pas rencontré de contre-exemples,

(A_n) n possède la propriété P.

On a envie, par induction, d'affirmer l'énoncé universel :

(A) Tout nombre naturel possède la propriété P.

Mais, précisément, en n'utilisant que les règles d'inférence employées dans la théorie pour démontrer (A_0), (A_1) et (A_n), on ne peut pas démontrer (A). Autrement dit, (A), même si elle est vraie, n'est pas démontrable dans la théorie, qui contient les trois premières propositions. Si, maintenant, dans une théorie contenant des règles d'inférence plus puissantes (notamment la règle d'induction infinie), nous pouvons démontrer B, qui énonce (dans le métalangage) que A_0, A_1 et A_n sont démontrables, alors on pourra considérer que, si B est démontrée, alors la proposition correspondante A (du langage-objet) est démontrée aussi. Seulement, B fait partie de la métathéorie et A de la théorie. Cette situation, établie par Gödel, s'étend à la sémantique. Tout métalangage contient pour partie le langage-objet dont il est le métalangage. Au surplus, il contient des règles explicites de formation des noms des phrases du langage-objet (ou de leurs descriptions structurales). Dans le langage-objet, il existera au moins une phrase vraie, mais non démontrable dans le langage-objet. Elle sera donc nommable dans le métalangage, mais sa démonstration ne sera nommable que dans le métalangage de la métathéorie de ce langage, et ainsi de suite.

Enfin, l'obstacle principal à l'application de la procédure tarskienne, élaborée pour des langages formels (comme celui des *Principia Mathematica*), aux langues naturelles est constitué par l'existence, dans celles-ci, de phrases sans valeur de vérité (*truthvalue gaps*), comme le montre l'analyse frégéenne de phrases contenant des constituants dépourvus de référence. D'ailleurs, la hiérarchie (des types ou des langages) n'a vraiment de sens que pour les langages formels.

Chapitre III

LA LIBERALISATION DE L'EMPIRISME LOGIQUE

Tout en exprimant l'espoir de voir la sémantique se rattacher un jour au reste des sciences « dures », Tarski émettait discrètement des réserves sur le noyau du positivisme, que Carnap et ses amis avaient pieusement recueilli dans le *Tractatus*. Contrairement aux membres du Cercle de Vienne, Tarski, qui était mathématicien, ne se souciait pas de renverser la métaphysique. Mais il se préoccupait du statut des vérités logiques et mathématiques. Il était d'ailleurs sceptique sur la possibilité de donner une analyse satisfaisante des concepts de vérité tautologique ou analytique et de formuler un critère divisant complètement le vocabulaire logique du vocabulaire extralogique [1].

Carnap, en revanche, avait la conviction que l'opposition entre les vérités logiques et les assertions sur le monde était fondée. Grâce à elle, les deux dichotomies de Wittgenstein s'expliquaient. Les vérités logiques, étant tautologiques, ne décrivent aucun état effectif de la réalité. Les vérités synthétiques des sciences doivent leur vérité au fait qu'elles décrivent un état de la réalité. Les pseudo-phrases d'objet sur la réalité des objets mathématiques ou des objets physiques sont des phrases syntaxiques déguisées. L'erreur consiste à croire qu'elles possèdent la moindre portée ontologique. Dès qu'elles sont correctement formulées, on s'aperçoit que ce sont des assertions métalinguistiques. Elles permettent une discussion rationnelle des mérites respectifs de divers systèmes linguistiques.

La distinction offrait enfin la clé d'une solution au pro-

1. A. Tarski, 1936 c, vol. 2, p. 152.

blème qui avait tourmenté les rationalistes et les empiristes classiques : comment une théorie de la connaissance peut-elle à la fois expliquer la connaissance du monde et la connaissance mathématique ? L'empirisme avait eu raison d'affirmer que toute connaissance du monde se fonde sur l'expérience. Mais, ainsi que Frege l'avait prouvé, John Stuart Mill avait eu complètement tort de croire que le principe de l'empirisme s'appliquait aussi aux vérités mathématiques. Les rationalistes avaient eu raison de juger qu'il serait absurde de faire dépendre la vérité de « 2 + 2 = 4 » d'expériences empiriques, comme si une vérité arithmétique pouvait, le cas échéant, se voir réfutée par des faits empiriques [2]. Le principe de l'empirisme explique, selon Carnap, à la fois les succès des sciences de la nature et les échecs de la métaphysique spéculative. La doctrine du caractère tautologique des vérités logiques et mathématiques explique pourquoi ces dernières ne doivent rien à l'expérience.

1. *L'induction et le « réductionnisme »*.

Les théories de la connaissance rationalistes et empiristes traditionnelles recherchaient un fondement indubitable. Si les rationalistes croyaient l'avoir trouvé dans les « idées » mathématiques, ils restaient avec un mystère sur les bras : comment expliquer que des idées, dont la certitude provient exclusivement de l'esprit, s'appliquent aussi à l'étude des phénomènes naturels ? Croyant dissiper ce mystère, les empiristes conféraient aux données sensorielles la certitude que les rationalistes réservaient aux produits de l'intellect pur.

Dans la version de l'empirisme attribuée par Quine à Locke et Hume et baptisée le « réductionnisme radical », à chaque idée intelligible (sauf les notions de l'arithmétique) correspondrait une expérience sensorielle [3]. Autrement dit, tout terme pourvu d'une signification serait le nom d'une qualité ou d'un événement sensoriel. A peine formulée, une telle doctrine rencontre une question à la fois simple et probable-

2. R. Carnap, in P. A. Schilpp, ed., 1963, p. 64.
3. W. V. O. Quine, 1953, p. 38, trad. fr., P. Jacob, 1980.

ment insoluble : s'agit-il du nom d'une propriété des récepteurs sensoriels ou d'une propriété des données recueillies par ces récepteurs ?

Sans avoir résolu la question, le réductionnisme a survécu à la révolution logique de Frege et Russell en substituant au mot « idée » le mot « assertion » : prenant des phrases affirmatives comme unités douées de signification, le réductionnisme du vingtième siècle affirme donc que les énoncés doués de signification cognitive sont ceux dont les constituants désignent une qualité ou un événement sensoriel. Après le « tournant linguistique », la théorie de la connaissance, toujours guidée par le désir de mettre la main sur des îlots de certitude inébranlable, se donne pour tâche l'élaboration d'un langage « phénoménaliste » contenant des phrases composées de termes de deux sortes : les uns appartiennent au vocabulaire logique (et ensembliste) ; les autres désignent des qualités ou événements sensoriels. A partir de son adhésion à l'empirisme (1914), Russell lui-même en caresse le projet, déjà ébauché par Ernst Mach.

En 1928, l'année où paraît, et c'est symbolique, le manifeste de l'opérationnalisme, *La Logique de la physique moderne*, du physicien américain, P. W. Bridgman, Carnap reprend l'ébauche de Russell, dans *La Construction logique du monde.* Il s'emploie à l'édification d'un « système constructionnel » dont les termes primitifs désignent des tranches d'expériences élémentaires (*Elementarerlebnisse*) ou des sensations formant une totalité (*Empfindungen*), sur le modèle des unités de perception non analysables, proposées indépendamment par la phénoménologie husserlienne et par la théorie de la *Gestalt.*

Comme l'a dit Quine, l'entreprise constructionnelle de Carnap, qui sera d'ailleurs poursuivie par Nelson Goodman, a pour modèle la réduction logiciste accomplie par Frege et Russell. Ceux-ci avaient montré comment un concept d'apparence purement mathématique, comme le concept de nombre entier, peut être défini dans des termes purement logiques ; et comment des théorèmes purement arithmétiques, comme ceux contenus dans la théorie élémentaire des nombres, peuvent être déduits d'axiomes purement logiques. Carnap s'employa donc à appliquer leur méthode de réduction à d'autres domaines. A vrai dire, la réduction, au sens du logicisme, devient un idéal méthologique de la philosophie conçue par les positivistes logiques.

Ce projet, qui donne d'ailleurs lieu, de la part de Carnap, à des prouesses d'ingéniosité « constructionnelle », ne tarde pas à rencontrer, au sein du Cercle, les objections que suscitent ses ambitions psychologiques et épistémologiques. C'est notamment le mérite d'Otto Neurath d'avoir montré les limitations épistémologiques du phénoménalisme et d'avoir perçu le lien entre l'adhésion au phénoménalisme et l'espoir chimérique de trouver dans les données sensorielles, pures de toute conceptualisation, des noyaux de certitude irrévocable. Si les énoncés décrivant individuellement les sensations pures bénéficiaient de la confiance indéfectible que chaque locuteur d'un langage phénoménaliste accorde à *ses* sensations, le phénomène de l'intersubjectivité serait un miracle inexplicable. Si l'intersubjectivité est au contraire un fait observable, alors il s'explique simplement par le fait que tout locuteur psychologiquement réel parle un langage dont les termes désignent non des événements ou des qualités sensoriels mais des objets physiques. Les langues naturelles possèdent effectivement des mots, qui mentionnent des objets, mais pas plus des « profils » d'objets que des événements sensoriels purs de toute interprétation. Quant aux propriétés des récepteurs sensoriels, elles ne sont nommables qu'au moyen du lexique artificiellement construit par les neuropsychologues et les neurophysiologues. Neurath en conclut qu'un langage physicaliste, composé de mots désignant des objets physiques et leurs propriétés, est plus réaliste, d'un point de vue psychologique et épistémologique : désormais, les phrases de base d'un langage physicaliste s'appelleront des phrases ou énoncés « protocolaires ». Ce sont les phrases admises par le langage physicaliste, et non « construites ». Mais leur statut primitif ne leur confère aucun privilège de certitude irrévocable : tout comme les énoncés dérivés, les énoncés protocolaires sont confrontés au tribunal de l'expérience et sont susceptibles de révocation [4].

Dès 1932, Carnap se rangeait aux arguments en faveur du

4. O. Neurath, 1932-1933, trad. angl., G. Schick, in A. J. Ayer, ed., 1959, p. 199-208.

physicalisme [5]. Or, à une époque où chacun aurait parié que le phénoménalisme était mort et enterré, Nelson Goodman, prenant un malin plaisir à aller à contre-courant, a présenté une défense du phénoménalisme qui, si on l'admet, montre que Carnap a finalement préféré le physicalisme pour des raisons que Carnap lui-même ne devrait pas accepter.

Le phénoménalisme peut à bon droit plaider coupable de ne pas être une reconstruction fidèle des processus cognitifs. C'est, en tout état de cause, un mauvais procès à lui faire : la quête de données originelles, préalables à toute interprétation, échappera toujours à toute description linguistique. A tout prendre, le phénoménalisme n'est pas davantage une théorie psychologique de l'acquisition des connaissances, à partir de sensations élémentaires, que la géométrie euclidienne n'est une théorie de la genèse de l'espace chez les enfants. Ses adversaires reprochent au phénoménalisme d'être fondamentalement incomplet et voué à le demeurer. Reproche-t-on à la géométrie euclidienne d'exister sous le prétexte qu'il est impossible d'effectuer la trisection d'un angle au moyen de la règle et du compas ? Ni ses limitations théoriques, ni le fait que ses postulats ne sont pas des vérités indubitables n'auraient justifié l'avortement de la géométrie euclidienne. L'existence des limitations est une propriété inhérente aux systèmes déductifs. Et c'est une incompréhension de la raison d'être d'un système constructionnel, dont la fonction « n'est pas de recréer l'expérience, mais d'en faire la carte [6] », que de vouloir le supprimer à cause de son incomplétude. C'est tout bonnement rejeter l'analyse.

Quant aux avantages revendiqués par le physicalisme, ils sont de deux espèces. Quiconque désire un langage dans lequel formuler des assertions sur les objets physiques et leurs propriétés a raison de préférer le physicalisme au phénoménalisme, à cette réserve près que le physicalisme ne « construit » pas les objets physiques : il se les donne au départ. En revanche, c'est s'aveugler sur les limitations inhérentes au physicalisme ainsi conçu que de croire que, dans un langage des objets physiques, on peut « construire » les entités inob-

5. R. Carnap, 1932 b, 1932 c, 1935, 1936-1937.
6. N. Goodman, in P. A. Schilpp, ed., 1963, p 546-51.

servables des théories physiques, comme les points de l'espace-temps.

Goodman en conclut que l'importance d'un système constructionnel, qu'il soit physicaliste ou phénoménaliste, ne se mesure pas à son réalisme psychologique ou épistémologique. Un système constructionnel est un modèle ou une carte. On ne reproche pas à une carte de ne pas reproduire les couleurs, les sons, les odeurs, le poids, la température, en un mot la vie du territoire qu'elle symbolise. On ne reprochera pas davantage à une carte de la région parisienne de ne pas représenter la frontière entre la Grèce et la Yougoslavie, ni à une carte de l'Europe de ne pas indiquer le lac du bois de Boulogne. Ce qu'on peut exiger d'une carte, comme d'un système constructionnel, c'est qu'à son échelle son rendement soit optimal : c'est-à-dire qu'ils livrent, sur les objets tombant sous leur juridiction, un maximum d'informations grâce à un minimum de moyens.

Si on admet cet argument, comment expliquer que Carnap ait finalement opté pour le physicalisme, comme s'il pouvait s'agir de déterminer quel était, en toutes circonstances, *le* meilleur langage ? C'est que, comme l'a fait remarquer Popper [7], indépendamment de Goodman, il y a chez Carnap une tension entre deux attitudes. D'une part, personne n'a été plus que lui un adepte du principe de la tolérance des formes linguistiques : chacun est libre d'adopter le langage le plus approprié aux buts qu'il se fixe. Du fait de sa croyance à la conventionnalité des langages, Carnap s'est toujours soucié de concilier le logicisme, le formalisme et l'intuitionnisme [8]. D'autre part, Carnap et ses amis se souciaient aussi de combattre fermement le dualisme, alors prépondérant dans les universités allemandes, entre les *Geisteswissenschaften* (les sciences de l'esprit) et les *Naturwissenschaften* (les sciences de la nature). Or, il y a deux façons d'interpréter ce dualisme et de s'y opposer : l'une est ontologique (et « métaphysique ») ; l'autre est méthodologique ou linguistique .

Le dualisme ontologique affirme que les phénomènes mentaux et physiques sont différents. Le dualisme méthodologique

7. K.R. Popper, in P.A. Schilpp, ed., 1963, p. 189-212 ; trad. fr., P. Jacob, 1980.

8. R. Carnap, in P.A. Schilpp, ed., 1963, p. 46-50.

affirme que les méthodes employées pour étudier les phénomènes mentaux diffèrent des méthodes employées dans les sciences physiques. Pour justifier le dualisme méthodologique, on peut invoquer toutes sortes de raisons plus ou moins convaincantes : la complexité des phénomènes mentaux ; le fait que l'observateur n'a pas le même détachement vis-à-vis de son objet d'étude que dans les sciences physiques. Mais, au bout du compte, il est difficile de prendre position sur le dualisme méthodologique sans adopter une position sur le dualisme ontologique. Si Carnap a conçu le physicalisme comme *le* langage unique de la science, c'est partiellement pour « reconstruire » les théories abstraites de la physique, dans un langage qui se tenait au plus près des contraintes de l'observabilité. C'est partiellement aussi pour offrir à la psychologie le langage spontanément matérialiste grâce auquel le sens commun désigne le monde des objets physiques. S'il a, en violant sa propre maxime de la tolérance des formes linguistiques (que lui renvoie Goodman), méconnu la nature des systèmes constructionnels, c'est à cause de son parti pris matérialiste inavouable. Jamais Carnap n'aurait confessé son adhésion à une ontologie matérialiste, puisque, selon lui, toute assertion de cet ordre est dénuée de signification cognitive. Il l'a seulement laissée affleurer dans son choix « linguistique » du physicalisme.

C'est le mérite de Karl Popper d'avoir perçu le lien entre l'interprétation épistémologique du phénoménalisme et la justification de l'induction. De onze ans le cadet de Carnap, Popper, qui rappelle plaisamment que Neurath l'appelait l' « opposition officielle », n'appartint jamais au Cercle. Viennois, comme Wittgenstein, il n'a jamais éprouvé, lui, la moindre fascination ni pour l'ineffable ni pour l'idée que, à la différence des propositions scientifiques, les propositions métaphysiques sont soit intrinsèquement absurdes, soit des assertions métalinguistiques déguisées, mais en toute hypothèse, dénuées de toute valeur cognitive. Sa *Logik der Forschung* (la logique de l'investigation, plutôt que de la découverte scientifique), parue en 1934, est une critique acérée du positivisme, d'où est absent le sentiment de « crise », d'imminence du désastre, le besoin pressant de renverser toute métaphysique. Tout en attaquant ce qui n'est à ses yeux que la répétition, dans un langage nouveau, des erreurs du vieux positivisme, il se rattache sereinement à la tradition de la philosophie classique. D'un côté, il met en question la « métaphysique indéterministe », qu'il sent à l'œuvre dans l'interprétation de la théorie quantique, fondée sur le principe d'incertitude de Heisenberg [9]. De l'autre, il se déclare l'héritier de Kant dans la mesure où celui-ci a su formuler le problème de la démarcation entre la science et la métaphysique ; et l'héritier de Hume, qui a prouvé que l'induction est logiquement injustifiable [10].

Dès 1919, dans Vienne secouée par les soubresauts politiques de l'immédiat après-guerre, il est soudain frappé d'illumination : il perçoit la différence fondamentale entre les théories scientifiques et les autres. Pourquoi l'année 1919 ? C'est qu'à Vienne on discute abondamment des théories psychanalytiques et du marxisme. Mais, surtout, le 29 mars 1919, se répand la nouvelle qu'une équipe de physiciens anglais dirigée par Eddington vient de corroborer une prédiction cruciale de la théorie de la relativité. Appliquée aux photons composant les rayons de la lumière, la théorie gravitationnelle d'Einstein prédisait en effet qu'au passage dans le voisinage d'un corps ayant une masse importante les rayons subiraient une courbure, due à l'action gravitationnelle du corps sur les photons. Einstein avait d'ailleurs fait de cette prédiction un test crucial de sa théorie gravitationnelle. Lors d'une éclipse totale du Soleil, Eddington a pu observer la courbure des rayons lumineux émis par une étoile proche du Soleil, due à l'action gravitationnelle du Soleil [11].

Popper est ébloui par la différence d'audace dont font respectivement preuve Einstein et les tenants du marxisme et de la psychanalyse : le goût du risque soigneusement calculé du premier et la prudence confortable des seconds. Il est désormais convaincu de détenir la clé de la démarcation entre les hypothèses scientifiques et les propositions pseudo-scientifiques. Les premières s'exposent délibérément au risque d'être démenties par des expériences soigneusement préparées. Les secondes font tout leur possible pour échapper au démenti éventuel des faits observables. Or, il y a deux stra-

---

9. K. R. Popper, 1934 ; trad. angl., 1959 ; trad. fr., 1973, chap. IX.
10. K. R. Popper, 1972, p. 4.
11. K. R. Popper, 1963, p. 33-39 ; K. R. Popper, 1976, p. 31-44.

tégies possibles pour s'immuniser contre toute réfutation : la première, c'est de s'affubler d'une terminologie trop vague pour s'exposer à un test expérimental ; la seconde, c'est de multiplier les hypothèses auxiliaires *ad hoc*, en présence du moindre fait récalcitrant, conformément à ce que Popper appelle le « stratagème conventionnaliste [12] ». Selon le schéma consacré, on déduit d'une théorie scientifique des prédictions observables. Si les prédictions sont contredites par le verdict de l'expérience, on en infère que la théorie est réfutée ou « falsifiée », et on corrige la théorie. C'est leur réfutabilité ou leur falsifiabilité (*Falsifizierbarkeit*) qui distingue les théories scientifiques des autres.

Rapidement, Popper découvre le lien entre sa solution du problème de la démarcation et le problème de l'induction. Hume avait montré qu'il existe une différence radicale entre les inférences déductives et les inférences inductives valides. Si les prémisses d'une inférence déductive sont vraies et si l'inférence est valide, alors la conclusion est automatiquement vraie. Autrement dit, les inférences déductives sont préservatrices de vérité. Mais une inférence inductive valide dont les prémisses sont vraies ne garantit nullement la vérité de la conclusion. Le cas typique d'une inférence non déductive consiste à passer de prémisses décrivant des cas déjà examinés à une conclusion décrivant tous les cas possibles, y compris ceux qui n'ont pas été et ne seront jamais examinés. J'ai beau avoir eu l'expérience répétée du lever du Soleil tous les jours, je ne peux pas en déduire qu'il se lèvera demain. Hume expliquait notre confiance dans les conclusions d'inférences inductives en invoquant l'habitude : si je crois que le Soleil se lèvera demain, c'est que j'ai l'habitude de faire l'expérience de le voir se lever. Si à cette habitude je joins l'idée que les jours précédents ont tous été reliés par cette ressemblance, je poserai que, sur ce point, le futur devrait ressembler au passé.

Popper n'admet pas l'explication humienne, qui relie la conclusion d'une inférence non déductive à ses prémisses par un lien psychologique de répétition ou de conditionnement, seul capable d'expliquer que nous croyions à la ressemblance

12. K. R. Popper, 1934, trad. angl., 1959, p. 82-84, sect. 20, K. R. Popper, 1972, p. 30.

entre les cas examinés et les cas non examinés. L'erreur de Hume, selon Popper, est de croire que nous effectuons des inférences inductives. Et cette erreur n'est autre que l'erreur du « réductionnisme » (au sens de Quine) : vouloir, à tout prix, asseoir notre connaissance du monde empirique sur une base indubitable. Toute croyance en l'existence d'inférences inductives reflète, pour Popper, le vieux rêve chimérique, dénoncé par Neurath, de donner à la connaissance du monde empirique un fondement qu'elle ne peut pas avoir.

Autrement dit, « Le Soleil se lèvera demain » n'est pas la conclusion d'une inférence inductive, à partir des cas examinés dans le passé. C'est une hypothèse. Comme l'avait vu Neurath, tout énoncé protocolaire, apparemment le plus inoffensif, est une conjecture. « Voici un verre d'eau » est une conjecture qui ne sera jamais exhaustivement vérifiée par d'autres énoncés plus primitifs, contenant des termes désignant des événements ou des qualités sensoriels élémentaires. Tout énoncé du sens commun, et *a fortiori* des sciences, dès qu'il contient la moindre information sur la réalité, est une conjecture d'autant plus risquée qu'elle est plus abstraite et qu'elle contient une quantité élevée d'informations. Le mythe de l'induction et le mythe du fondement sont les deux faces de la même médaille. En science, on procède déductivement d'un bout à l'autre : des hypothèses aussi hardies et informatives que possibles sont formulées. On essaie ensuite « sincèrement » de les réfuter. A la quête d'une impossible vérification des propositions empiriques, Popper oppose la possibilité asymétrique de réfuter toute proposition universelle. Si je dis « Le soleil se lèvera demain », je formule une prédiction, déduite de la théorie conjecturale « Le soleil se lève tous les jours ». Je n'induis pas ma prédiction d'une accumulation de cas observés. Quant à ma théorie, elle est invérifiable. Si je propose la théorie « Tous les cygnes sont blancs », à moins de savoir que j'ai examiné exhaustivement la totalité des cygnes de l'univers, la théorie demeurera invérifiable, quel que soit le nombre de cygnes examinés. En revanche, dès que j'observe un cygne noir, ma théorie se trouve réfutée.

Est-ce à dire que Popper abandonne l'empirisme pour s'adonner à la métaphysique ? Non. Il défend l'empirisme contre ceux qui, à ses yeux, le mettent en péril en croyant le défendre. « Au lieu de vaincre l'ennemi supposé qu'est la métaphysique, ils [les positivistes] donnent en réalité les clés de la cité assiégée à l'ennemi [13]. » Chaque fois qu'ils formuleront une nouvelle version du principe de l'empirisme, destinée à supprimer la métaphysique plus efficacement, les positivistes logiques se heurteront aux objections poppériennes. La confrontation aura deux mérites : d'une part, ils clarifieront leur pensée ; d'autre part, ils libéraliseront l'empirisme.

2. *La théorie vérificationniste de la signification cognitive.*

Grâce au « tournant linguistique », les positivistes logiques ont pu apporter une précision dans la formulation du principe de l'empirisme qui manquait à leurs prédécesseurs. Lorsqu'on considère le langage d'une théorie scientifique, on peut évidemment distinguer entre différents niveaux d'analyse : celui des assertions ou des énoncés et celui de leurs constituants, par exemple. Les positivistes logiques ont fait le postulat qu'il est possible de diviser toutes les assertions contenues dans le langage d'une théorie scientifique en deux langages, selon la nature des termes composant ces assertions. D'un côté, il y aurait le langage « observationnel » contenant des énoncés composés du vocabulaire logique et de termes désignant tous des entités publiquement observables. « Oiseau » et « rouge » feraient partie du vocabulaire dit « observationnel », parce que les entités qu'ils désignent sont publiquement observables. De l'autre côté, il y aurait le langage « théorique », contenant des énoncés composés du vocabulaire logique et de termes désignant tous des entités non publiquement observables. « Proton » et « nucléaire » feraient partie du vocabulaire dit « théorique », parce que les entités qu'ils désignent ne sont pas publiquement observables. Cette distinction repose donc sur deux présuppositions : qu'il est possible de distinguer le vocabulaire purement logique du vocabulaire extralogique (ou descriptif) des sciences ; qu'à l'intérieur du vocabulaire descriptif on peut distinguer les

13. K.R. Popper, in P.A. Schilpp, ed., 1963, p. 184.

termes qui ne désignent que des entités observables de ceux qui n'en désignent jamais. Le principe sémantique de l'empirisme affirme qu'un énoncé observationnel, ne contenant (outre le vocabulaire logique) que des termes désignant des entités observables, se comprend plus facilement qu'un énoncé théorique. Le but de l'empirisme est alors de mettre à jour les relations systématiques qui unissent, dans le langage des théories scientifiques, les énoncés théoriques aux énoncés observationnels, censés leur conférer leur « signification empirique [14] ».

La première version du principe de l'empirisme, formulée par les positivistes logiques, qui est une théorie de la « signification cognitive » des énoncés synthétiques des sciences empiriques, est la théorie vérificationniste. Cette théorie est destinée à la fois à respecter la distinction entre les sciences empiriques et les propositions logiques ou mathématiques, et à établir une différence entre les propositions scientifiques et les propositions métaphysiques. Comme l'a dit Carl Hempel [15], l'empirisme moderne maintient que toute connaissance non analytique se fonde sur l'expérience, et l'empirisme logique y ajoute la maxime qui dit qu'une phrase fait une assertion douée de signification cognitive si et seulement si elle est analytique-ou-contradictoire, ou bien si elle est, au moins en principe, capable d'un test expérimental.

Intuitivement, cette doctrine affirme que comprendre un énoncé qui prétend décrire un état quelconque de la réalité, c'est connaître ses conditions de vérité et de fausseté. Autrement dit, comprendre un énoncé, c'est citer les données observables grâce auxquelles nous pouvons déterminer sa valeur de vérité, décider s'il est vrai ou faux, ou, si l'on est moins strict, s'il est probable ou improbable. Cette théorie de la signification cognitive ne s'applique évidemment qu'aux assertions, et à celles qui ne sont ni des tautologies ni des contradictions. Il est donc inutile de recourir à d'autres types de phrases comme les questions, les vœux, les ordres ou les menaces pour essayer de la réfuter. Jamais les empiristes logiques n'ont prétendu (comme pourrait le laisser

---

14. R. Carnap, 1936-1937 ; C.G. Hempel, 1958 ; C.G. Hempel, in P.A. Schilpp, ed., 1963.
15. C.G. Hempel, 1950 et 1951, trad. fr., P. Jacob, 1980.

croire une lecture rapide des théories du langage ordinaire) que leur théorie de la signification cognitive s'appliquait à des entités linguistiques, qui n'ont pas la propriété d'être vraies ou fausses.

Selon le vérificationnisme, un énoncé synthétique possède une signification cognitive (par opposition à une signification poétique ou émotive) si et seulement s'il est déductible d'une classe finie d'énoncés observationnels. Cette formulation a quatre conséquences indésirables ou du moins controversées. Ces conséquences prouvent que le critère de signification cognitive est soit trop restrictif, soit trop libéral.

D'abord, comme s'est empressé de le souligner Popper, un tel critère rencontre les mêmes difficultés que l'induction. Si la critique poppérienne de l'induction est valide, alors elle s'applique aussi à ce critère. Une loi universelle n'est pas *déductible* d'une classe finie d'énoncés observationnels. Il faut donc choisir entre le critère ou considérer que les lois scientifiques universelles (dans leur formulation logique canonique) possèdent une signification cognitive. Popper n'hésite pas à choisir le second terme et condamne donc le critère. Schlick, Carnap et Reichenbach sont beaucoup plus réservés. Schlick, sous l'influence de Wittgenstein, a considéré que de nombreux énoncés, traditionnellement rangés dans la catégorie des lois (donc de phrases vraies), tombent en réalité dans la catégorie de ce que le *Tractatus* décrivait comme des présuppositions *a priori* sur la forme des lois (*Tr.* 6.3 *passim*, cf. chap. II, p. 92). Cela reporte mais n'élimine pas l'objection de Popper. Carnap, pour sa part, a répondu que, du point de vue de la rationalité scientifique, il importe peu que les lois universelles soient, au sens strict, dépourvues de signification cognitive, ou, ce qui, comme on le verra, revient au même, qu'elles aient un degré nul de confirmation par rapport aux données observables, pourvu que les prédictions singulières auxquelles elles donnent lieu reçoivent un sens ou un degré raisonnable de confirmation par rapport aux données observables. Laissons provisoirement en suspens cet aspect fondamental du débat entre Carnap et Popper sur la rationalité et l'empirisme, que nous retrouverons au chapitre VI, section 3, p. 235-239.

Cependant, la critique poppérienne du concept de signification cognitive, sous-jacent à l'usage du critère vérificationniste, a forcé Carnap à rendre explicite une différence entre le but de son critère de démarcation et celui de Popper [16]. Le critère recherché par Carnap est partiellement un critère de démarcation entre le sens et le non-sens des phrases et partiellement un critère de démarcation entre les énoncés scientifiques et les énoncés non scientifiques. Parfois, les positivistes logiques s'expriment, et c'est ce que leur reproche Popper, comme si la frontière entre le sens et le non-sens et celle entre les sciences et les non-sciences devaient nécessairement coïncider. De son côté, Popper, convaincu d'entrée de jeu que la recherche d'un critère formel et universel de démarcation entre le sens et le non-sens est fatalement voué à la stérilité, ne se préoccupe que de formuler un critère de démarcation entre les hypothèses scientifiques et les propositions pseudo-scientifiques. Pour narguer ses adversaires positivistes, Popper montre par exemple qu'il peut construire un langage satisfaisant aux exigences du physicalisme et qui contiendrait l' « assertion archi-métaphysique » : « Il existe un esprit personnel omnipotent, omniprésent et omniscient [17]. » Mais, comme le lui fait remarquer Carnap, dont la propension à l'analyse conceptuelle est intarissable [18], cela prouve simplement qu'il y a, entre Popper et les positivistes logiques, équivocité sur l'emploi du mot « métaphysique » et, par voie de conséquence, sur les buts respectifs des critères de démarcation. Si Popper ne cherche pas un critère entre le sens et le non-sens, mais entre les hypothèses scientifiques et les autres, c'est qu'il emploie simplement le mot « métaphysique » dans le sens d'assertions non scientifiques. De leur côté, les positivistes logiques s'intéressent non seulement au problème de Popper, mais aussi à la démarcation entre les énoncés correctement formés, à l'intérieur d'un langage déterminé, et les « pseudo-énoncés », qui violent les règles de tout langage possible. Parmi les pseudo-énoncés, Carnap range ceux qui violent une règle de la syntaxe logique, comme la théorie des types : par exemple « Le nombre cardinal cinq est bleu ». Les énoncés pseudo-scientifiques de l'astrologie, de la magie, de la théologie et des mythes ne sont pas, pour Carnap,

16. R. Carnap, in P. A. Schilpp, ed., 1963, p. 877-79.
17. K. R. Popper, in P. A. Schilpp, ed., 1963, p. 207-209.
18. R. Carnap, in P. A. Schilpp, ed., 1963, p. 879-80.

des pseudo-énoncés. Dès 1932, d'ailleurs [19], Carnap avait fait observer qu'il y a trois usages possibles du mot « Dieu » : un usage mythologique, dans lequel le mot a une signification cognitive ; un usage métaphysique, dans lequel le mot, étant complètement divorcé de toute expérience possible, est dénué de toute signification cognitive ; et un usage théologique, intermédiaire entre les deux premiers. Lorsque Carnap déclare que les pseudo-énoncés de la métaphysique sont dépourvus de toute signification cognitive, son affirmation vaut ce que vaut la théorie des types .

Quel que soit le jugement qu'on porte sur l'incompatibilité entre les lois universelles et le critère de signification cognitive, il y a une exigence que le critère doit respecter et qu'il ne respecte pas : si un énoncé atomique satisfait le critère, sa négation devrait aussi le satisfaire. Supposons qu'un énoncé existentiel « $(\exists x)(Px)$ » satisfasse le critère, parce que, par exemple, « P » représente un prédicat observationnel (désignant une propriété observable, vérifiée par une entité observable). Alors sa négation, qui est un énoncé universel « $(x) \sim (Px)$ », n'étant pas déductible d'une classe finie d'énoncés observationnels, ne satisfait pas le critère.

Si le critère se révèle trop restrictif, il se révèle aussi trop libéral à qui veut l'utiliser pour éliminer la métaphysique. Si un énoncé S est vérifiable, au sens du critère, alors la disjonction de S et d'un énoncé métaphysique, comme « L'absolu est parfait » (appelons-le « N »), « S v N », satisfait le critère. En effet, pour qu'une disjonction soit vraie, il suffit que l'un de ses membres le soit. Par l'exigence déjà signalée on devrait s'attendre à ce que, si un énoncé atomique viole le critère, tout énoncé moléculaire dont il est un constituant le viole aussi.

Au sens strict, le positivisme retire toute signification cognitive aux énoncés que nous ne sommes pas en mesure de vérifier. Donc, tout énoncé strictement impossible à vérifier est, selon le positivisme, dénué de signification. Par exemple, l'énoncé existentiel « Il existe une montagne d'or de douze cents mètres de haut et personne ne le sait » est strictement invérifiable. Que le membre de gauche de la conjonction soit

19. R. Carnap, 1932 a, trad. angl., A. Pap, in A. J. Ayer, ed., 1959, p. 66-67.

faux, sans aucun doute. Mais sa fausseté ne le rend nullement inintelligible. D'autant qu'évidemment sa négation est vraie. Néanmoins, la totalité de la conjonction est invérifiable, puisque, au cas hypothétique où on vérifierait le membre de gauche, on réfuterait d'emblée le membre de droite. Mais, pour qu'une conjonction soit vraie, il faut que les deux « conjoints » le soient. Donc, cet exemple montre qu'à choisir la vérifiabilité comme condition du sens des phrases on se condamne à traiter une phrase, qu'aucun locuteur du français n'aurait de mal à paraphraser, comme une phrase dénuée de sens. Ce qui ne plaide nullement pour l'adoption de la vérifiabilité comme critère du sens.

Quant à la version « falsificationniste » de la signification cognitive, qui n'est pas défendue par Popper, elle est également indéfendable. Elle affirmerait que seuls sont doués de signification cognitive, les énoncés synthétiques falsifiables par une classe finie d'énoncés observationnels. Tous les énoncés existentiels, qui ne sont réfutables que par des énoncés universels, seraient dénués de signification. Supposons que S soit falsifiable par une classe finie d'énoncés observationnels, et que N ne le soit pas. Alors, la conjonction « S & N » serait falsifiable. Cette conséquence contredit à nouveau l'exigence qui veut que, si un constituant viole un critère de signification, tout énoncé complexe dont il est un composant le viole aussi.

Popper n'a jamais entretenu l'idée de faire de la falsifiabilité d'un énoncé une condition de sa signification. Par contre, il en a fait une condition d'appartenance au domaine de la science. Or, si la réfutabilité par une classe finie d'énoncés observationnels est admise comme critère du caractère scientifique d'une assertion, alors tout énoncé strictement existentiel devra être considéré comme non scientifique ou comme métaphysique (au sens de Popper). Popper fait, à ce sujet, bizarrement remarquer [20] que, si un énoncé strictement existentiel (« Il existe un serpent de mer ») est déductible d'un énoncé à caractère empirique, dans lequel par exemple la région de l'espace-temps est spécifiée (« Il existe un serpent de mer actuellement exposé dans le hall

20. K.R. Popper, in P.A. Schilpp, ed., 1963, note 9, p. 188.

d'entrée du British Museum »), alors, il appartiendrait à une théorie testable ; mais d'un autre côté, le fait qu'un énoncé soit déductible d'un énoncé scientifique testable ne le rend pas lui-même testable. Autrement dit, le fait d'appartenir au domaine de la science ne serait pas une propriété préservée par la déduction ! Cette remarque fort étrange jette un sérieux doute sur la validité du critère poppérien de démarcation entre les sciences et les non-sciences.

En montrant que la valeur d'une hypothèse scientifique se mesure notamment aux risques qu'elle assume, Popper a incontestablement apporté une importante contribution. Mais il serait erroné de croire qu'en mettant en avant l'asymétrie entre l'invérifiabilité et la réfutabilité d'un énoncé strictement universel il a définitivement tracé la démarcation entre les sciences et les pseudo-sciences. Si Popper a eu raison de critiquer les conceptions vérificationnistes de la signification cognitive, Carnap lui a fait à juste titre remarquer que de nombreux énoncés de la physique (notamment en mécanique classique) ont une forme logique contenant une double quantification : « (x) (∃ y) (...x...y...) » (« pour tout x, il existe un y, tel que... »). Affirmer qu'un tel énoncé est réfutable, c'est affirmer que sa négation est vérifiable. Mais, comme sa négation, « (∃ x) (y) ~ (...x...y...) », contient aussi un quantificateur universel, elle n'est pas exhaustivement vérifiable. Donc, l'énoncé affirmatif n'est pas falsifiable. Autrement dit, seuls les énoncés contenant une quantification strictement universelle sont « scientifiques » au sens de Popper. Dès qu'intervient un quantificateur existentiel, le critère de falsifiabilité hérite des mêmes problèmes que le critère de vérifiabilité.

3. *La critique de l'opérationnalisme.*

Les difficultés rencontrées par le critère de vérifiabilité suggèrent que les énoncés abstraits de la physique ne sont ni réductibles à des énoncés observationnels ni déductibles de tels énoncés. « Serait-il possible », se sont demandés les empiristes logiques, « de formuler toutes les lois de la physique en termes élémentaires, en n'admettant des termes plus abstraits qu'à titre d'abréviations ? Si oui, nous posséderions l'idéal de la science sous forme sensationnaliste que Goethe, dans sa polémique contre Newton, ainsi d'ailleurs que certains positivistes, semblent avoir eu en tête. Mais il s'avère — et c'est un fait empirique, pas une nécessité logique — qu'il n'est pas possible d'arriver de cette manière à un système de lois à la fois puissant et efficace [21]. »

C'était pourtant le but formulé par Bridgman dans *La Logique de la science moderne*, où il maintenait qu'un concept ne peut faire partie d'une théorie physique que s'il est « synonyme d'un ensemble correspondant d'opérations [22] ». Mais cette formulation soulève plus de problèmes qu'elle n'en résout : si à un concept théorique comme « masse », « charge électrique » ou « champ magnétique » on associe plusieurs procédures ou manipulations expérimentales, quelle voie suivre ? Devra-t-on affirmer que les mêmes expressions linguistiques désignent autant de concepts différents qu'il y a de procédures expérimentales différentes ? Ou postulera-t-on l'existence d'un « super-concept », coiffant tous les concepts particuliers définis par des procédures expérimentales différentes, mais lui-même dépourvu de définition opérationnelle ?

Les travaux de Carnap sur « testabilité et signification », publiés en 1936-1937, mettent un point final au programme opérationnaliste. Comme le dira Hempel, en résumant l'enterrement de l'opérationnalisme [23], ce qu'aucune définition opérationnelle ne peut exprimer, c'est le fait que les masses, les températures, les charges et autres propriétés attribuées aux corps physiques subsistent même lorsque ces grandeurs ne sont pas mesurées. Autrement dit, l'exigence de synonymie entre le sens d'un concept physique et un ensemble de manipulations expérimentales est contredite par le fait que les propriétés composant le concept en question ne sont pas simplement « manifestes » mais « potentielles ». En ce sens, croire à la vérité d'une loi scientifique, c'est croire à la vérité d'un énoncé conditionnel contraire-aux-faits corres-

---

21. R. Carnap, 1939, p. 64.
22. P.W. Bridgman, 1928, in M. Brodbeck et H. Feigl, eds, 1953, p. 36.
23. C.G. Hempel, 1954.

pondant : croire à la vérité de la gravitation universelle, c'est croire que, si ma machine à écrire n'était pas retenue par une table, elle tomberait par terre. C'est en tout cas un postulat de base de toute la physique, remis en cause par la théorie quantique pour les constituants de l'atome.

« Testability and Meaning » est une œuvre de transition pour trois raisons : c'est la réfutation de tout espoir opérationnaliste, et, corrélativement, le physicalisme y est défendu contre le phénoménalisme ; c'est le premier article de Carnap rédigé en anglais, à l'époque de son immigration de Prague à Chicago ; enfin, l'auteur y exprime sa préférence pour l'étiquette « empirisme logique » plutôt que « positivisme logique ». Dans sa conclusion, Carnap examine le choix entre quatre critères d'admission de termes théoriques, à l'intérieur d'un langage empiriste : du plus rigide au plus souple, le réquisit de la testabilité complète ; le réquisit de la confirmabilité complète ; le réquisit de la testabilité partielle ; le réquisit de la confirmabilité partielle. Il choisit le dernier, le plus libéral.

Rigoureusement formulé, l'opérationnalisme prétend que les termes appartenant au vocabulaire théorique (V_T) peuvent recevoir une définition explicite, formulée strictement dans des termes appartenant au vocabulaire observationnel (V_0). Si on peut démontrer que les termes dits « dispositionnels » ne peuvent pas être explicitement définis dans des termes appartenant à V_0, alors on peut en conclure qu'*a fortiori* les termes de V_T ne le peuvent pas non plus. Les termes dispositionnels sont ceux qui sont à la périphérie la plus observationnelle du vocabulaire théorique : ils font état d'une propension ou disposition comme « soluble », « fragile » ou « malléable ».

Pour qu'un terme « Q » reçoive une définition explicite, il faut qu'il occupe la place du *definiendum* dans une formule du type [D] :

$$[D] \quad Q(x) \equiv \ldots x \ldots$$

Le but d'une telle formule est de permettre de remplacer le *definiendum* (l'expression à la gauche du biconditionnel « ≡ ») par le *definiens* (l'expression à la droite du biconditionnel) dans tous les contextes où l'on trouve une occurrence du *definiendum*. S'il existe au moins un contexte d'utilisation du *definiendum* où son remplacement par le *definiens* est impossible, alors on a prouvé que la définition explicite du terme examiné n'est pas possible.

Supposons que « S (x) » se lise « x est soluble » ; que « E (x, t) » se lise « x est placé dans l'eau à l'instant t » ; et que « F (x, t) » se lise « x fond à l'instant t ». Si « S » est un prédicat dispositionnel, on peut considérer que « E » et « F » sont des prédicats observationnels. Formulons maintenant, conformément à [D], une définition explicite de « S » en termes de V_0 :

$$S(x) \equiv (t)\,[E(x, t) \supset F(x, t)].$$

Cette définition veut dire : un corps est soluble si et seulement si, quand on le place dans l'eau à l'instant t, il fond à l'instant t. Par les propriétés logiques du biconditionnel, le *definiendum* est naturellement défini lorsque le *definiens* est vrai. Mais la structure interne du *definiens* est un conditionnel. Par les propriétés logiques du conditionnel, celui-ci sera vrai si l'antécédent (l'expression à gauche de « $\supset$ ») est faux, quelle que soit la valeur de vérité du conséquent (l'expression à droite de « $\supset$ »). Par conséquent, le conditionnel sera vrai dans tous les cas où l'expression « E (x, t) » n'est pas vérifiée. Autrement dit, le terme « soluble » (ou l'expression « S (x) ») sera défini chaque fois qu'un corps ne sera pas placé dans l'eau : il sera donc applicable à des corps qui ne sont jamais soumis au test expérimental crucial censé déterminer la solubilité. Cet argument prouve que le terme dispositionnel « soluble » ne peut pas recevoir de définition explicite formulée strictement dans des termes de V_0, si on admet naturellement qu'une telle définition doit obéir aux règles de la quantification logique.

Plutôt que de réviser la logique, Carnap propose d'abandonner l'opérationnalisme et de remplacer les définitions explicites de termes dispositionnels en termes de V_0 par un lien plus souple : les énoncés dits de « réduction bilatérale ». Supposons qu'on veuille introduire un prédicat plus ou moins théorique, « Q_3 », dans notre langage au moyen d'énoncés de réduction, spécifiant chacun une condition expérimentale à laquelle obéit « Q_3 » :

$$[R_1] \quad Q_1 \supset (Q_2 \supset Q_3)$$

$$[R_2] \quad Q_4 \supset (Q_5 \supset \sim Q_3).$$

Pour que $[R_1]$ soit un énoncé de réduction pour « Q_3 », il faut que « $\sim(Q_1\ \&\ Q_2)$ » ne soit pas vrai. $[R_1]$ et

[R_2] peuvent respectivement se réécrire : « $(Q_1 \& Q_2) \supset Q_3$ » et « $Q_3 \supset \sim(Q_4 \& Q_5)$ ». Sous cette forme, on s'aperçoit que la paire [R_1] — [R_2] permet d'introduire « Q_3 » dans notre langage, à condition que « $\sim [(Q_1 \& Q_2) \vee (Q_4 \& Q_5)]$ » ne soit pas vrai. Faute de quoi ni « Q_3 » ni « $\sim Q_3$ » ne seraient déterminés par [R_1] et [R_2].

Maintenant, supposons le cas particulier où « Q_1 » et « Q_4 » et « Q_2 » et « $\sim Q_5$ » sont respectivement équivalents et par conséquent interchangeables. On peut donc éliminer « Q_4 » et « Q_5 » dans [R_2] et réécrire [R_1] et [R_2] sous forme de la conjonction :

$$[Q_1 \supset (Q_2 \supset Q_3)] \& [Q_1 \supset (\sim Q_2 \supset \sim Q_3)]$$

dont la valeur de vérité est la même que :

$$Q_1 \supset (Q_3 \equiv Q_2).$$

C'est ce dernier énoncé que Carnap appelle un énoncé de réduction bilatérale. Remplaçons « Q_1 », « Q_2 », « Q_3 » respectivement par nos prédicats initiaux, « E », « F », « S ». A condition d'exclure que « $(x)\ [\sim Q_1(x)]$ » puisse être vrai, ou, ce qui revient au même, que « $(x)\ (t)\ [\sim E(x, t)]$ » puisse l'être, on peut introduire « soluble » dans notre langage au moyen de l'énoncé de réduction bilatérale suivant :

$$[R] \quad (x)\ (t)\ [E(x, t) \supset [S(x) \equiv F(x, t)]]$$

Si on compare l'énoncé de réduction bilatérale à la définition explicite, on s'aperçoit que la manœuvre consiste à inverser l'ordre des connecteurs propositionnels : dans la définition, le connecteur principal était le biconditionnel et le connecteur secondaire était le conditionnel. Dans l'énoncé de réduction bilatérale, le connecteur principal devient le conditionnel et le connecteur enchâssé est le biconditionnel. Le second énoncé a donc une portée définitionnelle plus modeste.

Désormais, grâce à Carnap, l'empirisme logique sait que la relation entre les deux langages, L_O, le langage observationnel, et L_T, le langage théorique, devra être établie par des énoncés de réduction bilatérale, ayant une forme logique canonique [R]. Dans la littérature empiriste, ces énoncés intermédiaires, entre ceux de L_O et ceux de L_T, portent divers noms : Carnap et Nagel les appellent des « règles de correspondance », Schlick et Reichenbach, des « définitions coordinatrices », Ramsey et Campbell, un « dictionnaire », Hempel, un « système interprétatif ». C'est, pour les empiristes, grâce à ces règles de correspondance que les énoncés de L_T acquièrent leur signification empirique. Ce sont des énoncés « mixtes », puisqu'ils contiennent, « à gauche », un terme de V_T, et à droite des termes de V_0. Leur interprétation pose à l'empirisme un problème philosophique fondamental : sont-ce des conventions, ou des énoncés empiriques ? Dans le langage de Carnap, sont-ce des énoncés analytiques ou des énoncés synthétiques ? Les définitions données par un dictionnaire sont, pour Carnap, analytiques, en ce sens qu'elles ne décrivent pas un état de la réalité mais révèlent la signification des mots en leur associant des synonymes. Mais ce qui distingue les énoncés de réduction bilatérale des définitions explicites, c'est justement qu'ils indiquent des conditions expérimentales auxquelles se plient les termes de V_T sans qu'il existe une véritable relation de synonymie entre ceux-ci et les tests expérimentaux, contrairement à ce que souhaitait l'opérationnalisme.

4. *L'empirisme, le conventionnalisme et la théorie de la relativité restreinte.*

Si Carnap est responsable de la formulation logique des règles de correspondance, Moritz Schlick et Hans Reichenbach, avant lui, en ont thématisé la signification pour l'interprétation empiriste des théories physiques. C'est incontestablement l'avènement de la théorie einsteinienne de la relativité restreinte (1905) qui suscite la construction philosophique du concept de règle de correspondance, ou de définition coordinatrice (*Zuordnungsdefinition*). Or, dans l'interprétation qu'en donnent Schlick et Reichenbach, la contribution révolutionnaire apportée par la théorie de la relativité restreinte à la physique est essentiellement d'avoir réalisé que des énoncés physiques, jusqu'alors considérés comme des énoncés synthétiques vrais ou faux, ne peuvent recevoir de valeur de vérité qu'après que des *décisions* sous-jacentes, restées implicites, sont rendues explicites. Pour les physiciens pré-relativistes, la vérité ou la fausseté d'énoncés portant sur la simultanéité d'événements distants les uns des autres n'étaient nullement problématiques. Pour décider si une phrase affirmant que l'événement E_1, prenant place dans une région déterminée de l'espace, x_1, y_1, z_1, est antérieur à l'événement E_2, prenant place dans une région éloignée de la première, x_2, y_2, z_2, il suffisait de la confronter avec les faits. Une telle phrase ne pouvait être que vraie ou fausse, sans qu'il n'y ait rien d'autre à ajouter.

Selon Schlick et Reichenbach, ce qu'a montré Einstein, c'est que, dans certaines conditions, une telle phrase ne peut pas recevoir une valeur de vérité sans qu'une décision sous-jacente soit rendue explicite : à savoir, la décision spécifiant dans quel référentiel spatio-temporel se place l'observateur qui décrit les deux événements.

La découverte par Einstein de la relativité de la notion de simultanéité à distance est donc, selon Schlick et Reichenbach, comparable à la découverte que l'espace physique peut être alternativement décrit par différentes géométries (euclidienne ou non euclidiennes). Elle joue, pour la physique, le rôle qu'a joué, à la même époque, à l'égard des paradoxes de la logique et de la théorie des ensembles, la théorie simple des types : pour qu'un énoncé de la forme « $x \in y$ » soit vrai ou faux, selon Russell, il faut au préalable adopter une convention sur la hiérarchie des types auxquels « x » et « y » doivent appartenir. La convention elle-même n'est ni vraie ni fausse. Mais elle représente la condition *sine qua non* pour que l'énoncé d'appartenance d'un élément à une classe soit bien formé, qu'il ait une signification, et donc qu'il soit vrai ou faux.

Or, en 1902, dans *La Science et l'hypothèse*, trois ans avant la publication du célèbre article d'Einstein, Henri Poincaré avait, pour justifier une interprétation conventionnaliste du choix entre une description euclidienne et une description non euclidienne de l'espace physique, présenté la parabole suivante [24]. Imaginons que des créatures bidimensionnelles habitent sur un disque de rayon R. Supposons que ce disque soit chauffé par une source, située sous son centre, et que le gradient de température soit égal à $R^2 - r^2$, de telle sorte que la température de n'importe quel point du disque situé à une distance r du centre soit proportionnelle à $R^2 - r^2$. Comme le centre du disque a une température constante, T, un

24. H. Poincaré, 1902, chap. 4 ; cf. L. Sklar, 1974, p. 91-93.

point situé à une distance r du centre aura une température égale à $T(R^2 - r^2)$. On suppose que la température à la périphérie du disque est égale à 0. Poincaré imagine que les habitants du disque, équipés d'instruments de mesure rigides, vont tenter de déterminer la géométrie de leur univers.

Nous qui pensons que leurs instruments de mesure se contractent uniformément à mesure que la température diminue (lorsqu'ils se déplacent par exemple vers la périphérie) et qu'ils se dilatent uniformément lorsque la température augmente (lorsqu'ils se rapprochent du centre) nous décrirons leur espace comme euclidien. Mais si les habitants du disque ne savent pas qu'il existe une source de chaleur située sous le centre du disque, ils supposeront normalement que leurs instruments de mesure rigides conservent leur longueur lorsqu'ils sont déplacés à la surface de leur univers. En fonction de cette hypothèse, ils découvriront que, selon leurs mesures réalisées avec leurs instruments, le rapport entre la circonférence du disque et le rayon R est toujours supérieur à 2π. Ils en déduiront que leur univers est un plan lobatchevskien de dimension infinie. Si un habitant génial du disque proposait une nouvelle théorie physique de leur univers selon laquelle le disque est un plan euclidien, uniformément chauffé, à partir du centre, de telle sorte que les instruments ne conservent pas leur taille au cours des déplacements, la communauté des physiciens du disque pourrait-elle décider quelle est *la* vraie théorie ? Poincaré répond que non.

Trente-six ans plus tard, Reichenbach, qui, pendant toute sa carrière, s'est proposé de fournir une réponse empiriste au défi conventionnaliste lancé par Poincaré, a imaginé, en retour, la parabole suivante [25]. Il envisage un monde cubique, formé d'un matériau suffisamment translucide pour que les ombres des objets situés à l'extérieur du cube, projetées grâce au passage des rayons lumineux à travers les parois, soient visibles sur les surfaces intérieures du cube. Son cube est peuplé d'habitants, qui n'ont jamais accès à l'extérieur. Les habitants peuvent observer, à travers les parois trans-

25. H. Reichenbach, 1938, § 14, p. 114-129.

lucides, les oiseaux qui se déplacent à l'extérieur. Mais, sans avoir encore d'optique géométrique, ils observent aussi les ombres projetées par les oiseaux, de l'extérieur, sur les parois intérieures du cube. Après avoir collectionné suffisamment d'observations sur le comportement des ombres, les habitants du cube se divisent en deux écoles, dont chacune propose une interprétation du phénomène des ombres : une école « positiviste », menée par le cardinal Bellarmin, qui ne voyait dans le copernicianisme qu'une « hypothèse », décrivant, sans valeur de vérité, les apparences ; et une école « réaliste », menée par un nouveau Galilée.

Selon les réalistes, les ombres sont « causées » par des oiseaux situés à l'extérieur du cube. Selon les positivistes, l'hypothèse qu'il existe des oiseaux, qui sont la cause des ombres, est impossible à prouver. Si, de surcroît, les positivistes adoptent la théorie vérificationniste de la signification cognitive, ils pourront, contre leurs adversaires réalistes, nier que, du point de vue cognitif, les deux théories aient la moindre différence : la théorie réaliste est en effet vérifiée strictement dans la mesure où la théorie positiviste l'est aussi — c'est-à-dire dans la mesure où des ombres sont observées sur les parois. Forts de la théorie vérificationniste de la signification ou du contenu cognitif des théories, les positivistes ont donc beau jeu d'expliquer à leurs adversaires que le contenu additionnel de la théorie réaliste est à la fois totalement spéculatif et inutile.

Reichenbach, qui assimile ici positivisme et conventionnalisme, construit en faveur du réalisme (ici, assimilé à l'empirisme) la défense suivante. Pour affirmer, comme le fait le positivisme, que les deux théories ont un contenu cognitif équivalent, et donc que la moins coûteuse (la théorie positiviste) est la meilleure, il faut juger des qualités respectives des deux théories indépendamment du reste des croyances sur l'univers cubique. A partir du moment où l'on compare les deux théories en conjonction avec l'ensemble des croyances sur l'univers cubique, la théorie réaliste reçoit un degré de probabilité plus élevé que la théorie positiviste. Celle-ci fait en effet de l'occurrence de chaque ombre sur une paroi et du passage d'un oiseau à l'extérieur du cube une coïncidence entre deux événements sans connexion causale. Celle-là introduit une régularité qui augmente le pouvoir explicatif de l'interprétation générale de l'univers cubique et de son environnement extérieur.

Après l'avènement de la théorie de la relativité restreinte, le but de l'empirisme, tel que le conçoivent Schlick et Reichenbach, est de rendre compte de la découverte d'Einstein sans tomber dans l'affirmation conventionnaliste qui dit que les choix physiques fondamentaux sont indécidables, parce que les hypothèses physiques les plus profondes (comme l'hypothèse que l'espace physique est euclidien ou non) sont des conventions dénuées de valeur de vérité.

Dans *Le Temps et l'espace dans la physique contemporaine* (1917), Schlick présente de la contribution révolutionnaire d'Einstein, en 1905, la reconstruction suivante [26]. Postulons la constance de la vitesse de la lumière dans toutes les directions. Synchronisons deux montres situées aux points A et B dans un système de coordonnées K, qu'on suppose au repos. Supposons que la lumière parcourt AB en une seconde. Considérons un système de coordonnées K′ (par exemple, un train roulant avec une vitesse proche de la vitesse de la lumière), en mouvement par rapport à K et se déplaçant en direction de A vers B. Supposons qu'on ait synchronisé deux montres, situées aux points A′ et B′ dans K′, et immobiles l'une par rapport à l'autre.

On émet un signal lumineux, qui se déplace dans les deux systèmes : dans K, il va de A vers B ; dans K′, il va de A′ vers B′. Ce signal est émis à l'instant où A de K coïncide avec A′ de K′ et B de K coïncide avec B′ de K′. L'instant où le signal lumineux est émis est l'instant où les quatre montres, situées respectivement aux points A de K, A′ de K′, B de K, et B′ de K′, qui ont été synchronisées par paires, situées dans un même système de coordonnées, indiquent toutes qu'il est 12 heures.

Dans chaque système, dès que le rayon atteint B et B′, il est réfléchi vers A et vers A′. Le problème est le suivant : comment deux observateurs, respectivement situés dans K et dans K′, perçoivent-ils les événements qui ont lieu respectivement dans K et dans K′ ? Pour les deux observateurs, le rayon lumineux fait-il l'aller et retour entre A et B, et entre

26. M. Schlick, 1917, trad. angl., H. L. Brose, 1920, chap. 2, p. 12-21.

A' et B', dans la même durée ? Le rayon lumineux atteint-il B et B' simultanément, selon qu'on l'observe de K ou de K' ? Revient-il à sa source A ou A' simultanément, selon qu'on l'observe de K ou de K' ?

Pour un observateur situé dans K', la lumière se déplaçant à la même vitesse dans toutes les directions, le rayon met une seconde pour aller de A' en B' et une seconde pour revenir de B' en A'. Donc, pour un observateur situé dans K', le rayon fait l'aller et retour en deux secondes dans K'.

Pour un observateur situé dans K, le système K' s'est déplacé par rapport à lui. Donc, pour un observateur situé dans K, la distance A'B' a augmenté. Donc, pour un observateur situé dans K, la distance parcourue par le rayon allant de A' à B' est plus grande que la distance parcourue par le rayon allant de A à B. D'ailleurs, la distance A'B' perçue par l'observateur dans K est supérieure à la même distance A'B' perçue par l'observateur dans K'. Deux conséquences s'ensuivent : pour l'observateur dans K, le rayon parti de A' atteint B' plus tard que le rayon parti de A n'atteint B ; pour l'observateur dans K, le rayon met plus de temps pour parcourir A'B' qu'il n'en met selon la description de l'observateur dans K'.

En ce qui concerne la réflexion du rayon de B' vers A' : pour l'observateur dans K, tout le système K' se déplace en direction de B. Donc, pour l'observateur dans K, la distance parcourue par le rayon entre B' et A' est plus petite que la distance parcourue par le rayon entre A' et B'. Pour l'observateur dans K, B'A', parcourue par le rayon réfléchi dans K', est aussi inférieure à la perception de cette distance qu'en a l'observateur dans K'. Donc, pour l'observateur dans K, le rayon réfléchi parcourt B'A' en moins d'une seconde.

Les conclusions sont les suivantes : pour l'observateur dans K', la durée de l'aller du rayon dans K', de A' à B', est égale à la durée du retour du rayon dans K', de B' à A'. Le rayon met deux secondes pour faire l'aller et le retour dans K', pour l'observateur dans K'. Mais, pour l'observateur dans K, l'aller du rayon dans K' est plus long que le retour du rayon dans K'.

A la question : les deux rayons atteignent-ils B et B' simultanément, puis reviennent-ils en A et A' simultanément ?, la réponse est : cela dépend dans quel système de référence est situé l'observateur qui lit l'heure. Désormais, parler de la simultanéité de deux événements distants, dans des systèmes en déplacement l'un par rapport à l'autre à une vitesse proche de la vitesse de la lumière, sans spécifier dans quel référentiel est situé l'observateur, c'est émettre des énoncés dénués de sens. « Deux événements sont réellement simultanés » est devenu un énoncé mal formé.

Pour Schlick et Reichenbach, la théorie de la relativité restreinte consiste à « coordonner », à tout énoncé sur la simultanéité de deux événements se produisant dans des systèmes en mouvement l'un par rapport à l'autre avec une vitesse proche de la vitesse de la lumière, la spécification du système de coordonnées déterminant la position spatio-temporelle de l'observateur chargé de déterminer cette simultanéité. Or, l'énoncé effectuant la coordination n'est pas lui-même vrai ou faux. C'est ce que Reichenbach appelle une « décision volitionnelle [27] ». Dans tout énoncé empirique de la physique, il y a des décisions volitionnelles sous-jacentes. Est-ce à dire que Poincaré a raison de défendre une interprétation conventionnaliste du choix des hypothèses de base ? Pour Reichenbach, la réponse est négative, dès lors qu'on considère la conjonction entre, par exemple, une hypothèse de base (une géométrie pour décrire l'espace physique) et les hypothèses auxiliaires requises par la théorie physique.

Un exemple, dû à Reichenbach, illustre sa défense de l'empirisme contre la menace conventionnaliste [28]. Cet exemple est la réplique de la parabole de Poincaré. Imaginons des êtres humains vivant sur une surface G ayant la forme suivante : une demi-sphère au milieu, et un plan à chaque extrémité. Supposons que cette surface G soit faite d'un matériau transparent et qu'un plan opaque, E, soit situé en dessous :

27. Cf. H. Reichenbach, 1920, trad. angl., M. Reichenbach, 1965 ; H. Reichenbach, 1928, trad. angl. M. Reichenbach et J. Freund, 1958 ; H. Reichenbach, 1938, chap. 1, p. 5-6.

28. H. Reichenbach, 1928, trad. angl., M. Reichenbach et J. Freund, 1958, § 3, p. 10-14.

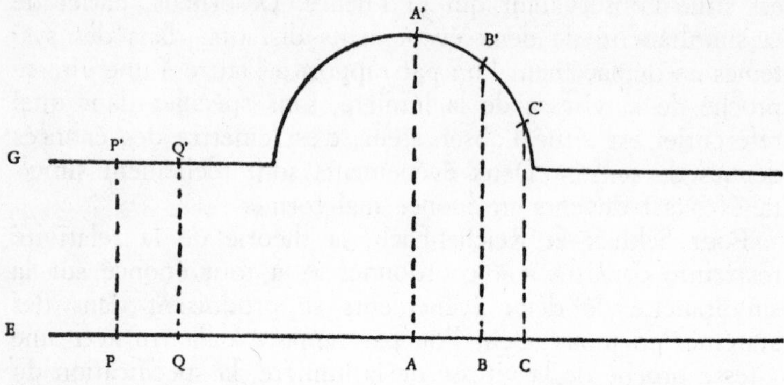

Fig. 1.

Les habitants de G pourraient déterminer la géométrie de G de la manière suivante : en mesurant les arcs de cercle A′B′ et B′C′, ils découvriraient qu'ils sont égaux ; mais ils découvriraient aussi que leurs projections AB et BC, sur le plan E, ne le sont pas. Supposons maintenant que la surface E soit habitée, mais qu'elle soit soumise à une force étrange (la chaleur de Poincaré) qui rende la longueur de chaque objet sur E égale à ce que serait sa projection de G sur E. Au voisinage de P et Q, les mesures effectuées par les habitants de E ne seraient nullement affectées. Mais, entre A et C, les habitants de E obtiendraient les résultats obtenus par les habitants de G entre A′ et C′. S'ils n'avaient aucun contact avec les habitants de G, les habitants de E attribueraient à E la structure que les habitants de G attribuent à G. Si, comme le supposait Poincaré, la force responsable de la déformation des objets sur E était la chaleur, pourraient-ils ou non la détecter et corriger la géométrie qu'ils attribuent à E ? Reichenbach répond que les habitants de E pourraient détecter la présence de la chaleur en remarquant que leurs descriptions géométriques varient selon que leurs instruments de mesure sont taillés dans des matériaux différents (dans la mesure où la chaleur n'affecte pas le bois et le cuivre de la même façon).

A supposer que les habitants de E soient effectivement capables de mettre en évidence la présence d'une force perturbant leurs mesures, la conjonction de leur géométrie et de leurs diverses hypothèses physiques concernant la structure des matériaux dont sont faits les instruments de mesure, l'effet de la chaleur sur ces matériaux, et ainsi de suite, devient empiriquement testable. Il devient possible de décider expérimentalement quelle est la meilleure géométrie permettant de décrire l'espace physique si on teste jointement la géométrie et les hypothèses physiques auxiliaires. Le conventionnalisme a raison d'attirer l'attention sur le fait qu'à la question de savoir si les longueurs AB et BC sont *réellement* égales ou non, il faut répondre : la question n'a pas de sens aussi longtemps qu'on n'a pas coordonné l'égalité entre des distances à une métrique, dont le choix dépend de la géométrie employée. Mais, le conventionnalisme a, selon Reichenbach, tort d'en conclure que le choix d'une géométrie est purement arbitraire. L'erreur du conventionnalisme est de considérer la géométrie sans prendre en considération le reste des croyances physiques. Or, selon qu'on adopte une géométrie euclidienne ou non euclidienne, on devra postuler l'existence de telle ou telle force physique, plus ou moins « étrange ». Si la géométrie, en tant que telle, se compose de propositions « analytiques », la conjonction d'une géométrie et des autres hypothèses physiques a des conséquences empiriques testables [29].

5. *Le « dilemme du théoricien ».*

L'empirisme logique a eu beau se libéraliser, il ne s'est jamais départi de sa prévention contre l'abstraction. A cause de l'obsession qu'il manifestait à montrer la différence entre le langage théorique des sciences et les spéculations divorcées de l'expérience de la métaphysique, il a conservé une suspicion à l'égard de la signification du vocabulaire théorique des sciences.

Etant donné la thèse du double langage, les empiristes logiques considéraient que seules les prédictions déduites d'une théorie et formulées au moyen de termes appartenant à V_0 possèdent une signification suffisamment univoque pour détenir sans équivoque une valeur de vérité. Parce que les

29. *Ibid.*, § 4, p. 14-19 ; H. Reichenbach, in P. A. Schilpp, ed., 1951, vol. 1, p. 287-312.

termes employés pour formuler les prédictions désignent des entités extralinguistiques accessibles à l'observation publique, la valeur de vérité des prédictions est facile à établir. Comme la vérifiabilité d'une phrase est une condition de sa compréhension, seules les phrases facilement vérifiables (ou réfutables) possèdent une signification cognitive dénuée d'incertitude.

En revanche, les énoncés contenant des termes de V_T ne sont pas aussi facilement vérifiables ni réfutables : les termes qui les constituent, s'ils désignent quoi que ce soit, désignent des entités difficilement observables. La valeur de vérité des énoncés théoriques est donc d'autant plus délicate à déterminer qu'elle est plus indirecte. Le physicien ne teste pas directement une théorie abstraite, formulée dans des termes désignant des êtres inobservables. Il teste les prédictions, dérivables par la logique à partir de sa théorie. Chaque fois qu'une prédiction déduite d'une théorie est vérifiée, la théorie en tire une confirmation indirecte. Malheureusement, la théorie à elle seule ne permet pas de dériver logiquement un ensemble de prédictions. Toute prédiction correspond à une multiplicité d'ensembles formés de théories et d'hypothèses auxiliaires. C'est pourquoi les empiristes logiques étaient réticents à attribuer une valeur de vérité aux énoncés théoriques. Ils les considéraient comme une « boîte noire » : de la boîte noire se déduisent des énoncés observationnels. Mais la valeur de vérité des phrases composant la boîte noire reste en suspens. Cette boîte est plutôt un instrument destiné à engendrer des prédictions qu'une description d'une réalité inobservable destinée à expliquer les phénomènes observables. Si la valeur de vérité des énoncés situés dans la boîte reste en suspens, la référence extralinguistique des termes théoriques composant les énoncés demeure incertaine.

D'ailleurs, n'était-ce pas le rôle des règles de correspondance que d'attribuer une signification observationnelle partielle aux énoncés de L_T en les reliant aux énoncés de L_O [30] ? Quant aux règles de correspondance (les « règles-C », comme les appelle Carnap), leur statut reste ambigu : à strictement parler, des « règles » (d'un langage formalisé) ne sont ni

30. Cf. R. Carnap, 1956, p. 46-47 ; C. G. Hempel, 1958 ; E. Nagel, 1961, p. 90-105.

vraies ni fausses : ce sont des conventions. Mais ces règles là ne sont pas totalement arbitraires, puisqu'elles relient un terme de V_T à une ou plusieurs procédures expérimentales, qui sont des conséquences de l'adhésion hypothétique à l'existence de l'entité dénotée par le terme de V_T : si vous croyez à l'existence d'un champ gravitationnel, vous observerez telle interaction entre la lune et un satellite passant dans son voisinage.

Les empiristes logiques ont donc considéré qu'une théorie physique était « un système flottant librement [31] » : un ensemble de lois fondamentales, formulées dans V_T, reçoit le statut d'axiomes ou de postulats. Ces axiomes ont des conséquences : on peut en déduire des théorèmes. Ceux-ci sont les prédictions observationnelles. En retour, les règles-C permettent d'« interpréter » (empiriquement) les axiomes, non interprétés en tant que tels, en y faisant remonter la signification empirique des prédictions.

Au cours des années 1930-1940, il est devenu clair que l'élimination du vocabulaire théorique des sciences était tout aussi impossible que d'imposer sur les énoncés scientifiques, acceptables dans un langage empiriste, l'exigence de leur vérifiabilité. Mais les propriétés purement logiques des théories, une fois réduites à l'état d'un système d'axiomes et à leurs conséquences déductibles, ont pu donner à penser que les axiomes formulés en termes de V_T pourraient purement et simplement céder la place à l'ensemble de leurs conséquences, formulées en termes de V_0. L'une des méthodes de remplacement est due à W. Craig et l'autre a été empruntée par Carnap à Frank Ramsey.

L'utilisation de la méthode de Craig, pour faire l'économie des postulats d'une théorie formulés au moyen de termes appartenant à V_T, repose sur l'hypothèse saugrenue selon laquelle la seule fonction d'une théorie est de rendre possible la déduction de prédictions observationnelles. Cette supposition est saugrenue parce qu'elle nie que l'élaboration d'une théorie soit destinée à comprendre les entités inobservables grâce auxquelles nous espérons expliquer les phénomènes observables. Elle suppose donc que la démarche scien-

31. R. Carnap, 1939, p. 61-65 ; R. Carnap, in P. A. Schilpp, ed., 1963, p. 78-79 ; H. Feigl, 1970, p. 5-6.

tifique ne doit rien au désir d' « expliquer le visible par l'invisible » (selon le mot de Jean Perrin) ; que l'invisible est intrinsèquement dénué d'intérêt scientifique. Comme l'a fait justement remarquer Carl Hempel, cette hypothèse est non seulement saugrenue, mais elle est paradoxale : elle donne lieu à ce que Hempel nomme le « dilemme du théoricien » ou le « paradoxe de la théorisation [32] » :

> (...) Si les termes et les principes généraux d'une théorie scientifique servent leur mission, c'est-à-dire s'ils établissent des connexions définies entre des phénomènes observables, alors on peut s'en dispenser, puisque toute chaîne de lois et d'énoncés interprétatifs établissant une telle connexion serait alors remplaçable par une loi qui relie directement des antécédents observationnels à leurs conséquents observationnels.
>
> En ajoutant à cette thèse cruciale deux autres énoncés qui sont évidemment vrais, on obtient les prémisses requises pour un argument ayant la forme classique d'un dilemme :
>
> Si les termes et les principes d'une théorie servent leur mission, ils sont, comme on vient de le voir, superflus ; et, s'ils ne servent pas leur mission, ils sont sûrement superflus. Mais, étant donné une théorie quelconque, soit ses termes et ses principes servent leur mission, soit ils ne la servent pas. Donc, les termes et les principes de toute théorie sont superflus.

La méthode de Craig, qui est purement logique, ne vise aucunement de manière explicite à permettre l'élimination des termes et énoncés théoriques du langage de la science. C'est une méthode générale de remplacement de tous les énoncés formulés dans un vocabulaire « suspect » par des énoncés formulés dans un langage « sûr », à partir d'une division du vocabulaire en deux classes quelconques : par exemple, en V_0 et V_T. On suppose qu'il existe une méthode pour décider si un prédicat quelconque appartient à V_0 ou à V_T. On peut alors diviser tous les théorèmes d'une théorie T en deux classes : T_0 et T_T. T_0 comprend tous les théorèmes formulés au moyen de V_0. Craig a montré que, si T obéit à

32. C.G. Hempel, 1958, in C.G. Hempel, 1965, p. 186.

des contraintes logiques assez libérales, alors il est possible de formuler tout le contenu « sûr » de la théorie en termes de T_0.

Supposons, avec Hempel [33], que 0_1 et 0_2 soient deux énoncés formulés au moyen de V_0. Soit TC la conjonction des postulats formulés en termes de V_T et des règles de correspondance. Supposons qu'à partir de 0_1 et de TC on déduise 0_2 :

$$0_1 \ \& \ TC \supset 0_2$$

Ce qui revient à dire que

$$TC \supset (0_1 \supset 0_2)$$

Or, « $0_1 \supset 0_2$ » a deux propriétés : d'une part, c'est un énoncé formulé en termes de V_0 ; d'autre part, c'est une conséquence de TC. Donc, c'est un théorème appartenant à T_0. Mais, par le *modus ponens*, on peut se passer de TC et inférer 0_2 trivialement de la manière suivante :

$0_1 \supset 0_2$
0_1
Donc : 0_2.

Craig a montré que des phrases appartenant à T_0 peuvent servir d'axiomes et permettre de déduire toutes les conséquences de T, qui sont des théorèmes de T formulées en termes de V_0. Autrement dit, à partir de certaines phrases de T_0 choisies comme axiomes, on peut, tout aussi bien que des axiomes initiaux de T, déduire tout le reste des phrases de T_0. Comme le dit Putnam [34], le théorème de Craig est un corollaire à la proposition suivante : toute théorie qui admet un ensemble d'axiomes récursivement énumérable peut être récursivement énumérée. Craig a prouvé que, dans l'exemple qui nous occupe, si T est une théorie récursivement énumérable et si l'ensemble des prédicats contenus dans V_0 et V_T est récursif, alors T_0 est récursivement axiomatisable.

Non seulement l'application de cette méthode à l'élimination du vocabulaire théorique se heurte au dilemme du théoricien ; mais Hempel a aussi montré que la méthode ne

---

33. *Ibid.*, p. 210-13 ; W. Craig, 1953 ; W. Craig, 1956 ; N. Goodman, Review of W. Craig, 1956, in N. Goodman, 1972 ; C.G. Hempel, in P.A. Schilpp, ed., 1963 ; I. Scheffler, 1963, p. 192-203.
34. H. Putnam, 1965, in H. Putnam, 1975, vol. 1, p. 228-36.

permet de capturer que les relations déductives entre énoncés de T_0, et nullement les relations inductives [35]. Un exemple élémentaire permet de montrer l'inévitabilité des inférences inductives, dans un raisonnement « scientifique » courant. Supposons qu'on dispose du postulat théorique suivant :

(1) $(x)\ (Px \supset Ix)$,

qui affirme que le phosphore blanc a une température d'ignition de 30° centigrades. « P » et « I » appartiennent à V_T. Supposons par ailleurs qu'on dispose, pour « P », des cinq règles de correspondance suivantes, reliant « P » à des termes de V_0 :

(2) $(x)\ (Px \supset Ax)$

qui dit que le phosphore blanc a une odeur d'ail ;

(3) $(x)\ (Px \supset Tx)$

qui dit que le phosphore blanc est soluble dans la térébenthine ;

(4) $(x)\ (Px \supset Vx)$

qui dit que le phosphore blanc est soluble dans l'huile végétale ;

(5) $(x)\ (Px \supset Ex)$

qui dit que le phosphore blanc est soluble dans l'éther ;

et (6) $(x)\ (Px \supset Bx)$

qui dit que le phosphore blanc brûle la peau. Soit (7) une règle de correspondance pour « I » :

(7) $(x)\ (Ix \supset Fx)$

qui dit que, si un objet a une température d'ignition de 30 °C, alors, quand il est environné d'air ayant une température au moins égale à 30 °C, il s'enflamme.

Imaginons qu'un objet b vérifie les énoncés (2)-(6), de sorte que « Ab », « Tb », « Vb », « Eb » et « Bb » soient vrais. On aura envie de faire, sur la base de ces données, l'hypothèse que l'objet b est fait de phosphore blanc. Si on fait cette hypothèse, en appliquant (1), on inférera que sa température d'ignition est de 30°C et, grâce à (7), on prédira « Fb ». Qu'on ait eu raison ou tort, l'assertion cruciale « Pb », sur la base des données observables, était inductive et non déductive.

Quant à la méthode, empruntée par Carnap à Ramsey, elle

35. C.G. Hempel, 1958, in C.G. Hempel, 1965, p. 214-16.

révèle l'adhésion de Carnap au dogme qu'attaquera Quine. Elle n'a de sens que si l'on soupçonne les termes de V_T d'être inintelligibles parce qu'ils dénotent des entités inobservables. Carnap recommande l'utilisation de la méthode de Ramsey, car, grâce à elle, s'évanouissent toutes les questions dangereusement métaphysiques sur la « réalité » des entités inobservables : elle substitue en effet aux termes suspects des assertions, logiquement plus riches, mais descriptivement plus sûres [36].

Prenons l'exemple élémentaire de l'ensemble formé du postulat théorique (1), contenant deux termes suspects « P » et « I ». Appelons-le « T ». Appelons « C » l'ensemble des règles de correspondance pour « P », (2)-(6) et de la règle de correspondance pour « I », (7). Alors l'ensemble (1)-(7) forme une conjonction TC. On peut former l' « énoncé de Ramsey » de l'ensemble TC en remplaçant toute occurrence des termes suspects « P » et « I » par une variable de propriété, précédée d'un quantificateur existentiel :

(8) $(\exists \Phi)\ (\exists \Psi)\ (x)\ [\Phi x \supset (Ax \,\&\, Tx \,\&\, Vx \,\&\, Ex \,\&\, Bx)] \,\&\, (\Psi x \supset Fx) \,\&\, (\Phi x \supset \Psi x)$

L'énoncé de Ramsey a fait disparaître les termes suspects « P » et « I ». Mais il affirme qu'il existe deux propriétés qui jouent exactement le rôle qu'un chimiste attribuerait à P et I.

Du point de vue empirique ou observationnel, (8) dit exactement la même chose que (1)-(7). Mais il le dit différemment, à deux égards : d'une part, (8) n'utilise plus les termes suspects ; d'autre part, les variables liées aux quantificateurs ne sont plus du même type logique. Donc, d'un côté, (8) permet d'économiser la partie théorique du vocabulaire descriptif (V_T). De l'autre, il enrichit l'appareil logique. Au lieu que le domaine des variables liées contienne de simples individus, le domaine des variables liées par les quantificateurs existentiels, dans (8), contient des propriétés.

Carnap reconnaît que l'énoncé de Ramsey d'une théorie

---

36. F.P. Ramsey, 1931, chap. 9 ; R. Carnap, 1966, chap. 26, trad. fr., J.-M. Luccioni et A. Soulez, 1973, p. 226-257 ; C.G. Hempel, 1958, in C.G. Hempel, 1965, p. 216-17 ; E. Nagel, 1961, p. 141-42 ; I. Scheffler, 1963, p. 203-22.

physique est tellement peu maniable qu'aucun physicien ne songerait jamais à l'employer. Il confesse que ses propres soupçons sur l'intelligibilité intrinsèque des termes de V_T n'ont aucune chance de détourner un physicien de les employer. Mais, conformément aux doutes typiquement empiristes, il soutient que la différence entre le langage du physicien et l'énoncé de Ramsey n'est que pragmatique. Autrement dit, l'énoncé de Ramsey ne trahit nullement, selon lui, la démarche du physicien [37]. Ce jugement révèle la tendance instrumentaliste de l'interprétation carnapienne des théories scientifiques.

Au surplus, tout en confessant l'irréalisme de l'énoncé de Ramsey, Carnap en recommande l'utilisation, dans le but de répondre à une question philosophique, pour lui d'importance cruciale. Elle lui permet, croit-il, de distinguer, à l'intérieur du langage de la science (théorie par théorie), les énoncés analytiques des énoncés synthétiques, formulés dans V_T.

Il propose de diviser l'ensemble formé des postulats théoriques et des règles de correspondance d'une théorie quelconque, TC, en deux longues conjonctions : A_T et F_T. A_T servira de postulat théorique pour les énoncés formulés en termes de V_T. F_T exprimera le contenu factuel ou observationnel de la théorie. Comme on l'a déjà vu, tout le contenu factuel ou observationnel d'une théorie quelconque est représenté par l'énoncé de Ramsey de la théorie. Cet énoncé de Ramsey s'écrit : « ^{R}TC ». Donc, ^{R}TC représente la totalité des énoncés synthétiques de la théorie. Reste à formuler l'ensemble des énoncés analytiques, autrement dit A_T. Carnap imagine le procédé suivant, à la fois artificiel et ingénieux : l'ensemble TC doit être déductible à la fois de A_T et de F_T. Comme F_T est représentable par ^{R}TC, la règle élémentaire du *modus ponens* nous révèle la forme de A_T. Nous disposons d'une inférence déductive dont nous connaissons l'une des prémisses et la conclusion. Nous recherchons la seconde prémisse que nous ignorons :

^{R}TC
?
Donc : TC

37. R. Carnap, 1966, trad. fr., J.-M. Luccioni et A. Soulez, 1973, p. 246.

Par le *modus ponens*, la prémisse manquante ne peut qu'être $^{R}TC \supset TC$, qui exprime la totalité des énoncés analytiques de la théorie [38].

Il est surprenant que Carnap ait pu prendre ce tour de passe-passe au sérieux. Que l'énoncé de Ramsey offre une formalisation possible de la distinction entre la classe des énoncés analytiques et la classe des énoncés synthétiques d'une théorie est une chose. Mais, à moins de savoir, indépendamment de la méthode de Ramsey, ce qu'on entend par la distinction, ce n'est pas le formalisme qui l'expliquera.

38. *Ibid.*, p. 257-65.

CHAPITRE IV

COMMENT RASER LA BARBE DE PLATON AVEC LE RASOIR D'OCCAM

Jusqu'en 1930, la suprématie de l'Europe sur les sciences n'est nullement mise en cause par les Etats-Unis. Dans les années 1930 s'amorce un changement. Après la Seconde Guerre mondiale, les rapports de dépendance intellectuelle des Etats-Unis vis-à-vis de l'Europe sont renversés. Comme l'a dit un physicien américain dans les années 1950 [1] : « La première fois que je me rendis en Europe, il y a un quart de siècle, j'étais provincial. Lorsque je retournai en Europe après la guerre, c'est l'Europe qui était devenue provinciale. »

Avant l'arrivée des nazis au pouvoir, les jeunes physiciens américains venaient s'instruire à Berlin, à Göttingen, à Cambridge et à Copenhague. L'extraordinaire vitalité scientifique de l'Allemagne, sous la république de Weimar, avait attiré les physiciens et les mathématiciens tchèques, hongrois et polonais. Le destin du brillant mathématicien John von Neumann est exemplaire de cette migration intellectuelle. Né à Budapest, en 1903, il enseigne successivement à Berlin et à Hambourg. En 1930, il est invité à faire une série de conférences par l'université de Princeton. A en croire son biographe [2], il calcula à cette occasion que, dans un avenir proche, il n'y aurait, pour la totalité des universités allemandes, que trois postes de professeur titulaire pour quarante candidats. Il décida donc en 1931 d'accepter le poste que lui offrait Princeton, avant de devenir membre de l'Institute for Advanced Studies en 1933.

Entre 1933 et 1938, près de deux mille universitaires scientifiques réputés quittent l'Autriche et l'Allemagne. Un

1. I. I. Rabi, cité par E. Mendelsohn, 1963, p. 440.
2. S. Ulam *et al.*, 1968, p. 237.

bon quart de tous les prix Nobels allemands d'alors font partie des réfugiés. Le nombre des étudiants en science dans les universités allemandes diminue de deux tiers [3].

L'émigration des savants allemands confère soudain aux Etats-Unis une prépondérance intellectuelle inattendue. Certains émigrés voient avant tout dans les universités américaines un terrain propice à la recherche scientifique, débarrassé des démons de la vieille Europe. Les Etats-Unis leur procurent un sentiment de libération. D'autres, comme Max Horkheimer et Theodor Adorno, les fondateurs de l'Ecole de Francfort, ne surmonteront jamais la répugnance que leur inspirent d'emblée l'affairisme, la professionnalisation, l'empirisme américains : ce qu'Adorno appelle, en langage hégélien, l' « aliénation », la « réification » de la conscience [4]. Aussitôt que possible, ils fuient le conformisme et l' « ajustement » social et retournent en Allemagne, Horkheimer en 1949 et Adorno en 1953.

En 1914, Bertrand Russell avait jeté un pont avec les philosophes américains en venant à Boston leur présenter sa « méthode analytique ». A Harvard, la philosophie oscillait alors entre trois pôles : Josiah Royce y défendait un idéalisme à caractère religieux, qui n'était pas sans points communs avec le monisme de Bradley et Bosanquet ; le pragmatisme, issu de Charles Sanders Peirce, orienté vers la psychologie par William James (qui était à Harvard) et vers l'évolutionnisme darwinien par John Dewey (qui était à l'université de Columbia) ; la logique, qui, vers 1930, sera représentée par Henry Sheffer et Clarence Lewis, lequel sera alors le philosophe le plus influent du département. En 1924, Alfred North Whitehead, de plus en plus soucieux de questions théologiques, accepte la chaire que lui offre le département de philosophie de Harvard. Il s'installe aux Etats-Unis, où il se consacre à une synthèse de métaphysique et de philosophie des sciences, jusqu'à sa mort, en 1947 [5].

En 1929, Moritz Schlick est le premier membre du Cercle de Vienne à traverser l'Atlantique : il se rend à Stanford. Il est suivi par Herbert Feigl, qui passe l'année 1930-1931 à

3. E. Mendelsohn, 1963, p. 437-38.
4. T. Adorno, 1968, *passim,* surtout p. 368-69.
5. Cf. B. Kuklick, 1977.

Harvard, avec une bourse de la fondation Rockefeller. A l'automne 1931, Feigl sera le premier membre du Cercle à s'installer définitivement aux Etats-Unis : il devient professeur dans l'université de l'Etat de l'Iowa. A Harvard, il rencontre un logicien de vingt-deux ans, qui termine son doctorat dans le département de philosophie : c'est Willard Van Orman Quine. Il l'encourage vivement à se rendre à Vienne, où enseigne encore Carnap. Quine passe l'année 1931-1932 à Prague, où vient de s'installer Carnap : il suit ses cours à l'université Charles et lit le manuscrit de *La Syntaxe logique du langage*. Pendant six ans, Quine sera un fervent disciple de Carnap, grâce à qui il aura ressenti, pour la première et unique fois de sa vie, l'inoubliable expérience « d'être intellectuellement stimulé par un professeur vivant, plutôt que par un livre inerte[6] ». A sa mort, en 1970, Quine rendra à Carnap l'hommage « monumental » d'avoir été, à partir de 1930, plutôt que Wittgenstein, l'authentique successeur de Russell[7].

En 1934, le philosophe pragmatiste de Chicago, Charles Morris, qui aidera Carnap et Reichenbach à émigrer, séjourne quelques mois à Prague. A la fin de 1935, Carnap effectue son premier séjour aux Etats-Unis et se rend, accompagné de Quine et Goodman, au congrès de la Philosophical Association à Baltimore : il y réfute calmement les diatribes des métaphysiciens[8]. En 1935-1936, lors de son séjour en Europe, Ernest Nagel, qui s'étonne du dédain dans lequel sont tenus les auteurs américains par les logiciens viennois, s'entend répondre que ses compatriotes ont beau s'orienter dans la « bonne direction », ils sont insuffisamment analytiques[9].

A partir de 1936, les philosophes analytiques d'Europe centrale, comme leurs collègues scientifiques, émigrent massivement : Carnap s'installe à Chicago ; Reichenbach quitte Istanbul, où il avait passé plusieurs années, pour Los Angeles ; Popper se réfugie en Nouvelle-Zélande jusqu'en 1946, lorsqu'il devient professeur à la London School of Econo-

6. W.V.O. Quine, 1976, p. 42.
7. *Ibid.*, p. 40.
8. *Ibid.*, p. 42 ; cf. Préface, p. 24.
9. E. Nagel, 1936, in E. Nagel, 1956, p. 197.

mics ; Gödel devient membre de l'Institute for Advanced Studies à Princeton ; Hempel, Bergmann et Frank émigrent aux Etats-Unis, où Tarski les rejoindra *in extremis*.

Pour un penseur romantique, l'exil américain signifiait le deuil d'une civilisation raffinée et modelée par des siècles d'histoire. La plupart des réfugiés d'origine française attendaient la fin de la guerre pour retourner en France. Mais la presque totalité des exilés de culture à la fois scientifique et allemande adoptèrent soit avant, soit immédiatement après la fin des hostilités, la nationalité américaine. Ce fut aussi le cas des émigrés italiens. Les philosophes analytiques et les logiciens d'Europe centrale semblent s'être d'autant mieux adaptés à la vie américaine qu'ils contribuèrent puissamment à faire basculer une philosophie, encore hésitante entre plusieurs directions possibles, dans le camp de l'empirisme et du respect de la logique [10]. Le positivisme logique avait été, dans l'Allemagne et l'Autriche d'après 1918, une philosophie militante et marginale. L'empirisme logique devient aux Etats-Unis, après la Seconde Guerre mondiale, la philosophie des institutions universitaires. Elle y perd d'ailleurs son mordant idéologique [11].

Entre 1939 et 1941, à l'occasion d'un congrès sur l'unité de la science, à l'occasion des conférences William James prononcées par Russell, ou à l'occasion de l'invitation de Carnap et Tarski comme professeurs-associés pendant un an, les trois générations se trouvent réunies à Cambridge, Massachusetts, qui va désormais occuper, pour la logique, la linguistique et l'empirisme, la place occupée par l'autre Cambridge, avant 1914, et par Vienne entre les deux guerres. A ces deux différences près : d'une part, les deux grandes universités britanniques demeurent une terre d'élection de la philosophie analytique : grâce à la présence de Moore et Wittgenstein à Cambridge, dans les années 1940 ; et grâce à l'activité des analystes du langage ordinaire à Oxford, dans la décennie suivante. Mais, à la différence des empiristes logiques et de leurs héritiers américains, les analystes anglais de l'après-guerre négligent les sciences. D'autre part, la vie intellec-

10. R. Carnap, in P. A. Schilpp, ed., 1963, p. 34-43 ; H. Feigl, 1968, *passim*.
11. C'est la thèse défendue par M. Turk, 1975.

tuelle des Etats-Unis n'est pas exclusivement concentrée sur l'étroite bande côtière du Nord-Est, entre Boston et New York : elle est disséminée dans les universités du Middle-West et de la côte Ouest. Pourtant, malgré ces restrictions, Cambridge, Mass., va tenir une place prééminente. Sans doute l'ancienneté (relative aux Etats-Unis) des traditions de la Nouvelle-Angleterre, la vigueur de son puritanisme, la rigueur de son climat, la proximité électrisante de New York, son cosmopolitisme confèrent-ils à la région de Boston une vitalité incomparable.

Autour de Harvard, où enseigne dorénavant Quine, s'élabore une version de l'empirisme que Carnap ne cessera jamais de juger indéfendable ou, à la limite, inintelligible [12]. Cette version qu'édifient Quine et Goodman, en collaboration avec Morton White, trahit, dans l'opinion de Carnap, un principe fondamental légué par le *Tractatus* de Wittgenstein : la division entre les assertions portant sur le monde et celles portant sur le langage.

1. *L'empirisme et le statut de l'ontologie.*

En 1950, dans un article sur « l'empirisme, la sémantique et l'ontologie », Carnap propose un cadre permettant à la fois de se débarrasser des controverses ontologiques stériles et de maintenir que l'empirisme est compatible avec l'emploi de langages contenant des expressions linguistiques qui font référence à des entités totalement inobservables, comme les systèmes mathématiques.

Un énoncé ontologique est une phrase affirmative existentielle. Or, selon Carnap, il existe deux catégories de phrases existentielles affirmatives : les unes sont des réponses à des questions dites « internes » ; les autres sont des réponses à des questions dites « externes ». Une question est interne si elle présuppose l'existence d'un cadre linguistique de référence et qu'elle ne le remet pas en question. Par exemple, à l'intérieur du langage physicaliste des objets physiques, les questions suivantes sont internes : « Y a-t-il un stylo

12. R. Carnap, in P. A. Schilpp, ed., 1963, p. 65 et p. 917.

rouge sur mon bureau ? » ou « Existe-t-il un drapeau tricolore sur l'obélisque de la place de la Concorde à Paris ? » Ces questions, qui présupposent l'existence d'un cadre linguistique fixé par des règles, qu'on peut rendre explicites, peuvent recevoir, dans le langage en question, des réponses théoriques, vraies ou fausses. Qui plus est, ces réponses seront, selon Carnap, synthétiques : elles décrivent une portion de la réalité. A l'intérieur du langage des nombres entiers, on pourra donner une réponse arithmétique, donc analytique, à la question : « Existe-t-il un nombre premier supérieur à cent ? »

En revanche, une question portant sur le cadre linguistique lui-même est externe. On ne peut en effet pas lui donner pour réponse l'un des énoncés existentiels contenus dans le langage. Les questions suivantes sont donc externes : « Les objets physiques existent-ils ? » ou « Les nombres entiers existent-ils ? » L'illusion qui trompe les métaphysiciens consiste à croire qu'à des questions externes on peut répondre par des assertions vraies ou fausses, douées de contenu cognitif : « Je ne vois, dit Carnap, aucune donnée empirique susceptible d'être considérée comme pertinente par un philosophe de chaque école, et qui, si on la découvrait, permettrait de trancher la controverse ou au moins de rendre l'une des deux thèses opposées plus probable que l'autre [13]. » Carnap peut donc renvoyer dos à dos le tenant du platonisme, qui croit que les nombres existent, et le tenant du nominalisme, qui n'y croit pas.

Dans une formulation plus ancienne, les réponses à des questions d'existence externes sont des pseudo-phrases d'objet. Mais rien ne nous empêche de les retraduire dans l'idiome formel : elles deviennent alors des phrases syntaxiques. Ces phrases n'ont pas de valeur théorique ou cognitive mais elles ont une valeur pratique : on peut examiner les avantages du langage physicaliste ou du langage phénoménaliste à partir du moment où l'on s'est fixé un but déterminé : l'utilité d'un système linguistique dépend, non pas de l'accord entre les phrases affirmatives contenues dans le système et la réalité, mais de son aptitude à remplir une mission et de la valeur accordée à la mission.

13. R. Carnap, 1950, in L. Linsky, ed., 1952, p. 225.

Cette conception, fidèle au *Tractatus*, discrédite toute controverse ontologique. Or, en 1948, Quine reprend exactement les recherches menées par Russell quarante-cinq ans plus tôt, en prenant, sur la nature des controverses ontologiques, le contre-pied de l'attitude de Carnap. Autrement dit, il replace, après l'intermède positiviste, les affrontements ontologiques à l'intérieur du schème conceptuel. Pour Quine, à la différence de Carnap, l'adoption d'un système linguistique et l'adoption d'un système de croyances sont indissociables : on ne peut adopter un système de croyances sans adopter un système linguistique, caractérisé par des règles. Le choix du système de croyances n'est pas conventionnel pour autant. Il dépend aussi de l'examen des preuves empiriques favorables à ces croyances. Mais les preuves empiriques et les règles linguistiques forment un tissu inextricable. Tant et si bien que les assertions faisant état de la préférence pour un schème conceptuel dépendent à la fois de l'utilité du système linguistique et du soutien que lui confèrent les preuves empiriques disponibles.

Comme le fait remarquer Quine, en 1948 [14], dans le droit fil des préoccupations de Meinong et de Russell, entre 1903 et 1905, lorsqu'une controverse ontologique met aux prises un partisan et un adversaire de l'existence des licornes, le partisan est, à première vue, dans un position logiquement plus favorable que son adversaire. Celui-ci semble en effet placé dans la désagréable position de devoir postuler une distinction entre l'existence et l'être (Russell) ou la subsistance (Meinong). Pour que la phrase « Les licornes n'existent pas » soit jugée à la fois sensée et vraie, l'adversaire de l'existence des licornes poserait que les licornes subsistent ou possèdent l'être.

Grâce à sa théorie des descriptions, Russell avait montré que n'importe quelle phrase existentielle contenant l'occurrence d'une expression linguistique dénotative et non référentielle peut recevoir une valeur de vérité. Quine va généraliser la solution apportée par Russell afin de montrer, contre Carnap, que toute question d'existence, « interne » ou « externe », peut recevoir pour réponse une phrase douée de

14. Cf. W. V. O. Quine, 1953, p. 1-19.

valeur de vérité. Il réhabilite l'ontologie traditionnelle, discréditée par le positivisme. Mais, ce faisant, il effectue une critique de la sémantique de Frege.

2. *Nominalisme, extensionnalisme et platonisme.*

Vers la fin des années 1940 et le début des années 1950, on assiste à un échange plaisant au cours duquel Carnap d'un côté, Quine et Goodman de l'autre, s'accusent mutuellement de faire de la métaphysique sans le savoir. Quine et Goodman revendiquent le nominalisme ou l'extensionnalisme et attaquent le platonisme (qu'ils imputent plus ou moins explicitement à Carnap). Carnap rejette toute prise de position en faveur de l'un de ces points de vue, comme une assertion métaphysique dépourvue de valeur cognitive. Il doit y avoir malentendu sur le sens accordé aux mots.

Carnap entend par « nominalisme » le point de vue médiéval ou classique qui exprime une défiance à l'égard des entités abstraites et de toute terminologie désignant des êtres inobservables [15]. Pour lui, l'empirisme moderne, grâce à la distinction rendue fameuse par Wittgenstein entre les énoncés analytiques et les énoncés synthétiques est parfaitement compatible avec l'abstraction logique et mathématique la plus poussée.

Mais, sous la plume de Goodman [16], le nominalisme ne consiste nullement à rejeter les langages qui font référence à des entités abstraites et inobservables. Pour lui, le nominalisme est un principe d'engendrement strict de tout système constructionnel acceptable. Ce principe affirme que l'univers engendré se compose d'individus et de leurs sommes, et rien d'autre. Le lien entre le nominalisme de Goodman et le nominalisme médiéval ou l'empirisme classique est partiellement accidentel : si l'on ne tolère, dans l'univers, que des individus, on a quelque chance que les entités dont l'univers se compose soient observables. Mais on n'en a aucune garantie, dans la mesure où n'importe quelle entité peut, selon Goodman, servir d'individus.

La controverse entre le platonisme et le nominalisme, au

15. R. Carnap, 1950, in L. Linsky, ed., 1952, p. 208-28.
16. N. Goodman, 1956, in N. Goodman, 1972, 155-72.

sens de Goodman, est donc une controverse substantielle sur les règles d'engendrement d'un système constructionnel quelconque. Supposons qu'on dispose de cinq éléments atomiques. Que peuvent contenir les univers engendrés respectivement par le tenant du nominalisme et le tenant du platonisme ? Le tenant du nominalisme n'admet pour principe de construction de son univers que les atomes et la règle d'addition : son univers contiendra donc $2^5 - 1$ entités, soit 31 entités. Si le tenant du platonisme admet pour principe de construction la relation d'appartenance d'un élément à une classe, une fois décomptées la classe nulle et la classe-unité, son univers contiendra aussi 31 entités. Mais, dès qu'il admet d'engendrer des entités au moyen de la relation d'inclusion entre classes, il ouvre la porte à toutes les classes de classes d'atomes possibles. A ce stade, il obtient un univers contenant $2^{31} - 1$ entités supplémentaires. Or, contrairement au nominaliste, rien ne retient le tenant du platonisme d'accueillir au surplus toutes les classes de classes d'atomes, et ainsi de suite, à l'infini. C'est justement par « attirance pour les paysages déserts » que le nominaliste, soucieux d'arrêter cette expansion, décide dès le départ de rendre dans son système la notion de classes d'atomes intrinsèquement inintelligible et de l'exclure des règles d'engendrement de son univers.

Sans timidité à l'égard de l'inobservabilité des individus, le nominalisme représente néanmoins l'exigence la plus austère à laquelle on peut plier les règles d'engendrement d'un système constructionnel [17] :

> L'extensionnalisme exclut que plus d'une entité soit composée d'entités exactement identiques au moyen de la relation d'appartenance ; le nominalisme va plus loin en excluant que plus d'une entité puisse être composée d'entités identiques au moyen d'une chaîne quelconque d'appartenance. Pour l'extensionnaliste, deux entités sont identiques si elles se décomposent en membres identiques ; pour le nominaliste, deux entités sont identiques si elles se décomposent en entités identiques.

17. *Ibid.*, p. 159.

C'est incontestablement la controverse sur la relation d'appartenance d'un individu à une classe qui sépare le platonisme de son adversaire nominaliste. Mais, comme l'a montré Quine, l'ontologie du platonisme peut tout bonnement résulter d'une mauvaise analyse sémantique de la forme logique des phrases. Considérons par exemple la phrase suivante affirmant une identité : « La classe des créatures ayant un cœur est identique à la classe des créatures ayant des reins. »

Imaginons une analyse conforme à la sémantique de Frege, qui penchait pour le platonisme. On considérerait cet énoncé d'identité comme reliant deux expressions linguistiques, dont chacune serait le nom d'une classe : la classe des créatures ayant un cœur et la classe des créatures ayant des reins. L'observation zoologique nous renseigne sur l'identité des référents de ces deux expressions, qui sont donc coextensives. Cette coextension n'est nullement une nécessité logique ou linguistique : c'est un fait zoologique. Donc, Frege pourrait conclure qu'il n'y a qu'une seule classe, nommable de deux façon différentes. En revanche, chacun de ces noms a un *sens* différent, puisqu'ils ne sont pas synonymes : le sens de l'un dépend du sens du constituant « ayant un cœur » et le sens de l'autre dépend du sens du constituant « ayant des reins ». Pour Frege, ces deux sens différents constituent des entités distinctes : deux attributs. On retrouve les deux difficultés mentionnées au chapitre Ier : si les expressions sont précédées de l'article défini, ce sont des signes d'objets. Pourtant, la classe des créatures ayant un cœur est un concept. Frege disait que, pour parler d'un concept, il faut le convertir en objet. D'autre part, le sens ne peut pas être un concept, puisque les concepts sont la référence de certaines expressions, mais pas de toutes. Or, toutes les expressions compréhensibles possèdent un sens.

Pour Quine, ces difficultés résultent d'une erreur relativement simple : elle consiste à traiter les expressions de part et d'autre du signe d'identité comme des *noms*. Cette attitude trouve, selon Quine, son expression la plus virulente dans le principe du *Tractatus*, qui veut qu'à toute expression linguistique sensée et non tautologique corresponde un objet ou un état de la réalité. Dans un langage bien enrégimenté, tel que le conçoit Quine [18], les noms sont éliminables grâce à la méthode employée par Russell. Mieux vaut traiter ces expressions comme non référentielles, sur le modèle de « et », de « pour » ou de « vertu » (dans l'expression « en vertu de »). Ce sont des ingrédients indispensables à la formation de phrases sensées. Mais elles sont dépourvues de référence. « Avoir un cœur » ou « avoir des reins » ne nomment ni une classe ni un attribut. Elles ne nomment rien du tout. Elles sont *vraies* de tout individu concret vérifiant ces prédicats linguistiques. L'opposition à Frege est radicale : pour Frege, le locuteur du langage devait d'abord saisir le sens des constituants d'une phrase. Grâce au sens, il déterminait leur référence. Il pouvait alors déterminer d'une part le sens de la phrase et d'autre part sa référence : le vrai, le faux, ou l'absence de valeur de vérité. Pour Quine, la compréhension d'un langage ne s'effectue pas par composition mais globalement, grâce aux stimulations sensorielles, qui permettent de déterminer les conditions de vérité des phrases. La décision concernant la valeur de vérité est, pour Quine, une condition de la compréhension des phrases, qui n'est pas un processus intensionnel et compositionnel. C'est un processus extensionnel et causal : c'est l'environnement lui-même qui dit au locuteur si sa phrase est vraie ou fausse.

Pour Quine, le platonisme commet donc des erreurs substantielles : premièrement, il attribue un sens et une référence à des constituants linguistiques qui, isolément, n'en ont pas plus que les connecteurs propositionnels du vocabulaire logique. Deuxièmement, il impute inutilement l'existence à des entités (comme le sens des expressions linguistiques) qui ne sont que le produit de ses rêves, conjugués à ses erreurs sémantiques. Enfin, il inverse l'ordre entre le sens et la référence dans le phénomène de la compréhension des phrases d'une langue.

18. Cf. W. V. O. Quine, 1953 et W. V. O. Quine, 1951, in W. V. O. Quine, 1976, p. 203-211.

3. *La réhabilitation de l'ontologie et la nouvelle régimentation du langage.*

Pour Quine, c'est partiellement parce qu'il adhérait à la sémantique de Frege [19] que Carnap a cru, à tort, devoir exclure certains énoncés existentiels du domaine des phrases faisant des assertions vraies ou fausses sur le monde. C'est la conséquence de son adhésion à la sémantique de Frege dans un cadre empiriste, complètement étranger à Frege : Frege n'éprouvait pas la moindre réticence à postuler l'existence d'une légion d'entités platoniques. Mais Carnap juge l'adhésion à l'ontologie platonicienne, comme à toute ontologie, ni vérifiable ni réfutable, et donc ni vraie ni fausse.

Or, il est facile de montrer que l'exclusion des assertions existentielles, considérées par Carnap comme externes, hors de l'ensemble des énoncés doués de valeur de vérité, se heurte aux mêmes obstacles que l'exclusion poppérienne des énoncés existentiels hors de l'ensemble d'énoncés scientifiques, comme le lui a fait remarquer Carnap [20].

Une assertion ontologique, au sens de Carnap, n'est rien d'autre qu'une phrase métalinguistique. Lorsque nous disons, par exemple : « "Il existe un nombre premier supérieur à cent" est une phrase vraie du langage des nombres entiers », nous formulons une assertion métalinguistique sur le langage des nombres entiers. Soit maintenant la phrase « 7 est un nombre premier impair ». Formulé dans le langage des nombres entiers, cet énoncé est, selon Carnap, analytique et vrai. Or, par généralisation existentielle, on peut trivialement en inférer « Il y a des nombres ». Si l'on admet d'une part que la généralisation existentielle est une inférence déductive valide, et au surplus qu'elle doit préserver l'analyticité, alors « Il y a des nombres » est un énoncé analytique et vrai. Pourtant, c'est, selon Carnap, une assertion typiquement métaphysique, puisqu'elle répond à la question « Y a-t-il des nombres ? ». Soit maintenant « Oscar a observé un électron au point de coordonnées x, y, z, t de l'espace-temps ». Cet énoncé est synthétique. Supposons qu'il soit vrai. On peut, par généralisation existentielle, et en admettant une

19. R. Carnap, 1947.
20. Cf. chap. III, section 2, p. 133-134.

version de la théorie vérificationniste de la signification cognitive, en déduire que « Il y a des électrons » est un énoncé vrai et synthétique. Pourtant, Carnap devrait le juger sans valeur cognitive, comme Popper le jugerait non scientifique.

En réalité, le fait d'admettre que la séparation entre deux classes d'énoncés existentiels est injustifiée révèle un désaccord, non seulement entre Quine et Carnap, mais entre Quine et Russell d'un côté, et, de l'autre, ceux qui, comme Carnap et comme certains philosophes du langage ordinaire, par ailleurs radicalement opposés à Carnap, s'inspirent de la sémantique de Frege.

Cette convergence est aussi importante qu'elle est inattendue. Elle apparaît de manière spectaculaire à l'occasion des analyses respectives de phrases ayant une forme superficielle analogue au fameux exemple traité par Russell en 1905 : « L'actuel roi de France est chauve . » Si l'on admet l'analyse hypothétique attribuée à Frege, on dira que cette phrase a la forme sujet-prédicat. Si c'est vrai, alors la forme logique de la phrase ne diffère pas fondamentalement de sa forme linguistique superficielle. Or, pour Frege, l'assertion d'une phrase vraie ayant cette forme, par exemple « Kepler est mort dans la misère », *présuppose* que le nom propre, qui occupe la place du sujet grammatical, soit référentiel. D'ailleurs, l'assertion de la négation d'une telle phrase fait, selon Frege, exactement la même présupposition [21]. Dans le cas des phrases ayant la forme sujet-prédicat, l'invocation frégéenne du principe de présupposition de l'existence du référent du sujet grammatical est conforme au principe de compositionnalité de la référence de la phrase globale par rapport à la référence de ses constituants grammaticaux. Autrement dit, affirmer que l'assertion de « Kepler est mort dans la misère » (ou sa négation) présuppose l'existence de Kepler, c'est affirmer que, si Kepler n'existe pas, alors la phrase est dénuée de valeur de vérité.

Si l'on traite « L'actuel roi de France est chauve » sur le modèle de l'analyse frégéenne de « Kepler est mort dans la misère », on ne peut que rejeter l'analyse de Russell. Russell ne niait nullement que les authentiques sujets logiques doi-

21. G. Frege, 1892 a, trad. fr. Cl. Imbert, 1971, p. 115-16.

vent avoir une référence : il les appelait les « noms propres logiques ». Mais l'extension de la classe des noms propres logiques était, selon Russell, fort restreinte : elle se limitait finalement aux termes indexicaux (comme « je » ou « ici »), dont la signification n'est autre que le référent. Par contre, les noms propres des langues naturelles et les descriptions définies étaient, selon Russell, éliminables au profit de variables quantifiées.

On se souvient que, pour Russell, la forme logique de la phrase « L'actuel roi de France est chauve » est fort différente de sa forme linguistique superficielle, qui la masque. Elle correspond (cf. formules (3)-(4), sec. 1, ch. II, p. 79-80) à la conjonction « Il existe une et une seule entité qui est actuellement roi de France et cette entité est chauve ». Pour Russell, selon que la portée de l'opérateur de négation est la phrase tout entière ou qu'elle est seulement la portion « cette entité est chauve », la négation de la phrase est vraie ou fausse. Mais la phrase affirmative est fausse.

Selon Quine, l'analyse de Russell est capitale. Si on la généralise, elle devient un modèle d'élimination de tous les noms propres apparents, qui sont de faux sujets logiques. La théorie des descriptions permet, selon Quine, de purger le langage de toutes les expressions faussement référentielles. Si on généralise cette théorie, alors on dispose d'un remède contre le platonisme de Frege et contre le principe du *Tractatus*, qui établit une correspondance entre toute expression sensée non tautologique et un état de la réalité. Quine en extrait un critère général de ce qu'il appelle l' « adhésion » ou l' « engagement ontologique » (*ontological commitment*) d'une théorie [22] : une théorie contracte un engagement ontologique à l'égard des entités qui doivent jouer le rôle de valeurs des variables liées (ou quantifiées) dans la formule logique représentant la théorie pour que les assertions faites par la théorie soient vraies. Ce critère généralise simplement la solution donnée par Russell à l'énigme qui l'avait hanté en 1903 : comment expliquer que des phrases existentielles négatives, formées d'un constituant linguistique dénotatif

22. Cf. W.V.O. Quine, 1953, p. 8-11 ; 103.

mais non référentiel, puissent être simultanément sensées et vraies ?

Il est important de formuler les présupposés auxquels obéit le critère de Quine. Selon ce critère, seules les variables liées sont révélatrices des engagements ontologiques auxquels se soumet tout locuteur qui affirme la vérité d'une phrase. Une phrase fausse n'oblige nullement le locuteur qui l'affirme comme telle à adhérer à l'ontologie représentée par les entités qui peuvent servir de valeurs aux variables quantifiées. Autrement dit, si quelqu'un croit, comme Priestley, à la vérité de la théorie phlogistique de la combustion, il sera tenu de poser l'existence d'entités phlogistiques qui peupleront le domaines des valeurs des variables liées de sa théorie. Mais le fait de révéler, par l'application du critère d'engagement ontologique, le postulat ontologique auquel obéit Priestley n'impose nullement à l'utilisateur du critère d'affirmer la vérité de la théorie phlogistique et d'adhérer à l'ontologie phlogistique. L'application du critère suppose une décision préalable sur la valeur de vérité des théories examinées. Il ne contribue pas plus à déterminer leur valeur de vérité qu'il ne décide de l'ontologie à adopter : simplement, il permet d'éviter les engagements ontologiques superflus, comme ceux qu'entraînent une analyse sémantique jugée erronée par Quine.

Pour faire apparaître en toute clarté les principes auxquels le critère obéit, le mieux est de l'opposer au concept de présupposition, d'abord employé par Frege, puis repris plus récemment par des philosophes du langage ordinaire dans le but d'effectuer une critique radicale de la théorie russellienne des descriptions appliquée à une phrase comme « L'actuel roi de France est chauve ».

En 1950, Peter Geach et Peter Strawson critiquent l'analyse russellienne et retrouvent la conclusion de Frege : pour eux, l'assertion de la fameuse phrase est « inévaluable ». Selon eux [23], l'analyse de Russell repose sur deux propositions vraies et sur deux fausses. Russell a eu raison de considérer que la phrase analysée a un sens, malgré l'absence de référence du sujet grammatical ; et il a eu raison de poser que,

23. P. Geach, 1950 et P.F. Strawson, 1950, trad. fr. J. Milner, 1977.

si quelqu'un affirmait cette phrase, son assertion serait vraie à condition qu'il existe, au moment de l'assertion, un et un seul roi de France et qui soit chauve. Selon Strawson, Russell a tort de faire de la référence ou du défaut de référence une propriété des expressions linguistiques-types, et de faire de la valeur de vérité une propriété des phrases-types Enfin, selon eux, Russell a eu tort de poser qu'une partie de ce qu'un locuteur affirme lorsqu'il déclare « L'actuel roi de France est chauve », c'est qu'il existe actuellement un et un seul roi de France.

La première critique de Strawson relève d'une critique globale de l'application de la logique à l'analyse des langues naturelles. Cette critique est totalement étrangère à la problématique de Frege, qui suppose que les langues naturelles sont défectueuses : par exemple, dans un langage formel bien construit, toutes les expressions linguistiques auront une référence et toutes les phrases seront vraies ou fausses. Mais, pour Strawson, les phénomènes linguistiques concrets sont trop riches et complexes pour la logique. Ce qui intéresse Strawson, c'est l'usage concret des mots et des phrases : les événements (*tokens*) linguistiques et non pas les types. L'assertion d'une phrase est un événement linguistique, daté dans le temps et localisé dans l'espace. C'est elle, selon Strawson, qui est vraie, fausse ou inévaluable. C'est le locuteur, non les signes-types, qui effectue un acte de référence. Quel que soit l'intérêt du problème, affirmer que les événements linguistiques concrets échappent à la logique formelle, c'est, je le crains, soit poser une banalité, soit rejeter purement et simplement l'abstraction [24].

Si l'on met de côté cette première critique globale, reste que Strawson et Geach reprochent à Russell de croire qu'une partie de ce qu'un locuteur affirme lorsqu'il dit que l'actuel roi de France est chauve, c'est que le roi de France existe. Autrement dit, il ne critiquent nullement l'analyse russellienne de la clause d'unicité. Ce qu'ils attaquent, c'est l'idée russellienne de base selon laquelle la phrase, qui a superficiellement la forme sujet-prédicat, a pour forme logique réelle une forme existentielle. Si l'on représente « L'actuel

---

24. Je partage l'opinion exprimée par B. Russell, 1959, p. 238-45 ; W. V. O. Quine, 1976, p. 137-57 et M. Dummett, 1978, p. ix-li et 24-28.

roi de France est chauve » par « p » et « L'actuel roi de France existe » par « q », alors Russell affirme : « p ⊃ q ». Donc, selon les lois formelles régissant le conditionnel, l'analyse de Russell affirme que si « q » est faux, alors « p » est faux. Contre Russell, Geach et Strawson affirment que la relation entre « p » et « q » n'est pas « p ⊃ q », mais « p présuppose q ». Et, pour eux, la règle gouvernant l'usage de l'opérateur « présuppose » est que, si « q » est faux, alors l'assertion de « p » n'est pas fausse, mais inévaluable, parce que hors de propos [25].

L'analyse d'une phrase anodine, ayant superficiellement la forme linguistique sujet-prédicat est donc liée à quatre enjeux, sur lesquels Frege, Russell, Carnap, Quine, Strawson et Geach prennent les positions suivantes.

a. *Les rapports entre la logique et les langues naturelles.* Pour Frege, Russell, Carnap et Quine, les grammaires des langues naturelles sont défectueuses. La forme superficielle des phrases est un trompe-l'œil. La logique quantificationnelle sert à révéler la forme profonde des assertions. Pour Strawson, ce qui compte, ce sont les situations linguistiques concrètes, localisées dans l'espace et datées dans le temps. Comme la logique effectue des idéalisations très fortes par rapport aux circonstances spatio-temporelles de l'énonciation effective des phrases dans les conversations ordinaires, l'intérêt linguistique de la logique quantificationnelle est limité.

b. *Les énoncés d'existence internes et externes.* Carnap est le seul à vouloir exclure certains énoncés existentiels du domaine des énoncés évaluables, sous le prétexte qu'ils sont métaphysiques, donc dépourvus de contenu cognitif. Paradoxalement, Strawson, qui est aux antipodes philosophiques de Carnap, juge l'assertion de certaines phrases ayant la forme sujet-prédicat inévaluable aussi. Non parce qu'elles sont « métaphysiques », mais parce que leur présupposition est fausse. Conformément à son sentiment de la pauvreté relative de la logique quantificationnelle classique, Strawson propose une logique des assertions du langage ordinaire « plus

25. Cf. les analyses de J.C. Pariente, 1969, p. 129-44 et S.Y. Kuroda, 1979, p. 201-208.

riche », contenant trois valeurs : le vrai, le faux et le ni vrai ni faux. Cette proposition avait déjà été faite, notamment par Reichenbach, pour accommoder logiquement la mécanique quantique [26].

c. *Y a-t-il des sujets logiques authentiques ?* Pour Frege, et pour Strawson et Geach, la classe des sujets logiques authentiques est importante. Pour Frege, une expression linguistique précédée d'un article défini est un nom propre au sens large. Les noms propres sont généralement en position de sujet grammatical. Ce sont des expressions référentielles ayant un objet pour référence. Pour Russell, la classe des sujets logiques est beaucoup plus réduite. Seuls les noms propres logiques sont des sujets logiques doués d'une référence. Les descriptions définies sont éliminables. La formule obtenue est alors existentielle. Strawson et Geach défendent le point de vue de Frege : pour Strawson, la forme superficielle des phrases ayant un sujet et un prédicat grammaticaux est révélatrice de leur structure logique. Leur évaluabilité dépend, comme pour Frege, de ce que la présupposition de l'existence du référent du sujet logique est satisfaite ou non. La différence entre Frege et Strawson est que le premier regrette d'avoir à reconnaître que certaines phrases des langues naturelles sont inévaluables ; alors que le second en profite pour proposer une logique à trois valeurs. Quine considère que les incontinences ontologiques auxquelles se sont livrés Meinong et Frege viennent de ce qu'ils postulent une classe de sujets logiques pléthorique. En généralisant l'élimination de ce que Frege appelle les « noms propres » au sens large, moyennant la méthode de Russell, Quine propose de se tourner exclusivement vers les variables quantifiées des phrases convenablement paraphrasés dans l'idiome quantificationnel, pour déterminer les engagements ontologiques.

d. *Critère ontologique et présupposition.* Pour Strawson, Geach et Frege, l'existence du référent du sujet logique d'une phrase assertée est une présupposition de sa valeur de vérité et de son évaluabilité. Pour Quine, en excluant les cas

26. H. Reichenbach, in P. A. Schilpp, ed., 1944.

inévaluables, la valeur de vérité est une condition de l'engagement ontologique d'une théorie. Selon la méthode de Russell, qui permet d'éliminer les sujets grammaticaux apparents et de les remplacer par des variables quantifiées, l'existence du référent éventuel de l'ex-sujet grammatical apparent est asserté comme le conséquent d'un conditionnel dont l'antécédent serait la phrase elle-même. Si le conséquent est faux, c'est-à-dire si la présomption d'existence de l'ex-sujet grammatical n'est pas satisfaite, alors l'antécédent est faux, c'est-à-dire que la phrase elle-même est fausse. Pour Strawson, Geach et Frege, l'existence du référent du sujet logique (qui est le sujet grammatical) est une présupposition de la phrase. Donc, si la présupposition n'est pas satisfaite, la phrase est inévaluable.

4. *L'opacité référentielle et l'analyticité.*

L'un des principes sémantiques de Quine, c'est que le nombre des expressions linguistiques référentielles est beaucoup moins élevé qu'on avait pu le croire. La plupart des expressions syntaxiquement requises pour former des phrases sensées, vraies ou fausses, n'ont ni sens ni référence par elles-mêmes.

Les paires de phrases suivantes illustrent l'utilisation faite par Quine du principe de parcimonie ou du rasoir d'Occam, dans la détermination des expressions référentielles qui engagent le locuteur sur le plan ontologique :

(1) Jean a rencontré Paul.
Jean a rencontré des difficultés.

Il est raisonnable de représenter la première des deux phrases par la forme logique suivante, mais pas la seconde :

$$(\exists x)\ (\exists y)\ (xRy)$$

« Rencontrer des difficultés » est *un* prédicat ; donc, l'usage des mots « des difficultés » ne contraint pas le locuteur à peupler son univers d'entités difficultueuses. Les mêmes remarques valent pour les deux paires suivantes :

(2) Jean a donné des fleurs à Marie.
Jean a donné toute son attention à Marie.

(3) Jean a parlé dans la voiture de Paul.
Jean a parlé dans l'intérêt de Paul.

On se souvient de deux des difficultés posées par le bel édifice construit par Frege (cf. chap. I, sect. 4, p. 58) : tout signe d'objet et tout signe de concept, lorsqu'ils ont respectivement un objet ou un concept pour référence, ont un sens, qui est une entité platonique, laquelle ne se confond ni avec leur référence ni avec l'état mental du locuteur. Donc, le sens ne peut pas être ce que Frege appelle un « concept », car alors, d'une part, le sens d'un signe de concept se confondrait avec sa référence ; et, d'autre part, les signes d'objets seraient dénués de sens. Il est donc difficile de savoir quelles entités sont les sens ou les pensées (qui ne sont pas des représentations mentales) et de disposer de critère d'individuation à leur sujet : comment reconnaître une pensée d'une autre ? En admettant que le sens du mot « three » soit le même que celui du mot « trois », qu'en est-il des mots « cheese » et « fromage » ?

Deuxièmement, dans une phrase où les signes n'ont pas leur référence ordinaire, ils ont pour référence oblique leur sens ordinaire. Que devient, dans ce cas, le sens oblique d'un signe ayant son sens ordinaire pour référence oblique ? La question se pose clairement lorsqu'on enchâsse une phrase dont les signes ont leur référence ordinaire dans un contexte qui fait perdre aux signes leur référence ordinaire et leur confère pour référence leur sens ordinaire :

(4) La trajectoire des planètes est circulaire.

(5) Copernic croyait que la trajectoire des planètes est circulaire.

(4) est fausse et ses constituants ont leur référence ordinaire. (5) est vraie et les constituants, désormais enchâssés, ont perdu leur référence ordinaire.

En adoptant le principe d'extensionnalité, Quine se débarrasse des difficultés rencontrées par Frege. Selon ce principe, il faut distinguer entre les langages extensionnels et les langages intensionnels. Dans les énoncés composant les premiers, les variables liées sont en position directement référentielle ; pas dans les énoncés composant les seconds. Un langage extensionnel est un langage « sûr », car il donne lieu à la généralisation existentielle. Supposons que (6) soit vrai :

(6) Marc est un espion.

De (6), on peut inférer qu'il existe des espions. Mais supposons que (7) soit vrai :

(7) Jean croit que Marc est un espion.

De (7) on ne peut pas inférer qu'il existe des espions. (6) appartient à un langage extensionnel et (7) à un langage intensionnel.

Dans les années 1940 [27], Quine a proposé un test permettant de déterminer si un langage est extensionnel ou intensionnel, si les variables liées d'un énoncé sont en position directement référentielle ou si elles sont « référentiellement opaques », c'est-à-dire si un énoncé se prête normalement à la généralisation existentielle ou non. Ce test, c'est la substituabilité *salva veritate* d'une expression au constituant d'une phrase vraie qui lui est coextensif ou coréférentiel : si, dans une phrase vraie, on peut remplacer un constituant par une expression coréférentielle ou coextensive sans affecter la valeur de vérité de la phrase, alors la phrase est référentiellement transparente. Autrement, elle est référentiellement opaque. Si elle est référentiellement opaque, c'est qu'elle appartient à un langage intensionnel. Si c'est le cas, alors elle ne permet pas la généralisation existentielle et la logique quantificationnelle est mise en péril.

Supposons que (8) et (9) soient vrais :

(8) Emile est l'assassin de René.

(9) L'assassin de René est un militaire de carrière.

De (8) et (9), on peut inférer (10) :

(10) Emile est un militaire de carrière,

en substituant « un militaire de carrière » à « l'assassin de René » dans (8), comme nous y autorise (9). Maintenant, supposons que (11) soit vrai :

(11) L'inspecteur de police voulait savoir si Emile est l'assassin de René.

Remplaçons « l'assassin de René », dans (11), par « Emile », comme devrait nous le permettre (8) :

(12) L'inspecteur de police voulait savoir si Emile est Emile.

Il est vraisemblable que si (11) est vrai, c'est-à-dire s'il est vrai que, ce que voulait savoir l'inspecteur de police, c'est si Emile est l'assassin de René, alors (12) est faux. Autrement dit, (8) et (9) sont des énoncés extensionnels, (11) et

27. W. V. O. Quine, 1943, in L. Linsky, ed., 1952 ; Quine, 1953 ; L. Linsky, ed., 1971.

(12) des énoncés intensionnels. (11) ne nous laisse pas, sans changer sa valeur de vérité, remplacer l'un de ses constituants par une expression coréférentielle. Donc, les occurrences de « Emile » et de « l'assassin de René » dans (11) sont référentiellement opaques.

Si l'on considère maintenant les trois énoncés suivants :

(13) Ernest chasse le lion
(14) Raoul croit aux espions
(15) Georges voudrait un président,

on peut s'apercevoir qu'ils sont ambigus : (13) veut soit dire qu'Ernest chasse un lion spécifique, soit qu'il est à la chasse au lion. Dans la première interprétation, on peut inférer de (13) qu'il existe un lion. Mais, dans la seconde interprétation, (13) est vraie même si la forêt où chasse Ernest ne contient pas le moindre lion. Représentons chaque interprétation par les deux formes logiques suivantes :

(13a) ($\exists$ x) (x est un lion & Ernest chasse x)
(13b) Ernest aimerait que ($\exists$ x) (x est un lion & Ernest tue x).

Si, dans la première interprétation, toute la phrase est sous la portée du quantificateur existentiel, c'est que la première interprétation autorise la généralisation existentielle. En revanche, dans la seconde interprétation, le quantificateur existentiel est sous la portée du verbe d'attitude propositionnelle, qui rend la variable quantifiée référentiellement opaque. C'est pourquoi (13b) n'autorise pas la généralisation existentielle. La même dualité d'interprétation possible caractérise (14) et (15) : de ce que Raoul croit aux espions il ne s'ensuit pas nécessairement qu'il existe des espions, sauf à faire l'hypothèse (possible) que toutes les croyances de Raoul sont vraies. De ce que Georges voudrait un président il peut s'ensuivre deux conséquences différentes : soit Georges a en tête un candidat particulier à l'élection présidentielle et il désire que ce candidat soit élu ; dans cette hypothèse, il existe effectivement un individu satisfaisant le désir de Georges. Soit Georges vit dans un régime monarchique, auquel cas, sans avoir d'individu particulier en tête, Georges souhaite l'établissement d'un nouveau régime présidentiel.

Grâce à l'adoption du principe d'extensionnalité, Quine va laisser s'insinuer des soupçons sur le bien-fondé de la notion d'analyticité. Cette notion, fondamentale dans l'empirisme de Carnap, a connu un sort mouvementé dans l'histoire de la philosophie. Assimilée par Leibniz et Kant aux vérités exprimées par des propositions dont le concept du prédicat est logiquement inclus dans celui du sujet, elle s'appliquait classiquement à des vérités à la fois métaphysiquement nécessaires et mentalement certaines. Frege gardait le mot « analytique », mais l'appliquait à tous les énoncés démontrables strictement au moyen de termes et de principes logiques. Moore et Russell avaient, en employant des arguments fort ingénieux, mis en question la notion conçue dans son sens leibnizien ou kantien traditionnel. Wittgenstein, dans le *Tractatus*, l'avait assimilée de manière spectaculaire au concept de vérité tautologique, présupposant une distinction, parmi les propositions sensées, entre celles qui décrivent un état de la réalité et celles qui n'en décrivent aucun, parce que, comme les contradictions, elles ne correspondent à aucun état logiquement possible de la réalité, ou parce que, comme les tautologies, elles correspondent à tous les états possibles de la réalité. Carnap et ses amis du Cercle de Vienne avaient vu, dans le coup de génie de Wittgenstein, le moyen magique de rendre compatible l'empirisme avec une philosophie acceptable de la logique et des mathématiques.

Mais, renouant avec la problématique de Russell et de Moore dans les premières années de ce siècle, Quine se demande : comment expliquer la notion d'analyticité ? Considérons une phrase d'une langue naturelle, que tout avocat de l'idée d'analyticité considérerait comme analytique [28] :

(16) Aucun célibataire n'est marié.

Pour expliquer pourquoi (16) est vraie, on dira que tout individu vérifiant le prédicat « être célibataire » vérifie aussi le prédicat « être non marié ». Les deux termes sont coextensifs. Mais cette vérité pourrait être un simple accident. Se pourrait-il que (16) soit fausse ? Existe-t-il des circonstances dans lesquelles il serait plausible d'affirmer la négation de (16), par exemple (17) ?

(17) J'ai rencontré un célibataire dont la femme était charmante.

Si on ne recourt pas à des expédients pragmatiques qui consisteraient à rendre cette phrase sémantiquement acceptable,

28. W. V. O. Quine, 1951, in Quine, 1953, trad. fr. P. Jacob, 1980.

en fonction d'un contexte *ad hoc*, normalement, en entendant (17), un locuteur du français sera tenté de la considérer, sinon comme une contradiction pure et simple, du moins comme une phrase largement déviante.

Un défenseur de la notion d'analyticité tirerait partie de ces faits sémantiques pour affirmer qu'il ne suffit pas d'expliquer la vérité de (16) — ce qu'on peut effectuer en invoquant le fait que les deux expressions sont coextensives et s'appliquent aux mêmes individus. Il affirmerait que (16) est non seulement vraie mais analytique. Comment expliquerait-il le fait que (16) est analytique ? On peut imaginer que deux stratégies lui sont ouvertes : la première consiste à dire que (16) est analytique parce que (16) est nécessairement vraie ; la seconde consiste à dire que (16) est analytique parce que (16) fixe la signification du mot « célibataire ». Quine a examiné ces deux stratégies tour à tour.

Dire que (16) est une vérité nécessaire ou que (16) fixe la signification du mot « célibataire », c'est dire que « célibataire » et « personne non mariée » sont synonymes. Et, dire que ces expressions sont synonymes, c'est dire plus que de dire qu'elles sont coextensives. Pour un tenant du platonisme comme Frege, il serait possible d'expliquer la synonymie entre les deux expressions en invoquant un principe d'identité des sens des expressions linguistiques. On pourrait dire, par analogie avec le cas des « créatures ayant un cœur » et des « créatures ayant des reins », que non seulement « célibataire » et « personne non mariée » désignent une seule et même classe, mais qu'au surplus elles ont le même sens : au lieu d'exprimer deux attributs, elles n'en expriment qu'un. Pour Quine, cette explication est inadmissible : elle repose sur une erreur sémantique et son coût ontologique est exorbitant. Trouver une explication à l'analycité de (16), c'est donc expliquer l'imputation de synonymie aux expressions descriptives (extralogiques) composant (16). Examinons donc les deux explications possibles.

Dire que (16) est une vérité nécessaire, c'est affirmer (18) :

(18) Tous les célibataires sont nécessairement des gens non mariés.

Que gagne-t-on à expliquer l'énoncé « (16) est analytique » en affirmant la vérité de (18) ? On peut croire que (18) s'infère naturellement d'une vérité logique, comme (19) :

(19) Tous les célibataires sont nécessairement des célibataires.

Mais quel principe invoque-t-on pour inférer (18) à partir de (19) ? Si on invoque la synonymie entre « célibataires » et « gens non mariés », on confessera qu'on tourne en rond et qu'au surplus il n'y avait nul besoin de recourir à l'assertion de la nécessité de (16) pour expliquer l'analyticité de (16) et la synonymie de ses composantes descriptives. Peut-on alors inférer (18) à partir de (19) en invoquant simplement la coextensivité de « célibataires » et de « gens non mariés » ? Autrement dit, est-il possible d'obtenir logiquement (18) en remplaçant la seconde occurrence de « célibataires » dans (19) par « gens non mariés » ?

A cette question, la réponse est négative, parce que, comme le montre l'exemple suivant, l'occurrence de l'adverbe modal « nécessairement », dans (19), rend (19) référentiellement opaque. Supposons que (20) et (21) soient vrais :

(20) 9 est nécessairement plus grand que 7.

(21) Le nombre des planètes du système solaire est 9.

De (20) et (21), on inférera (22), qui est ou faux ou ambigu. S'il est ambigu, il existe au moins une interprétation qui le rend faux :

(22) Le nombre des planètes du système solaire est nécessairement plus grand que 7.

Quine affirme que (22) est purement et simplement faux [29]. D'autres, comme Arthur Smullyan, affirment que, si on traite la description définie « Le nombre des planètes du système solaire » dans (22) par la méthode de Russell, (22) est ambigu : si l'opérateur de modalité a une portée supérieure à celle des quantificateurs résultant de l'élimination de l'expression descriptive, alors l'énoncé est absurde. Si les quantificateurs ont la portée la plus large, alors (22) est vrai [30]. Mais, comme l'a fait remarquer Quine [31], supposons qu'on obtienne, grâce à la méthode de Russell, la seconde interprétation de (22), alors il faut donner un sens à la notion qu'une expression puisse désigner une entité possédant néces-

29. W. V. O. Quine, 1953, p. 143-49.
30. A. Smullyan, 1948, in L. Linsky, ed., 1971.
31. W. V. O. Quine, 1953, p. 154-55.

sairement une propriété, tout en accordant que la même entité désignée par une autre expression ne posséderait pas nécessairement cette propriété : le nombre 7, désigné par l'expression numérique « 7 » posséderait nécessairement la propriété d'être inférieur à 9 ; mais le même nombre désigné par l'expression « Le nombre des planètes du système solaire » n'aurait plus cette propriété nécessaire.

Même si on pense pouvoir accommoder l'objection de Quine, il est indéniable que l'occurrence de « nécessairement » dans (19) rend (19) intensionnel et référentiellement opaque. Or, si (19) est référentiellement opaque, alors on ne peut pas remplacer l'une des occurrences de « célibataires » dans (19) par une expression coextensive tout en restant assuré que (19) ne changera pas de valeur de vérité. Car « nécessairement » et tous les opérateurs de modalité, comme les verbes d'attitudes propositionnelles, requièrent une logique plus riche et une ontologie plus dispendieuse que la quantification. Nous n'avons donc pas réussi à effectuer une réduction de l'analyticité de (16) ou de la synonymie de ses composantes descriptives en inférant (18) à partir de (19). Autrement dit, nous n'avons pas réussi à expliquer l'analyticité de (16) en invoquant l'idée que (16) est une vérité nécessaire.

5. *Quine et la doctrine linguistique des vérités logiques.*

Examinons maintenant le second terme de l'alternative. Si (17) n'est pas simplement une fausseté, mais une sorte de contradiction, ne serait-ce pas parce que (16) fixe la signification des mots ? Mais de quels mots ? Les mots descriptifs ou les mots logiques ? Dira-t-on que (16) fixe l'usage des mots descriptifs ? Ou dira-t-on que l'absurdité qui accompagne l'assertion de (17) fixe indirectement l'usage du connecteur propositionnel « et », dans la mesure où, ce qui rend (17) bizarre, c'est que l'affirmer revient à affirmer « J'ai rencontré un célibataire *et* il est marié » ?

Dès qu'on se penche sur ces questions, le postulat qu'il est toujours possible de discerner, parmi un ensemble d'énoncés, ceux qui sont analytiques (et portent sur le langage) de ceux qui sont synthétiques (et portent sur la réalité), ou de distinguer, à l'intérieur d'un énoncé quelconque les constituants logiques et les constituants descriptifs, perd son apparente innocence. On préférera sans doute dire que (16) fixe l'usage des mots descriptifs *si* l'on sait préalablement utiliser les mots logiques. Mais on préférera dire que (17) fixe l'usage de « et » *si* l'on connaît au préalable la signification des mots descriptifs. En fait, il ne semble pas qu'il y ait une priorité philosophique de l'une sur l'autre.

Selon la fameuse distinction du *Tractatus*, la différence entre (23) et (24) s'explique facilement :

(23) Brutus était l'assassin de César
(24) Brutus était l'assassin de César ou Brutus n'était pas l'assassin de César.

La vérité de (23) dépend de la conformité entre la signification des mots composant (23) et un événement historique qui constitue un état déterminé de la réalité. Mais la vérité de (24) est totalement indépendante de tout événement historique. Wittgenstein dirait que c'est une tautologie ou une vérité analytique qui fixe l'usage des mots logiques (« ou » et « ne... pas »). Dans ce cas, il justifierait l'assertion que (24) fixe l'usage des mots logiques plutôt que des mots descriptifs en montrant que (24) resterait vraie quels que soient les mots descriptifs employés, à deux conditions : premièrement, qu'on remplace l'occurrence de chaque mot descriptif dans (24) par un mot grammaticalement approprié ; deuxièmement, que, chaque fois qu'on emploie un mot, à un endroit déterminé de la séquence formant le membre de gauche de la disjonction, on emploie le même mot à l'endroit correspondant de la séquence formant le membre de droite de la disjonction.

Supposons avec Quine[32], qu'on se donne une liste des mots composant le vocabulaire logique du langage (« et », « ou », « si... alors », les quantificateurs, etc.), on pourra alors observer que, dans (24), le vocabulaire logique et le vocabulaire non logique ont des comportements différents : si on remplace « Brutus était l'assassin de César » par « Platon était le disciple de Socrate », on obtient une autre tautologie. En revanche, si on remplace « ou » par « et », on

32. W. V. O. Quine, 1936 et W. V. O. Quine, in P. A. Schilpp, ed., 1963, p. 387.

change la tautologie en contradiction. On peut donc dire que, si l'on dispose d'un inventaire des particules logiques du langage, la valeur de vérité d'une vérité logique ne dépend que de l'occurrence essentielle des particules logiques.

Or, Quine est, comme l'a reconnu Carnap [33], le premier à avoir introduit, parmi les vérités que Carnap et Wittgenstein, avec toute la tradition, appelaient des vérités analytiques, une différence entre celles qui sont des vérités logiques et celles qui n'en sont pas. Parmi les phrases suivantes, toutes celles de la classe (I) sont des vérités logiques, si l'on suppose qu'on possède un inventaire du vocabulaire logique, et toutes celles de la classe (II) n'en sont pas :

(I) (25) Une personne non mariée n'est pas mariée.
(26) Un lapin non domestique n'est pas domestique.
(27) Si Socrate est mortel, alors Socrate est mortel.
(II) (28) Un célibataire est une personne non mariée.
(29) Un lièvre est un lapin non domestique.
(30) Si Socrate est un homme, alors Socrate est mortel.

Toute la tradition, y compris Wittgenstein et Carnap, a amalgamé les deux classes sous l'étiquette « analytique ». Obnubilée par la différence entre les énoncés nécessaires et les énoncés contingents, ceux qui sont vrais *a priori* et ceux qui sont vrais *a posteriori*, ceux qui sont « analytiques » et ceux qui sont « synthétiques », la tradition a escamoté le problème de la réduction des énoncés de la classe (II) à ceux de la classe (I). Or, comme on l'a déjà vu, cette réduction est extrêmement problématique tant qu'on ne dispose pas d'un critère de synonymie entre des expressions descriptives. Et ce critère ne nous est pas fourni par le recours à l'assertion que les énoncés de la classe (II) sont nécessaires. Si on suppose qu'on connaît l'usage des mots logiques et qu'on comprend chaque énoncé de la classe (I), alors on peut considérer que chaque énoncé de la classe (II) est la *définition* d'un mot descriptif (« célibataire », « lièvre », ou « homme »).

Mais, à adopter l'idée que, grâce à une compréhension préalable des énoncés de la classe (I), les énoncés de la classe (II) sont des définitions de mots descriptifs, on n'aura pas pour

33. R. Carnap, 1952.

autant donné à ces énoncés le statut privilégié recherché. Car, si une définition garantit l'équivalence extensionnelle, elle ne garantit nullement la synonymie entre le *definiendum* et le *definiens*, à moins que cette définition ne soit elle-même une vérité « nécessaire ».

A moins, curieusement, qu'un tenant de l'idée traditionnelle d'analyticité n'invoque la notion de *convention* pour distinguer les assertions non analytiques, exprimant une simple équivalence extensionnelle, et les assertions analytiques, exprimant une relation de synonymie. C'est bien ce à quoi semblaient penser Wittgenstein et Carnap lorsqu'ils disaient qu'un énoncé analytique ne dit rien sur la réalité mais fixe la signification des mots.

Si une convention, comme celles qui forment les définitions d'un dictionnaire, détenait un privilège épistémologique comparable à celui qui est traditionnellement attribué aux vérités analytiques (certitude et nécessité), alors le conventionnalisme devrait expliquer le statut particulier des vérités logiques. Le conventionnalisme dit : les vérités logiques sont vraies par convention. Mais, par convention explicite, on ne peut définir qu'un nombre fini de vérités logiques. Quant à l'idée de convention implicite, elle est mystérieuse. Comme il existe un nombre infini de vérités logiques, on ne pourra les engendrer toutes à partir de conventions que si on ajoute à ces conventions la logique, permettant de dériver des conventions, toutes les vérités non définies par convention. Autrement dit, le conventionnalisme ou la doctrine linguistique des vérités logiques prétend dériver les vérités logiques de conventions et de la logique [34] !

Comme le fait remarquer Quine [35], ce qui est erroné dans le conventionnalisme et l'idée qu'il existe des vérités logiques ou mathématiques analytiques, c'est l'idée que certaines vérités individuelles doivent le fait d'être vraies à une décision arbitraire et gardent cette propriété exclusive une fois pour toutes. Considérons des vérités auxquelles le conventionnalisme devrait s'appliquer : les vérités de la géométrie euclidienne. Ces vérités décrivent les « faits » de l'espace à trois

---

34. W. V. O. Quin, 1936 et W. V. O. Quine, in P. A. Schilpp, ed., 1963, p. 384-406.
35. *Ibid.*, p. 391-97.

dimensions. La totalité de la géométrie euclidienne dépend partiellement de faits spatiaux et de « conventions » adoptées par l'esprit humain. Dira-t-on que les postulats sont purement arbitraires ? Ce serait commettre une confusion : certaines vérités de la géométrie euclidienne furent sélectionnées pour jouer le rôle de postulats. Cette sélection est conventionnelle. Mais cela ne rend pas les postulats « vrais par convention », puisqu'ils faisaient partie du domaine des vérités avant d'être choisis pour avoir le rôle de postulats. Du moment qu'on peut permuter l'ordre des axiomes et des théorèmes, le statut relativement conventionnel d'un énoncé n'est pas une propriété unique et exclusive. Comme le dit Quine [36],

> La science de nos pères est une étoffe de phrases. Entre nos mains, elle se développe et change, à coups de révisions et d'additions de notre cru, plus ou moins arbitraires et plus ou moins délibérées, suscitées plus ou moins directement par la stimulation continuelle de nos organes sensoriels. C'est une science gris pâle, noire de fait et blanche de convention. Mais je n'ai trouvé aucune raison substantielle de conclure qu'elle contient des fils entièrement noirs, ou des fils entièrement blancs.

Si on admet la critique par Quine du conventionnalisme appliqué aux vérités logiques et mathématiques, on pourrait essayer de défendre l'existence d'une classe de vérités analytiques en soulignant que le concept n'est applicable qu'à des langages formalisés, dans lesquels les règles syntaxiques et sémantiques sont toutes explicites, contrairement aux langues naturelles. C'est ce qu'a notamment tenté Carnap [37] en ramenant la classe des vérités analytiques d'un langage formel à la classe des énoncés définis par des « postulats de signification ».

Cependant, une telle attitude ne répond nullement aux objections de Quine. Il est parfaitement exact que, dans un système formel, chacun est libre de formuler les « postulats de signification » comme bon lui semble. Mais, d'une part, un système formel n'engendre pas des vérités : il les forma-

36. *Ibid.*, p. 406.
37. R. Carnap, 1952.

lise. D'autre part, si le système formel est destiné à servir de modèle à une langue naturelle ou à une théorie scientifique « naïve », alors les conventions du système formel (notamment les « postulats de signification ») ne créent pas des vérités : elles se contentent d'enregistrer les croyances exprimées dans la langue naturelle ou dans la théorie naïve, et de placer les unes en position de postulats, les autres en position de conséquences.

Dans la controverse entre Carnap et Quine, le problème est de savoir si, comme le croit Carnap, certains énoncés individuels d'un schème conceptuel doivent leur vérité aux règles du langage de ce schème conceptuel et à elles seules ; ou si, comme le pense Quine, tout énoncé doit sa vérité en partie aux règles du langage et en partie aux faits non linguistiques.

Rien ne montre mieux à quel point leur débat devint un dialogue de sourds que la réponse de Carnap à la contribution de Quine au volume destiné à célébrer l'importance de l'œuvre de Carnap [38]. Pour Quine, les vérités de la logique élémentaire sont « évidentes » : cela veut dire, comme pour Moore, cinquante ans plus tôt, qu'un locuteur du français donnera son assentiment à « Une proposition est ou vraie ou fausse » chaque fois qu'on le lui demandera. Cela ne veut pas dire que le principe du tiers-exclu est une convention linguistique ou une définition du mot « proposition » (à moins de retomber dans les difficultés soulignées par Moore). Cela veut dire qu'un locuteur du français réagit devant la question « Une proposition doit-elle être vraie ou fausse ? » comme devant la question « Pleut-il ? » lorsqu'il pleut : dans les deux cas, la réponse est pour lui évidente. Même si le principe du tiers-exclu est beaucoup plus éloigné de la périphérie observationnelle du schème conceptuel que la réponse à la question « Pleut-il ? », et donc plus difficile à « vérifier » (ou à falsifier), le locuteur croit à la vérité du principe du tiers-exclu en partie à cause de la contribution de ce principe à sa description générale de la réalité (celle du sens commun et celle de la science).

Carnap ne peut admettre que Quine qualifie une vérité logique d' « évidente » si par « évidente » il entend l'éti-

38. R. Carnap, in P. A. Schilpp, ed., 1963, p. 916-917.

quette applicable à un énoncé synthétique trivial : l'évidence empirique qui accompagne l'assertion de « J'ai cinq doigts à la main droite » ne saurait, pour Carnap, se confondre avec l'évidence purement intellectuelle qui accompagne l'assertion de « S'il n'existe pas d'homme vertueux dans Sodome, alors tous les hommes de Sodome sont non vertueux ».

Si, pour Carnap, il est absurde de confondre les deux types d'évidence, ce qui est absurde, pour Quine, c'est de croire, conformément à la doctrine linguistique des vérités logiques, que les phrases suivantes doivent leur vérité exclusivement aux règles du langage et de la logique et qu'elles ne révèlent rien sur la réalité :

(31) Un objet ne peut pas simultanément être rouge et vert sur toute sa surface.

(32) Bleu est une couleur.

(33) Une maison est un objet matériel.

Il n'y a pas plus de raison de prétendre que (31) est une règle, fixant l'usage des mots « rouge » et « vert », qu'une description de faits non linguistiques ; ni que (32) fixe l'usage du mot « couleur » plus qu'elle ne décrit un phénomène physique ou physiologique ; ni enfin que (33) fixe l'usage de « objet matériel » plutôt qu'elle ne dépeint l'ontologie du sens commun. Les règles du langage et les faits non linguistiques contribuent conjointement à rendre vrais l'ensemble des énoncés à la vérité desquels nous adhérons. Mais la contribution respective des faits non linguistiques et des règles du langage, à la vérité des phrases individuelles est indécidable.

Chapitre v

LA NATURALISATION DE L'EMPIRISME

L'empirisme logique défendu par Carnap reposait sur trois principes : l'assertion d'un lien étroit entre les propositions synthétiques des sciences empiriques et l'expérience, l'adhésion à la distinction entre les énoncés analytiques et synthétiques, et le discrédit des prises de position ontologiques. Rien ne symbolise mieux la combinaison de ces trois principes que l'usage par Carnap de la méthode de Ramsey (cf. chap. III, sect. 5, p. 153-155).

Toutes choses égales, à supposer qu'on préserve la simplicité globale du langage d'une théorie physique selon qu'on complique la notation logique et qu'on diminue l'emploi d'un vocabulaire descriptif abstrait, ou qu'on simplifie la notation logique et qu'on se donne la liberté d'utiliser un vocabulaire descriptif largement abstrait, Carnap opte pour la première stratégie. Si on applique la méthode de Ramsey à une théorie physique contenant une occurrence du mot « électron » sous prétexte qu'il désigne des entités individuelles difficilement observables, on éliminera cette occurrence, à condition que les nouvelles valeurs données aux variables quantifiées, dans l'énoncé de Ramsey, soient choisies parmi des attributs ou des propriétés (désignées par les lettres grecques).

L'empirisme de Carnap est donc économe, pour ne pas dire avare, d'expressions descriptives abstraites, et généreux, pour ne pas dire prodigue, de son capital logique. Selon cette version de l'empirisme, il est indispensable de minimiser le recours à des termes descriptifs désignant des entités inobservables. Conformément à la doctrine linguistique des vérités logiques, la notation logique se réduit à un ensemble de tautologies sans lien avec la réalité. Donc, on peut compliquer la notation logique sans risquer de faire déraper la théorie physique dans le délire spéculatif de la métaphysique. Enfin, l'évaluation des engagements ontologiques ne donnant lieu qu'à des assertions vides de tout contenu cognitif, les objections nominalistes contre l'emploi de variables prenant pour valeurs des entités d'un type plus élevé que les individus n'ont aucune chance de détourner Carnap d'employer la méthode de Ramsey.

Ayant réhabilité l'ontologie, Goodman et Quine jugent que l'empirisme ne mérite ni cette austérité descriptive ni cette incontinence logique. Si les mérites respectifs de deux versions d'une même théorie s'évaluent à l'aide du critère d'adhésion ontologique, on mesurera les engagements *conjointement* contractés par le vocabulaire logique *et* par le vocabulaire descriptif de chacune des deux. Dès lors, rien ne prouve que l'empirisme réalise le moindre gain à supprimer l'emploi du terme « électron » tout en donnant pour valeurs aux variables liées des classes ou des attributs. Les électrons ne sont pas des entités aisément observables. Ce sont du moins des individus. Les propriétés qui les remplacent, dans la version de Ramsey, ne sont ni des individus ni des entités observables.

Si Carnap tenait tant au « dogme » de la distinction entre énoncés analytiques et synthétiques, c'est qu'à ses yeux il pouvait, à lui seul, concilier l'empirisme et l'existence des vérités logiques. Lorsque, dans les années 1950, à Harvard, Quine tire à boulets rouges sur le concept d'analyticité, Carnap est donc en droit de lui demander s'il va abandonner l'empirisme pour sauver les vérités logiques ; ou s'il va, comme John Stuart Mill, étendre le principe de l'empirisme aux vérités logiques. Quine va mener une double stratégie : d'une part, il attaque les principes logiques et sémantiques utilisés par les défenseurs du concept d'analyticité. Cet assaut donne lieu aux critiques de la notion de synonymie et de la doctrine linguistique des vérités logiques. D'autre part, il remet en question les privilèges traditionnellement accordés aux vérités analytiques : la certitude et la nécessité.

Quels qu'aient été leurs désaccords, les rationalistes et les empiristes classiques faisaient des vérités logiques le paradigme des vérités analytiques. Pour comprendre une vérité logique, c'est-à-dire pour s'assurer qu'elle est vraie, il suffit, semble-t-il, de « penser ». Les vérités logiques doivent leur certitude et leur nécessité à l'esprit seul. Elles sont indépendantes des aléas de l'environnement. Pour comprendre le sens des mots appartenant au vocabulaire logique, il suffit, semble-t-il, de recourir à une introspection mentale. Aucune expérience sensorielle n'est requise. En proposant la doctrine linguistique des vérités logiques, Wittgenstein a donné une forme moderne à une intuition traditionnelle.

Quine critique sans ménagements le conventionnalisme implicite dans la doctrine linguistique des vérités logiques ; et il démystifie tout espoir de réduire les vérités analytiques aux vérités logiques : selon lui, aucun des critères de synonymie proposé ne résiste à une analyse détaillée. Quant à l'espoir d'expliquer les vérités analytiques au moyen de « règles sémantiques » ou autres « postulats de signification », il repose, selon Quine, sur une confusion entre les vertus formelles, comme la commodité à des fins de classification, et la valeur explicative (surtout lorsqu'il s'agit d'expliquer le fait qu'une vérité analytique est réputée connaissable *a priori*, ou que sa négation est réputée absurde).

Mais deux tâches incombent à Quine : montrer que son scepticisme sur les explications disponibles du concept d'analyticité justifie son refus de croire en l'existence de vérités certaines, connaissables *a priori* et nécessaires ; et élaborer une alternative empiriste, conforme à son rejet de l'analyticité.

1. *Le « holisme » et l'empirisme.*

Pour Quine, les différentes versions du principe de l'empirisme présentées par les empiristes logiques sont altérées par deux erreurs. La première consiste à avoir assis une distinction tranchée entre le langage observationnel et le langage théorique sur une distinction fictive entre deux vocabulaires. La seconde consiste à avoir cru qu'un énoncé scientifique était vérifiable individuellement.

Comme l'a montré Putnam [1], la distinction entre le vocabulaire observationnel (V_O) et le vocabulaire théorique (V_T) « n'a pas les reins solides », pour deux raisons différentes. Si

1. H. Putnam, 1962 a, in Putnam, 1975, vol. 1 ; trad. fr. P. Jacob, 1980.

l'empirisme est suspendu à cette distinction, alors il est en danger. Si un terme n'appartient à V_0 qu'à la condition qu'il ne désigne *jamais* des entités inobservables, alors V_0 est une classe vide. Certains termes, comme « Dieu », s'ils sont référentiels, ne désigneront vraisemblablement jamais une entité observable. Mais un empiriste s'en passe sans regret. En revanche, presque tous les termes qu'un empiriste logique inclurait dans V_0 désignent *alternativement* des entités ou des propriétés observables et des entités ou des propriétés inobservables. « Rouge » est vrai d'entités observables, sauf lorsque Newton l'applique dans sa théorie optique à des particules lumineuses. « Violet » est vrai d'entités observables, sauf lorsqu'on parle d'un rayon ultra-violet. « Chaîne » s'applique à des entités observables, sauf lorsqu'un biochimiste l'emploie pour parler d'une séquence d'acides nucléiques. Inversement, « microbe » désigne un être inobservable, sauf lorsqu'on dispose d'un microscope électronique.

Deuxièmement, qualifier n'importe quel terme désignant une entité inobservable de « théorique », c'est souvent trahir la démarche scientifique. Les termes psychologiques de la vie courante, comme « angoisse », « ennui », « douleur », « amour » ou « faim » ne désignent pas des entités observables. Par contre, la plupart des termes descriptifs utilisés par la théorie darwinienne de l'évolution désignent des êtres aisément observables. Faut-il qualifier les premiers de « théoriques » et pas les seconds, lors même que les seconds, mais pas les premiers, appartiennent à un cadre théorique systématique ?

C'est, selon Quine, un méfait de l'impossible quête d'une base indubitable de données sensorielles pures que de croire, comme les empiristes logiques, qu'il existe des mots désignant exclusivement des entités observables. Cette erreur était d'autant plus séduisante qu'elle permettait une reconstruction remarquablement simple de la compréhension et de l'apprentissage d'une langue. Si, en effet, on postule l'existence d'un vocabulaire descriptif observationnel pur et l'existence d'un vocabulaire logique pur, on imaginera que l'enfant commencera par apprendre les mots désignant des êtres accessibles à son observation. Par introspection mentale, il apprendra le vocabulaire logique. Il disposera à ce moment-là des phrases observationnelles et des vérités logiques. Puis, au moyen de « règles de correspondance », il introduira dans son vocabulaire des mots descriptifs de plus en plus abstraits.

En prenant conscience que ce vocabulaire purement observationnel est un mythe, certains « iconoclastes [2] » en profiteront pour rejeter l'empirisme. Pour sa part, Quine préfère « naturaliser » l'empirisme. Cette naturalisation consiste à soumettre l'analyse du comportement linguistique ou cognitif en général aux exigences courantes dans les sciences expérimentales. Le langage et les croyances exprimées par les théories auxquelles adhère le locuteur forment un tissu inextricable, élaboré en réaction aux stimulations sensorielles émises par l'environnement. La tâche de l'empirisme n'est plus de préserver le double succès de la logique et des sciences empiriques de toutes contamination métaphysique. Il s'agit d'étudier, en naturaliste, la formation d'un schème conceptuel en perpétuel remaniement, fait de phrases qui ne sont, individuellement, jamais vraies ou fausses seulement en fonction soit de conventions logiques ou linguistiques, soit de données empiriques brutes.

Deux principes vont guider Quine dans la naturalisation de l'empirisme : au principe du double vocabulaire descriptif il substitue une distinction graduelle entre les phrases, fondée sur la rencontre de l'organisme et des stimulations sensorielles émises par l'environnement. Si le contact entre l'organisme et l'environnement ne s'effectue plus par un stock de mots désignant des entités observables pures et dures, alors, entre l'impact des stimulations sensorielles sur l'organisme et les phrases les plus observationnelles, l'empirisme fait une place aux inférences : les stimulations sensorielles occupent un bout d'une chaîne inférentielle, à l'autre bout de laquelle on recueille les émissions linguistiques de l'organisme. Techniquement, ces deux principes ont respectivement la forme de ce que Quine appelle le concept de « stimulus-signification » d'une phrase et la conception « holiste » de la confirmation d'un énoncé.

Une stimulation sensorielle σ appartient à la stimulus-signification affirmative d'une phrase S, pour un locuteur déterminé, si et seulement s'il existe une stimulation σ' telle

2. W. V. O. Quine, 1970 a, p. 4-5. Cf. chap. VI, sect. 6.

que si on présente σ' au locuteur, et qu'on lui demande si S, puis qu'on lui présente σ, et qu'on lui redemande si S, il répond « non » la première fois, et « oui » la seconde. La stimulus-signification affirmative d'une phrase S est donc la classe des stimulations sensorielles qui provoqueraient l'assentiment d'un locuteur si on lui présentait des paires formées de S et de l'une des stimulations contenues dans la stimulus-signification affirmative de S. La stimulus-signification négative de S est le complément logique de la stimulus-signification affirmative de S : c'est la classe des stimulations qui, appariées à S, provoqueraient le dissentiment du locuteur [3].

Tout le problème est de savoir quelles sont les phrases dont la stimulus-signification épuise la « signification » sans laisser de résidu. Si le naturalisme pousse Quine à se défier de l'idée qu'il existe des mots désignant des « choses » observables à l'état brut, il le pousse *a fortiori* à se défier du *sens* des mots et des *propositions* exprimées par les phrases. Son extensionnalisme et son naturalisme conjugués lui font penser qu'il est de mauvaise méthodologie d'expliquer le comportement linguistique en postulant, sans contrôle expérimental, des contenus sémantiques intensionnels doués d'une vie platonique.

Pour savoir si la stimulus-signification d'une phrase en épuise la signification, il faut examiner le locuteur qui a émis la phrase, afin de déterminer expérimentalement si les stimulations contenues dans sa stimulus-signification affirmative suffisent au locuteur pour fixer la valeur de vérité de la phrase. Alternativement, on peut imaginer un linguiste dont la tâche consiste à traduire dans sa langue maternelle les émissions linguistiques d'un locuteur d'une langue étrangère. Le linguiste cherche à préserver la signification des phrases émises par le locuteur indigène. Pour déterminer si sa traduction préserve convenablement la signification des phrases indigènes, le linguiste confronte sa traduction aux stimulations sensorielles qui, selon son observation, sont contenues dans la stimulus-signification de chaque phrase émise par le locuteur indigène.

Ces exigences expérimentales, qui rattachent Quine au

3. W.V.O. Quine, 1960, p. 31-35.

behaviorisme, contrastent, selon lui, avec trois erreurs commises par ce qu'il appelle « le mythe de la sémantique naïve[4] ». La première erreur est commise par exemple par Locke et Hume lorsqu'ils associent, sous le nom d' « idées », des représentations mentales aux mots, au-delà de toute vérification ou réfutation expérimentales possibles. La seconde erreur est commise par Frege lorsqu'il associe aux constituants linguistiques des phrases et aux phrases des significations intensionnelles platoniciennes, encore au-delà de toute vérification ou réfutation expérimentales possibles. La troisième erreur, commise par Wittgenstein, dans le *Tractatus*, consiste à préjuger que des entités extralinguistiques pures et dures correspondent aux composants linguistiques des phrases non tautologiques autres que les termes logiques. « La sémantique restera corrompue par un mentalisme pernicieux tant que nous considérerons que la sémantique d'un homme est, d'une manière ou d'une autre, déterminée dans son esprit, au-delà de ce qui pourrait être implicite dans ses dispositions au comportement observable[5]. »

Une phrase sera dite « occasionnelle » si elle commande l'assentiment du locuteur seulement en présence d'une stimulation appartenant à la stimulus-signification affirmative de la phrase en question. Si le locuteur continue à donner son assentiment à une phrase après extinction de la stimulation sur sa surface sensorielle, alors cette phrase est « durable » ou « stable » (*standing sentence*).

Si la stimulus-signification épuise la signification d'une phrase, c'est que les stimulations qu'elle contient suffisent pour qu'un locuteur vérifie que sa phrase est vraie, ou pour qu'un linguiste vérifie que sa traduction est appropriée : plus une phrase occasionnelle se prête à une telle vérification, plus elle est observationnelle. Plus elle est observationnelle, moins sa vérification par rapport aux stimulations sensorielles dépend de ses liens à d'autres phrases. Pour un locuteur anglophone, l'expression « Red » est vérifiable ou réfutable, en fonction des stimulations qui bombardent sa surface rétinienne. A peu de choses près, les mêmes stimulations rétiniennes permettront au traducteur de l'anglais au français

4. W.V.O. Quine, 1969, p. 26-27.
5. *Ibid.*, p. 27.

de déterminer que « Red » et « Rouge » sont « stimulus-synonymes ». Mais un locuteur américain, et pas un locuteur français, associera à l'expression « Red » certaines « informations collatérales » propres à sa langue : par exemple, les « red-necks » sont les fermiers blancs du sud des Etats-Unis qui ont la nuque rougie par le soleil. L'expression en est venue à désigner des gens ayant des opinions morales et politiques très conservatrices. Cette information collatérale est propre à « Red » et n'est pas préservée par la traduction « Rouge ».

Contrairement à ce qu'aurait pu croire soit un tenant de l'empirisme logique, soit un défenseur de la sémantique naïve, les informations collatérales perturbent la vérification de la quasi-totalité des phrases occasionnelles. L'intrusion de l'information collatérale dans la vérification des phrases augmente le lien inférentiel entre les stimulations et l'émission linguistique. On peut traiter l'émission linguistique « Duck » sur le modèle de « Red », afin de la ranger dans les phrases les plus observationnelles possibles. On la traduira alors par « Canard ». Mais cette réduction se heurte à deux objections : d'abord, le locuteur peut réagir à un artefact plutôt qu'à un volatile ; ou il peut avoir inféré la présence voisine d'un volatile à partir de signes qui ne font pas partie de la stimulus-signification stricte de « Tiens, un canard ! » Ces signes peuvent appartenir à l'information collatérale associée à l'usage de l'expression « Duck » dans une région de chasse de la Cornouaille, où les chasseurs ont pris l'habitude d'inférer la présence voisine de canards à partir de l'observation de certains moucherons dont les canards sauvages sont friands. Ensuite, à la différence de « Red », l'assertion de « Duck » implique, de la part du locuteur, la croyance en l'existence d'un objet individuel qui est inférée à partir des stimulations rétiniennes plutôt que révélée purement et simplement.

Parmi les phrases durables, certaines sont éternelles : elles sont vraies une fois pour toutes. Tout énoncé un tant soit peu théorique ne peut recevoir de confirmation ou d'infirmation de l'expérience qu'en conjonction avec d'autres phrases. Une théorie, qu'elle soit « délibérée comme un chapitre de la chimie » ou qu'elle soit « notre seconde nature comme la doctrine immémoriale des objets physiques ordinaires, persistants, de taille moyenne », est comparable à une arche : parmi les blocs supérieurs de l'arche figureront des phrases occasionnelles, comme « Il y a du cuivre dans ce tube à essai » et des phrases éternelles comme « L'oxyde de cuivre est vert ». La première ne sera émise par le chimiste qu'à l'occasion des stimulations suscitées par une expérience, d'ailleurs répétable. Mais une telle phrase occasionnelle ne sera émise qu'à l'extrémité d'une chaîne inférentielle, dont le premier maillon sera peut-être la phrase observationnelle « Tiens, le liquide dans le tube a tourné au vert ». Le chimiste inférera peut-être la phrase occasionnelle affirmant la présence du cuivre dans le tube à partir de la conjonction formée de la phrase observationnelle et de la phrase éternelle [6].

L'exemple du chimiste et l'exemple de l'émission « Tiens, un canard ! » montrent que les phrases les plus observationnelles sont déjà truffées d'inférences logiques. D'une manière générale, le « holisme » méthodologique affirme, contrairement au vérificationnisme et au falsificationnisme naïfs, qu'une hypothèse n'est jamais ni vérifiable ni réfutable individuellement par l'expérience. Pour le vérificationnisme naïf, si, d'une hypothèse h, une prédiction p est déductible, et si p est vérifiée, alors h est confirmée. Pour le falsificationnisme naïf, si p est réfutée, alors h est infirmée.

Mais, comme l'a montré le philosophe-physicien français, Pierre Duhem [7], p n'est jamais déductible de h sans une série d'hypothèses auxiliaires. Pour simplifier, supposons que p soit déductible de la conjonction de h et de deux hypothèses auxiliaires. Si p n'est pas réfutée, alors aucune des trois hypothèses ne l'est non plus. Mais, si p est réfutée, alors on a logiquement le choix entre $2^3 - 1$ cas de *modus tollens* valides. Si la conséquence est fausse, sept combinaisons de trois hypothèses, ayant chacune deux valeurs de vérité, peuvent l'expliquer. En général, chaque fois qu'une prédiction déductible de n hypothèses est falsifiée, on a le choix entre $2^n - 1$ cas de *modus tollens* possibles.

6. W.V.O. Quine, 1960, p. 11-12 et 31-46.
7. P. Duhem, 1906.

2. *Révocabilité et essentialisme.*

Pour l'empirisme logique, le langage des sciences empiriques était arrimé à deux points fixes : les phrases formulées dans le langage purement observationnel et les énoncés analytiques, qui incluaient les vérités logiques. La certitude et la nécessité, caractéristiques du langage observationnel, reflétaient l'irrévocabilité d'une description de la réalité observable. L'irrévocabilité des énoncés analytiques était fondée sur des liens purement logiques, accessibles à la pensée pure.

Dans l'empirisme de Quine, la double irrévocabilité du langage observationnel et des énoncés analytiques devient suspecte. Comme on l'a vu, l'application stricte du principe d'extensionnalité montre qu'on ne peut expliquer l'analyticité de l'exemple (16) de la section 4 du chapitre IV en invoquant la nécessité de (16), autrement dit en réduisant (16) à (19). C'est, pour Quine, le signe de l'impossibilité de « quantifier dans des contextes de modalité » : la logique modale est, pour Quine, incompatible avec la quantification. L'attaque de Quine contre la logique modale, fondée sur la primauté des principes de la quantification, comme son attaque contre la notion de synonymie, est destinée à jeter le doute sur la caractérisation traditionnelle, maintenue par l'empirisme logique, des vérités analytiques, jugées irrévocables.

Selon Quine, le fondateur de la logique modale moderne, C. I. Lewis, a commis une erreur typiquement « essentialiste » qui, sans être inscrite dans la logique modale, n'en est pas moins révélatrice de ses présupposés métaphysiques. Lewis a défini une notion d'implication nécessaire entre deux phrases p et q sur le modèle de la définition extensionnaliste du conditionnel « $p \supset q$ » : selon Lewis, « p implique strictement (ou nécessairement) q » est réductible à « Nécessairement non (p et non q) ». Autrement dit, pour Lewis, l'implication stricte (ou nécessaire) est, comme le conditionnel, un opérateur qui relie des phrases. Mais, selon Quine, comme en témoigne la similitude entre les exemples (1) et (2), qui résument la tentative de réduction de l'exemple (16) à l'exemple (19) de la section 4 du chapitre IV, l'analogie entre l'implication nécessaire et le conditionnel est erronée :

(1) La phrase « Aucun célibataire n'est marié » est analytique.
(2) La phrase « Aucun célibataire n'est marié » exprime une vérité nécessaire.

Ce dont témoignent (1) et (2), c'est que les notions d'analyticité et de nécessité sont des prédicats de phrases. Dans (1) et (2), la phrase qualifiée d' « analytique », ou dite « exprimer une vérité nécessaire », est mise entre guillemets. On attache donc, dans (1) et (2), les prédicats « analytique » ou « nécessaire » au nom de la phrase et pas à la phrase elle-même. Par contre, dans « $p \supset q$ », le signe du conditionnel relie deux phrases, et pas leurs noms. Donc, selon Quine, Lewis a confondu l'usage et la mention des phrases en définissant l'implication nécessaire sur le modèle du conditionnel. Pour Quine, le conditionnel est un opérateur reliant des phrases ; mais la nécessité est un prédicat des phrases. Donc, la nécessité est un prédicat attachable au nom des phrases [8].

La confusion entre l'usage et la mention explique, selon Quine, pourquoi Lewis ne s'est pas rendu compte que l'occurrence d'un opérateur de modalité rend une phrase référentiellement opaque. Lewis a, dans ces conditions, cru pouvoir quantifier normalement dans un contexte modal. Ce qui l'oblige à postuler que les entités qui servent de valeurs aux variables liées dans une phrase précédée d'un opérateur modal ont certaines propriétés contingentes et d'autres essentielles — en un mot, à commettre le « péché de l'essentialisme ». Pour tourner en dérision l'ontologie à laquelle donne naissance le péché essentialiste, Quine admet qu'on attribue *de dicto* aux mathématiciens la propriété descriptive d'être nécessairement rationnels et aux coureurs cyclistes d'être nécessairement bipèdes. C'est une façon de les classer [9] :

> Mais que dira-t-on d'un individu qui compte à la fois les mathématiques et la course à bicyclette au nombre de ses excentricités ? Dans la mesure où nous parlons référentiellement de l'objet sans exprimer une préférence pour un regroupement des mathématiciens plutôt que des cou-

8. W.V.O. Quine, 1976, p. 158-84 et W.V.O. Quine, 1960, § 41, p. 195-200.
9. *Ibid.*, p. 199.

> reurs à bicyclette, ou vice versa, cela n'a pas le moindre sens de décréter que certains de ses attributs sont nécessaires et d'autres contingents. Certains de ses attributs peuvent paraître importants et d'autres sans importance ; les uns peuvent paraître persistants et les autres éphémères ; mais aucun nécessaire ou contingent.

Les modalités sont des propriétés des phrases. C'est pourquoi on peut, si l'on y tient, selon Quine, en parler *de dicto*. L'adoption du principe d'extensionnalité et le critère d'adhésion ontologique révèlent que les variables quantifiées dans un contexte non opaque sont seules en position référentielle. L'occurrence d'une modalité rend un contexte référentiellement opaque. Par conséquent, pour Quine, les variables quantifiées à l'intérieur d'un contexte modal ne sont pas en position référentielle. Donc, les notions de modalité *de re,* de nécessité ontologique ou de « monde possible » sont simplement absurdes. Toute attribution de nécessité (ou de possibilité) *de dicto* dépend, non pas d'un objet, mais d'une description. On voit que l'empirisme de Quine divise ce qui est absurde (*unsinnig*) et ce qui est sensé, à la perpendiculaire de Wittgenstein et de Carnap.

Si, selon l'une de ces simplifications dont Quine a le secret, « la science totale est semblable à un champ de forces dont les conditions-limites sont l'expérience [10] », alors, et c'est bien ce qu'implique l'adhésion au « holisme », n'importe quel énoncé contenu dans ce « champ de forces » est révocable. Les deux points fixes de l'empirisme logique (et classique) ont disparu.

« La science totale » devient une tapisserie tissée par l'homme dont les franges sont en contact avec l'expérience sensorielle. Aucun énoncé observationnel isolé n'a de relation biunivoque avec une expérience atomique. Tout conflit entre les prédictions faites par le système global peut être accommodé par la réévaluation d'une composante quelconque du système : cette composante peut se situer à la périphérie, au voisinage de l'expérience ; ou bien elle peut se situer au voisinage du centre. D'un côté, tout énoncé peut être préservé en cas de contradiction entre le système et l'expérience. Il

10. W.V.O. Quine, 1953, p. 42 ; trad. fr. P. Jacob, 1980.

suffit pour cela d'effectuer les réévaluations requises en d'autres points du système. « Même un énoncé voisin de la périphérie peut être réputé vrai en présence d'une expérience récalcitrante, si l'on plaide en faveur d'une hallucination, ou si l'on amende certains des énoncés de l'espèce appelée lois logiques [11]. » Réciproquement, « aucun énoncé n'est à l'abri d'une révision possible », y compris les lois logiques et les énoncés les plus observationnels.

Telle est la morale du « holisme » tirée par Quine. Pour Duhem, il s'agissait d'offrir une méthodologie de la physique plus réaliste que le vérificationnisme naïf. Mais, pour Quine, l'importance du « holisme » réside dans le fait que le moindre test expérimental, « holistiquement » interprété, met implicitement à l'épreuve de l'expérience la logique et les mathématiques, nécessaires à la fois pour formuler les hypothèses des sciences empiriques et pour effectuer les déductions prédictives.

Donc, en principe, selon l'interprétation « holistique » de la confirmation des théories scientifiques, les lois logiques et les énoncés observationnels sont révocables si l'un des objectifs des conjectures scientifiques est de maximiser l'accord entre la totalité du champ de forces et les informations sensorielles recueillies à sa périphérie. Si la tradition philosophique a toujours (à l'exception de Mill) qualifié les lois logiques d' « analytiques », c'est, selon Quine, à cause de leur localisation dans l'ensemble du système de « la science totale ». Ce qui donne l'impression qu'elles sont vraies *a priori*, qu'elles expriment des vérités nécessaires et que la connaissance que nous en avons est certaine, c'est que leur localisation centrale nous rend difficile d'imaginer dans quelles circonstances elles seraient fausses. Non pas que les lois logiques soient des conventions, qui fixent, sans rapport avec la réalité, les règles du jeu de la science, elles-mêmes indépendantes des croyances que nous avons sur la réalité. Nous avons, à travers les sciences empiriques (de la physique à la géographie) certaines croyances sur la réalité, en partie parce que nous adhérons à la logique classique et en partie parce que nous essayons de rendre notre description de la réalité conforme à nos perceptions. Si les Martiens n'adhèrent

11. *Ibid.*, p. 43.

pas spontanément, comme nous, aux lois logiques classiques, leur description de l'univers en sera vraisemblablement modifiée d'autant.

Mais comment savoir si les lois logiques classiques sont vraies *a priori*, si elles expriment des vérités nécessaires, et si, par conséquent, il est naturel que leur connaissance nous paraissent parfaitement certaine ? C'est une chose d'avoir, comme Quine, démoli la doctrine linguistique des vérités logiques : cela prouve que cette doctrine n'a pas les vertus explicatives que Wittgenstein et Carnap lui attribuaient. Mais c'en est une autre de prouver qu'aucune vérité n'est analytique, nécessaire, certaine et *a priori*, en un mot irrévocable.

Le jour où « la science totale » se passera de la logique classique, nous saurons que les vérités logiques classiques ne sont ni analytiques, ni nécessaires, ni certaines, ni *a priori*. En attendant, est-il possible de donner un argument réfutant l'imputation d'analyticité aux vérités logiques ? On peut toujours débattre de la plausibilité *a priori* de la révision des lois logiques.

Quine rappelle à juste titre qu'au moins cinq vérités ont, dans l'histoire des sciences, connu le sort suivant : elles ont joui du statut de vérité analytique, puis elles ont été révoquées. Avant Copernic, le géocentrisme était une vérité analytique. Avant Kepler, le mouvement circulaire des planètes en était une autre. Avant Einstein, la croyance en l'existence d'événements simultanés à distance, indépendamment de tout cadre de référence, en était une aussi, ainsi que le caractère euclidien de l'espace physique. Avant Darwin, la fixité des espèces en était une dernière. Quine cite alors le fait que l'abandon du principe du tiers-exclu a été proposé comme une conséquence de la mécanique quantique : « Et quelle différence y a-t-il, en principe, entre un tel changement et le changement par lequel Kepler a remplacé Ptolémée, Einstein Newton, ou Darwin Aristote ? »

L'invocation des révolutions intellectuelles permet certes de poser la question, mais permet-elle d'y répondre ? Peut-on par induction à partir du changement de géométrie, de cosmologie, ou de biologie présumer (pour ne pas dire prédire) un changement éventuel de logique ? N'est-ce pas justement commettre une pétition de principe que de postuler une analogie entre l'histoire de la géométrie, l'histoire de la physique ou de la biologie, et le destin de la logique ? C'est, à n'en pas douter, ce qu'un défenseur de l'analyticité des vérités logiques classiques objecterait à l'argument de Quine.

En 1956, les deux philosophes anglais du langage ordinaire, P. F. Strawson et H. P. Grice, ont opposé à la tentative de Quine consistant à assimiler le statut de la logique à n'importe quelle science empirique deux objections, qui reposent elles aussi sur une pétition de principe [12]. Ils commencent par faire remarquer que les critiques linguistiques et logiques de Quine contre le recours aux notions de synonymie, définition, règles sémantiques, postulats de signification et nécessité pour expliquer le concept d'analyticité doivent être placées sur le plateau d'une balance, sur l'autre plateau de laquelle on placerait l'ensemble des intuitions, selon eux, convergentes, dont font preuve à la fois l'histoire de la philosophie et les locuteurs des langues naturelles. Ces intuitions témoigneraient de l'existence d'une « classe ouverte » d'énoncés analytiques qui ne sont pas révocables de la même manière que les énoncés exprimant des croyances factuelles sur le monde. Selon eux, Quine aurait simplement exprimé son insatisfaction « méthodologique » à l'égard des explications, fournies par les philosophes, de faits attestés par l'intuition. La critique de Quine ressemblerait, si l'on veut, aux objections exprimées par les cartésiens contre la loi newtonienne de la gravitation universelle, sous le prétexte qu'elle n'expliquait pas l'existence d'une force d'attraction entre les corps en des termes conformes aux exigences du mécanisme cartésien.

Mais, d'une part, des expériences menées à Genève par Piaget et son équipe [13] mettent en doute l'existence d'intuitions nettes sur la différence entre les énoncés analytiques et synthétiques dans les langues naturelles : les intuitions paraissent notoirement vacillantes. D'autre part, du fait que la quasi-totalité de l'humanité a cru à l'existence de fantômes, Grice et Strawson vont-ils en inférer que ces croyances témoignent de l'existence de maisons hantées par des morts-

12. H. P. Grice et P. F. Strawson, 1956.
13. L. Apostel, W. Mays, A. Morf et J. Piaget, 1957.

vivants ? Ou chercheront-ils une explication anthropologique à l'existence de ces croyances qui fasse l'économie de l'assertion que les fantômes existent. (De cette assertion coûteuse, on peut évidemment déduire élégamment une explication des croyances !)

Ils affirment ensuite que, même si un énoncé analytique ou une loi logique classique étaient révoquées, ce changement serait différent d'un simple changement de croyance. Le passage du géocentrisme à l'héliocentrisme est, pour eux, un changement de croyance ou de théorie. Ce changement préserve les règles qui spécifient la signification des mots. Au lieu de croire que la Terre occupe le centre de l'univers, l'héliocentrisme affirme que la Terre tourne autour du Soleil. Les termes logiques et les termes descriptifs gardent leur signification : la preuve en serait que les partisans et les adversaires de l'héliocentrisme se comprennent les uns les autres et peuvent échanger des arguments (cf. chapitre VI, sections 5-6).

Par contre, l'assertion de la négation d'un énoncé analytique serait, selon eux, analogue à un changement de la signification du langage lui-même : un partisan et un adversaire de la négation d'un tel énoncé n'aurait plus de langage commun pour se comprendre.

Grice et Strawson, à l'appui de leur distinction entre un désaccord sur des croyances et un désaccord sur le langage, citent la paire de conversations suivantes :

(A) — Le fils de ma voisine, qui a trois ans, comprend la théorie des types de Russell.
— Vous voulez dire que l'enfant est spécialement brillant.
— Non, je veux dire ce que je dis : il comprend cette théorie.
— Je ne vous crois pas. C'est impossible.

(B) — Le fils de ma voisine, qui a trois ans, est un adulte.
— Vous voulez dire qu'il est incroyablement intelligent, ou qu'il est particulièrement en avance pour son âge.
— Non, je veux dire ce que je dis.
— Peut-être voulez-vous dire qu'il ne grandira

plus, ou qu'il est anormal, qu'il a déjà fini de grandir.

— Non, il n'est pas anormal ; c'est simplement un adulte.

A l'issue de la conversation (A), l'un des protagonistes conclut qu'il *ne croit pas* son interlocuteur. A l'issue de (B), il conclut qu'*il ne le comprend pas.*

Dans sa réponse à la critique par Quine de la doctrine linguistique des vérités logiques [14], Carnap opère exactement la même distinction que Grice et Strawson. Il imagine deux linguistes en désaccord sur la question de savoir si la phrase suivante exprime un énoncé analytique :

(3) Tous les corbeaux sont noirs.

Il suggère que les linguistes testent empiriquement leur hypothèse respective, en posant à un locuteur du français la question suivante : « Nous avons découvert l'existence d'un corbeau blanc. Si nous vous le montrons demain, remettrez-vous en cause votre croyance à la vérité de (3) ? » Selon que le locuteur répondra par (C) ou par (D), le partisan ou l'adversaire de l'analyticité de (3) aura reçu une confirmation expérimentale.

(C) — « Il est exclu qu'il existe des corbeaux blancs. Ce que vous appelez "un corbeau blanc" n'est simplement pas un corbeau. »

(D) — « Tiens, je n'aurais pas cru qu'il existait des corbeaux blancs. Mais si vous m'en montrez un, je suis tout prêt à admettre que tous les corbeaux ne sont pas noirs. »

La raison pour laquelle l'invocation par Strawson, Grice ou Carnap de la distinction entre un changement de croyance (ou de théorie) et un changement de langage est une pétition de principe est la suivante : contrairement à ce que prétendent Grice et Strawson, rien n'empêche d'interpréter la prétendue « incompréhension » du protagoniste de (B) comme un *désaccord* avec son interlocuteur. La frontière entre un désaccord (entre des croyances) et une incompréhension (due à une

14. R. Carnap, in P. A. Schilpp, ed., 1963, p. 920.

différence de langages) est arbitraire : qu'est-ce qui prouve que « avoir trois ans » et « comprendre la théorie des types de Russell » violent simplement un système de croyances ; alors que « avoir trois ans » et « être un adulte » est une violation plus grave — une violation linguistique ?

De même, le locuteur qui répond (C) à l'enquête des linguistes exprime autant une croyance « sur le monde » que celui qui répond (D). Si, avec Quine, on refuse de préjuger de l'existence d'une distinction théorique et universelle entre le sens « authentique » des mots et l' « information collatérale », qui leur est associée par les usagers d'une langue, alors les réponses de Grice, Strawson et Carnap ne prouvent pas l'existence d'une telle distinction ; elles se contentent de la présupposer.

Pour Quine, cette différence entre un changement de théorie et un changement de langage ne repose sur aucun fait objectif : on peut la tracer arbitrairement. On se trouve donc confrontés à la situation suivante : les défenseurs de l'existence d'une classe d'énoncés analytiques font une pétition de principe lorsqu'ils affirment qu'il existe une différence entre changer de théorie et changer de langage. Quine commettrait une pétition de principe s'il croyait pouvoir inférer, par induction, que la logique est révisable du fait que la géométrie euclidienne et la mécanique newtonienne ont été révisées.

A supposer que Quine veuille substituer à une méthodologie fondée sur la distinction entre les énoncés analytiques et synthétiques une méthodologie fondée sur le principe affirmant que tout énoncé est révocable, ne se mettrait-il pas en contradiction ? Si, en effet, tout principe est révisable, qu'en est-il de ce principe lui-même ? Quine pourrait à bon droit répondre que ce principe aussi est révisable et qu'il n'y a nulle contradiction : ce principe peut se révéler faux ; mais sa négation pourrait se révéler fausse ultérieurement, et ainsi de suite.

En 1962, puis en 1978, Hilary Putnam, qui partage l'irritation de Quine devant les abus de la distinction entre les énoncés analytiques et synthétiques, a entrepris de compliquer encore le tableau, en défendant l'existence d'une classe inoffensive d'énoncés analytiques. Selon lui [15], les lois fonda-

15. H. Putnam, 1962 b.

mentales de la physique ne sont ni irrévocables ni réfutables par une expérience isolée. Elles cadrent donc mal avec une division exhaustive entre énoncés analytiques (vrais par convention) et synthétiques (vrais ou faux, selon le verdict de l'expérience). L'avènement de la relativité a par exemple modifié la quantité physique associée au concept d' « énergie cinétique ». Mais ce changement ne représente pas un simple changement de « définition » : le terme était, avant l'avènement de la relativité, associé a une certaine « famille de lois » ; il est, après l'avènement de la relativité, associé à une famille différente.

Pour Putnam, lorsqu'un terme se trouve pris dans une famille de lois (ce qui est le cas pour tous les concepts de la physique), aucun des énoncés dans lesquels il figure n'est analytique. En revanche, le terme « célibataire », qui figure dans l'exemple (16) de la section 4 du chapitre IV, paraît, à première vue, démuni de liens systématiques avec une famille de lois. Peut-on prédire qu'il restera toujours dans cet état ? C'est ce que propose Putnam.

Si la classe des célibataires est un pur artefact juridique, il paraît « rationnel » de parier que le terme « célibataire » ne fera jamais partie du vocabulaire d'une théorie scientifique. Si cette classe ne forme pas une « espèce naturelle », alors on peut sans courir le risque de se tromper prédire qu'aucune loi scientifique ne s'y appliquera jamais. Mais comment le savoir ?

Sans en avoir de preuve conclusive, nous pouvons simplement utiliser nos connaissances disponibles. Elles nous donnent des raisons de poser qu'à moins d'adopter une nouvelle « définition » du mot célibataire nous ne rencontrerons aucun « fait expérimental » nous conduisant à changer d'opinion sur la valeur de vérité de (16).

Dans ces circonstances, nous pouvons sans remords qualifier (16) d' « analytique », c'est-à-dire traiter (16) comme un point inamovible de notre langage. Mais l'affirmation que (16) est analytique devient une assertion elle-même *réfutable*. Elle serait réfutée si nous découvrions qu'une loi scientifique s'applique à tous les célibataires et à eux seuls : si, par exemple, il s'avérait qu'ils souffrent d'une névrose de frustration sexuelle qui leur est propre. Prédire que (16) est analytique, c'est donc faire un pari sur l'avenir de la science : ce pari peut être à la fois « rationnel » et révisable.

Putnam s'est ensuite demandé s'il est « rationnel » d'adhérer au principe affirmant que tous les énoncés sont révocables [16]. S'il existait un seul énoncé irrévocable, alors ce principe serait infirmé. La démarche de Putnam n'est pas sans rappeler celle de Moore, trois quarts de siècle plus tôt. Mais leurs conclusions sont opposées.

Si tous les énoncés étaient révocables, alors on peut prédire qu'un jour il sera « rationnel » d'affirmer la négation du « principe minimal de non-contradiction » qui dit : il est faux que tous les énoncés soient simultanément vrais et faux (ou, plus simplement, que tous les énoncés soient vrais). Lorsque ce jour sera venu, nous affirmerons par conséquent que tous les énoncés sont vrais et faux (ou, simplement, qu'ils sont vrais). Supposons, conformément à l'induction esquissée par Quine, que notre adhésion actuelle au principe minimal de non-contradiction soit comparable à l'adhésion des physiciens prérelativistes à l'idée que l'espace physique est euclidien. Dans ces conditions, le mécanisme par lequel nous abandonnerons éventuellement le principe minimal de non-contradiction devrait être analogue à l'abandon de la croyance que l'espace physique est euclidien. Deux conditions étaient requises pour que les physiciens affirment que l'espace n'est pas euclidien : premièrement, il fallait qu'il existe au moins une géométrie non euclidienne. Deuxièmement, il fallait qu'il existe une théorie physique qui offre des raisons de rejeter le caractère euclidien de l'espace physique et qui soit supérieure à la théorie physique compatible avec le caractère euclidien de l'espace. Ces conditions étaient réunies avec l'avènement de la relativité générale.

Pour qu'il devienne un jour aussi « rationnel » d'abandonner le principe minimal de non-contradiction qu'il le fut de changer d'opinion sur l'espace, il faudrait que, ce jour-là, nous adoptions une théorie « physique » qui nous y force. On peut, selon Putnam, prédire le contenu de cette théorie : elle serait composée de tous les énoncés et de leurs négations. Ce jour-là, il sera devenu « rationnel » de penser simultanément que « Paris est plus grand que Tokyo » et que

16. H. Putnam, 1978 a, trad. fr. T. Morran, 1979.

« Paris n'est pas plus grand que Tokyo » ; que « 5 est la racine carrée de 25 » et que « 5 n'est pas la racine carrée de 25 »...

Avant l'avènement de la relativité, il était inconcevable qu'il existât un état de la réalité physique qui contredît la géométrie euclidienne. Aujourd'hui, il est inconcevable qu'il existe un état de la réalité qui corresponde à l'assertion : « Paris est plus grand que Tokyo et Paris n'est pas plus grand que Tokyo. » Ces deux inconcevabilités sont-elles, comme l'a laissé entendre l'induction de Quine, du même ordre ? Manquons-nous aujourd'hui de l'imagination qui manquait aux physiciens prérelativistes ?

Putnam a le courage d'apporter une réponse à cette impossible question. D'ailleurs, sa réponse semble compatible avec le point de vue de Quine. Si celui-ci a suggéré que tout énoncé est révisable, il n'en a pas moins soutenu que la révocabilité des lois logiques et des énoncés observationnels les plus voisins de la périphérie d'un système conceptuel serait une opération mentalement improbable [17]. Le *conservatisme* nous retient de réévaluer un énoncé observationnel périphérique, en plaidant par exemple une hallucination. Donc, la révision d'un énoncé observationnel, sans être une impossibilité logique, est rendue d'autant moins plausible qu'on adhère au principe de l'empirisme.

Lorsque, par ailleurs, on envisage la révision des lois logiques, on est, selon Quine, tiraillés par deux forces contraires [18] : le conservatisme et le désir de simplifier le schème conceptuel. Le conservatisme nous retient de réviser les lois logiques, parce qu'elles occupent le centre de notre schème conceptuel. Mais, justement, parce que les lois logiques occupent cette position centrale, leur révision pourrait bien représenter la simplification la plus radicale de notre système conceptuel global.

Or, c'est le conservatisme, qui, aux yeux de Quine, a rendu si séduisante la doctrine linguistique des vérités logiques. C'est parce que les vérités de la logique classique sont tellement centrales que nous jugeons des mérites d'une logique non classique (comme l'intuitionnisme, qui prétend se passer

17. W. V. O. Quine, 1970a, p. 4-5.
18. W. V. O. Quine, 1950, p. 2-5.

du principe du tiers-exclu) par référence à la logique classique. C'est pour la même raison qu'un anthropologue qui étudierait une culture totalement étrangère et qui traduirait une assertion indigène comme « p ka bu p » (où « p » représente une phrase quelconque), par « p et non-p », ferait mieux de revoir sa traduction de « ka » et de « bu » par « et » et « non », plutôt que de se justifier en invoquant la fameuse doctrine de Lévy-Bruhl selon qui certains peuples sont « prélogiques » : « la prélogicalité est un trait injecté par les mauvais traducteurs [19] ». Autrement dit, il est raisonnable de suivre une stratégie « conservatrice » en anthropologie. L'erreur de la doctrine linguistique des vérités logiques est de croire que celles-ci sont « vraies par convention ». Mais cette erreur provient de ce qu'il nous est difficile de penser sans elles.

Ce qui, selon Putnam, rend l'inconcevabilité de l'état de la réalité correspondant à la négation du principe minimal de non-contradiction qualitativement différente de l'inconcevabilité de la réalité physique correspondant à une géométrie non euclidienne avant l'avènement de la relativité est le fait suivant. Les physiciens qui ont « rationnellement » comparé les mérites de la relativité générale et de la théorie newtonienne de la gravitation pouvaient examiner calmement les prédictions concevables et vérifiables auxquelles les deux théories donnaient lieu. Si nous comparons maintenant les prédictions auxquelles donnent lieu notre présente théorie de la nature (qui sert de cadre à notre adhésion au principe minimal de non-contradiction) et la théorie rivale (censée servir de cadre à l'adoption de la négation du principe de non-contradiction), nous sommes confrontés à une situation fort différente. Notre théorie actuelle donne lieu à des prédictions vérifiables ou réfutables : par exemple, si j'ouvre une boîte fermée, j'observerai un ruban de papier rouge. Cette prédiction est vraie ou elle est fausse. En tout cas, elle est parfaitement concevable. Mais sa rivale donne lieu à des prédictions littéralement inconcevables : par exemple, si

19. W. V. O. Quine, in P. A. Schilpp, ed., 1963, p. 387 ; cf. aussi Quine, 1970 c, trad. fr. J. Largeault, 1975, chap. 6 et 7, et Quine, 1960, § 13, p. 58-60.

j'ouvre une boîte fermée, j'observerai un ruban rouge et je n'observerai pas un ruban rouge. Non que je prédise que le ruban sera à moitié rouge et à moitié non rouge : il sera simplement rouge et non rouge.

Comme je n'ai littéralement pas la moindre idée de ce à quoi « la réalité » doit ressembler pour que cette prédiction soit vérifiée ou réfutée, je peux, selon Putnam, conclure qu'il ne sera jamais rationnel d'adopter une théorie faite de tous les énoncés et leurs négations. Mais, comme cette théorie devait représenter la raison de renoncer au principe minimal de non-contradiction, il devient également rationnel de conférer à ce principe le statut d'une vérité irrévocable. Notons en passant que ce principe, qui nie que tous les énoncés soient simultanément vrais et faux, n'est pas incompatible avec l'existence de certains énoncés vrais et faux (ce qui pourrait être requis par une logique quantique).

3. *Quine est-il conventionnaliste ?*

A la différence de Wittgenstein ou Carnap, la philosophie est, pour Quine, comme l'ontologie, en continuité avec les sciences. En ce sens, nulle philosophie n'est perpétuelle. Mais, à la différence des sciences, nulle philosophie ne peut vraisemblablement échapper, sinon à des contradictions logiques, du moins à certaines tensions. Sans doute est-ce la rançon que doit verser toute entreprise authentiquement synthétique, même l'empirisme, à la rigueur.

Quine semble devoir ne pas échapper à la règle : tout énoncé, des plus observationnels aux lois logiques, est, conformément à la théorie « holistique » de la confirmation, révocable. Pourtant, le recours à l'empirisme et au conservatisme logique rend presque nulle la probabilité de la remise en question de la vérité respective des énoncés les plus périphériques et les plus centraux d'un schème conceptuel.

Il existe au cœur de la pensée de Quine une tension parallèle à celle-ci, mais encore plus profonde. Depuis le début de sa carrière, au milieu des années 1930, Quine s'est montré un adversaire redoutable de la philosophie conventionnaliste des vérités logiques et mathématiques. C'est le sens général de ses critiques acérées contre la doctrine linguistique des vérités logiques et de ses attaques répétées contre la distinction entre les énoncés analytiques et synthétiques.

Or, paradoxalement, son adhésion à un empirisme radical conjuguée à son anthipathie pour toutes les versions de la « sémantique naïve » finissent par le ramener à un conventionnalisme particulièrement subtil. Ce conventionnalisme porte, chez Quine, plusieurs noms : « l'indétermination de la traduction radicale », « la relativité de l'ontologie » et « l'inscrutabilité de la référence ». Trois façons de dire la même chose : si on lui accorde les prémisses de base de l'empirisme naturalisé, Quine se fait fort de nous démontrer que toutes les hypothèses destinées à interpréter le sens et la référence d'expressions linguistiques à la fois inoffensives et incontestablement référentielles sont tout simplement privées de valeur de vérité : elles ne sont ni vraies ni fausses.

On se souvient que Quine dirigeait le « holisme » et la « stimulus-signification » contre les erreurs du vérificationnisme naïf et de la sémantique naïve. Aux positivistes logiques, il ne reprochait pas d'assimiler la signification cognitive des phrases (d'un langage empiriste) et leur vérifiabilité. Il leur reprochait de croire que les phrases sont individuellement vérifiables. Aux contenus mentaux de Locke et Hume, aux contenus intensionnels platoniques de Frege, à la théorie du langage-copie de la réalité de Wittgenstein, il reprochait d'être invérifiables ou irréfutables par les données de l'expérience.

Une théorie sémantique empiriste est une théorie expérimentale. Une théorie expérimentale formule, sur le comportement des locuteurs, des hypothèses testables. Or, une théorie sémantique explicite est un ensemble d'hypothèses sur la signification des phrases d'une langue. Une théorie sémantique implicite est d'ailleurs à l'œuvre dans tout exercice de traduction des phrases d'une langue dans une autre. Les hypothèses sémantiques conformes aux exigences expérimentales de Quine pourront donc être évaluées à titre de principes de traduction.

Si on laisse de côté le mentalisme encore tâtonnant de Locke et de Hume, les exigences empiristes de Quine apparaissent dans toute leur rigueur lorsqu'on compare sa sémantique, fondée sur le concept de stimulus-signification, aux principes sémantiques de Frege et Wittgenstein, qu'il rejette.

Premièrement, avec Wittgenstein, Quine considère que Frege confère un statut référentiel à un trop grand nombre d'expressions linguistiques. Wittgenstein avait déjà rejeté l'idée que les constantes logiques possèdent une référence platonique. En généralisant la méthode d'élimination des descriptions définies, créée par Russell, Quine applique à Wittgenstein (et *a fortiori* à Frege) la critique que Wittgenstein adressait à Frege.

Deuxièmement, Quine n'admet pas la sémantique à la fois platonicienne, intensionnaliste et compositionnelle de Frege. Pour Frege, la relation référentielle entre le langage et la réalité extralinguistique est médiatisée par les propositions exprimées par les phrases et le sens de leurs constituants. Les propositions et le sens d'un constituant sont des entités intensionnelles platoniques. Selon Frege, l'usage d'une langue consiste à maîtriser la relation référentielle entre celle-ci et la réalité. Cette maîtrise dépend de la compréhension, par le locuteur, du sens des propositions et de leurs composants. Le sens d'une proposition se construit par composition du sens de ses parties. Il représente une sorte de télescope, qui permet au locuteur de déterminer la référence de la proposition et de ses constituants. Plus exactement, en saisissant le sens d'une partie, le locuteur détermine si elle a une référence : si je comprends le sens de l'expression « Le nombre entier le plus grand de tous les nombres », je sais qu'elle est dénuée de référence. Lorsque je sais qu'un constituant linguistique a ou n'a pas de référence, je peux déterminer si la proposition a ou non une référence.

Comment ces entités intensionnelles platoniques que sont les propositions et leurs composantes sont-elles « cueillies » pour faire l'objet de représentations mentales ? Sans critère de synonymie, comment savoir si deux intensions sont identiques ? Si l'on ne dispose pas de principe d'individuation des intensions, comment identifier les prétendues entités intensionnelles ?

C'est justement son scepticisme sur la possibilité de donner une réponse à ces questions qui éloigne Quine de la « sémantique naïve ». Le but de son recours à la stimulus-signification est de contourner ces questions embarrassantes et d'offrir une alternative à la sémantique naïve.

Or, le concept de stimulus-signification est une propriété

des *phrases* émises par un locuteur — du moins, le traducteur imaginaire de Quine traite-t-il les émissions linguistiques du locuteur indigène comme des phrases. La stimulus-signification d'une phrase permet de vérifier sa valeur de vérité, autrement dit de lui attribuer une « signification ». Donc, dans la sémantique « critique » de Quine, les phrases et leur stimulus-signification sont les entités primitives.

Négligeons les phrases dites « durables » (ou « stables »), pour examiner les phrases occasionnelles, qui, selon la méthodologie préconisée par Quine, doivent se prêter le mieux à la traduction conforme à ses exigences empiristes. Toutes les incertitudes de la traduction des phrases occasionnelles se reporteront *a fortiori* sur la traduction des phrases durables.

Aux phrases occasionnelles, le locuteur indigène ne donne son assentiment qu'en présence des stimulations contenues dans leur stimulus-signification ; le traducteur vérifie donc ses traductions en examinant les stimulations qui entraînent l'assentiment du locuteur à qui le traducteur répète, en écho, et sur un ton interrogatif, ses assertions. Une telle procédure présuppose que le traducteur a identifié dans l'idiome indigène les signes d'acquiescement et de négation. Dans le jargon sans scrupule de la sémantique naïve, le traducteur espère préserver tout le contenu de signification exprimé par les phrases occasionnelles indigènes — c'est-à-dire toutes les « attitudes propositionnelles » exprimées par ces phrases. Mais ces entités mentales existent-elles vraiment ? Y a-t-il, au-delà des émissions linguistiques observables du locuteur indigène, des intensions déterminées « dans sa tête » ?

Considérons les phrases occasionnelles apparemment inoffensives qu'un locuteur anglophone émet dans la vie quotidienne ; et examinons leurs traductions en français :

(1) I have a head-ache.
J'ai mal à la tête.
(2) My foot hurts.
J'ai mal au pied.
(3) I am hungry.
J'ai faim.
(4) His hair is red.
Il a les cheveux roux.

Pour un locuteur parfaitement bilingue, des stimulations

exactement identiques provoqueraient l'assentiment à l'émission de la version française ou anglaise de (3) et (4). Est-ce à dire que, pour lui, l'emploi de l'auxiliaire *to be* en anglais et l'emploi de l'auxiliaire *avoir* en français, dans ces deux contextes, expriment exactement les mêmes *états mentaux* ? Indéniablement, les versions françaises et anglaises de chacune des quatre paires (1)-(4) ont les mêmes conditions de vérité : elles ont les mêmes stimulus-significations. Au-delà, l'imputation d'identité intensionnelle devient invérifiable. L'erreur impardonnable de la sémantique naïve consisterait à prétendre que la douleur à la tête et la douleur au pied sont la référence univoque de l'assertion des deux versions de (1) et de (2) ; et que le locuteur qui comprend ces deux paires de phrases associe chaque paire à la représentation mentale d'une signification ou d'une proposition qui se détache d'autres significations ou d'autres propositions comme un contenu individuel.

Pourtant, le locuteur bilingue qui comprend les deux versions de (4) « sait » que, s'il affirme (4) et (5), il se contredit :

(5) He is bald.
Il est chauve.

La sémantique empiriste anti-platonicienne doit rendre compte de ce « fait intuitif » sans recourir à des entités intensionnelles.

Cela ne pose pas de problème : la classe des stimulations qui provoqueraient l'assentiment du locuteur à (4) fait partie de la classe des stimulations émises par les individus chevelus. Cette classe est disjointe de celle qui provoquerait l'assentiment du locuteur à (5). D'ailleurs, la même méthode permet d'expliquer la « synonymie intrasubjective » des deux phrases occasionnelles : « Célibataire » et « Personne non mariée ». Pour chaque locuteur, ces deux phrases ont la même stimulus-signification. Ce qui rend ces deux phrases occasionnelles « peu observationnelles », c'est que leur vérification par deux locuteurs différents est fortement perturbée par l'information collatérale non incluse dans la stimulus-signification.

Considérons maintenant le cas, simplement évoqué à la section 2, d'une phrase occasionnelle observationnelle émise devant un anthropologue parisien imaginaire par un locuteur appartenant à une culture « radicalement » étrangère : s'il n'existe ni grammaire de la langue indigène ni dictionnaire entre cette langue et la langue de l'anthropologue, celui-ci est confronté à une tâche de « traduction radicale ». Si, de surcroît, il partage les réserves de Quine sur la sémantique intensionnelle, il limitera le stock de données grâce auxquelles il vérifiera ses hypothèses à la stimulus-signification des phrases émises par son informateur indigène.

Supposons, pour commencer, que simultanément, il observe le passage d'un lapin et entende son informateur émettre « Gavagai ». Supposons qu'il fasse l'hypothèse plausible que « Gavagai » veut dire « Lapin ». Comment va-t-il procéder pour vérifier son hypothèse ?

Supposons d'abord qu'il traite l'émission indigène et sa traduction comme des phrases. Ce qu'il suppose être la stimulus-signification affirmative de « Gavagai » est-elle nécessaire et suffisante pour vérifier sa traduction ? Pour montrer qu'elle n'est pas nécessaire, on peut inventer la situation possible suivante : supposons que l'anthropologue qui a identifié les signes d'assentiment et de dissentiment de son interlocuteur lui propose sur un ton interrogatif « Gavagai ? » dans l'espoir de provoquer son assentiment à la moindre apparition d'une silhouette léporiforme. Supposons aussi qu'à l'insu du malheureux anthropologue parisien son informateur sache détecter la présence du référent (quel qu'il soit) de « Gavagai » grâce à des traces laissées dans l'herbe. L'informateur acquiescera ainsi à « Gavagai ? » sans que la rétine de l'anthropologue ne soit le moins du monde irradiée par une stimulation léporiforme.

Mais la stimulus-signification de « Lapin », pour l'anthropologue, ne suffit pas non plus à vérifier son hypothèse de traduction. Supposons que l'informateur n'acquiesce à « Gavagai ? » qu'en présence d'une silhouette léporiforme, susceptible de servir de cible au tir à l'arc, il pourrait alors exprimer son dissentiment en présence de stimulations contenues dans la stimulus-signification affirmative de « Lapin » pour l'anthropologue.

A d'aucuns, cette démonstration du caractère non nécessaire et non suffisant des données fournies par la stimulus-signification pour vérifier la traduction de phrases indigènes aussi inoffensives servirait d'argument pour conclure que le concept de stimulus-signification ne fournit même pas une bonne approximation de la « signification » de phrases observationnelles. A quoi bon s'obstiner, dans ce cas, à maintenir une base de données expérimentales aussi austère et inadéquate ? Si Quine se refuse à une telle conclusion, c'est qu'un tel argument commet, selon lui, une pétition de principe : ceux qui rejettent la stimulus-signification, sous le prétexte qu'elle ne fournit pas des critères de traduction nécessaires et suffisants des phrases observationnelles attribuent *a priori*, par préjugé, une signification invérifiable à ces phrases.

L'une des hypothèses psychologiques (ou anthropologiques) implicites qui a, malgré toutes les incertitudes, guidé l'anthropologue parisien (presque à son insu) dans le choix de « Lapin » pour traduire « Gavagai », c'est la présomption que l'ontologie de l'indigène et la sienne sont identiques : inconsciemment, il présuppose que les êtres humains, malgré leurs différences culturelles et linguistiques, à un certain niveau de base, découpent le monde en fonction des mêmes catégories. Mais, pour vérifier cette hypothèse tacite, l'anthropologue ne peut plus se contenter de la stimulus-signification des phrases non analysées émises par son informateur indigène.

Il doit procéder à une analyse linguistique des phrases : il lui faut faire des hypothèses sur la structure interne des phrases. Or, pour Quine, à ce moment-là, tout change. Tant qu'il vérifiait ses hypothèses sur la stimulus-signification des phrases non analysées, ses hypothèses partageaient le sort commun aux hypothèses scientifiques : elles possédaient le même degré d'incertitude inductive — comme en témoigne la démonstration du caractère non nécessaire et non suffisant de la stimulus-signification, pour établir de manière définitive les hypothèses de traduction. Mais cette incertitude inductive normale n'enlève nullement aux hypothèses de traduction leur respectabilité.

En revanche, selon Quine, les hypothèses sur la structure interne des phrases émises par le locuteur indigène ne jouissent plus du même statut. La méthode de traduction par identification de la stimulus-signification des phrases non analysées permet de formuler des hypothèses sur une classe appréciable de phrases occasionnelles (plus ou moins observationnelles). Elle permet d'identifier, dans la langue indigène, les expressions qui servent de symboles (approximatifs) aux connecteurs propositionnels — à deux types d'incertitude près. D'une part subsiste l'incertitude inductive déjà mentionnée. D'autre part s'ajoutent les écarts de signification, qui existent dans toutes les langues naturelles, entre l'usage logique des connecteurs propositionnels (« & », « v », « ⊃ », etc.) et leurs traductions approximatives dans les langues naturelles (en français, « et », « ou », « si... alors », etc.). A ces réserves près, l'anthropologue pourra déterminer, si elles existent, les expressions indigènes servant de symboles à la négation, la conjonction et la disjonction : le symbole de négation sera celui qui transforme une phrase observationnelle à laquelle l'informateur indigène donne son acquiescement en une nouvelle phrase à laquelle il donne son dissentiment. Le symbole de conjonction reliera deux phrases atomiques en une nouvelle phrase moléculaire, à laquelle l'informateur ne donnera son assentiment que si et seulement s'il le donne à chaque phrase atomique. Le symbole de disjonction reliera deux phrases atomiques en une phrase moléculaire à laquelle l'informateur ne donnera son dissentiment que si et seulement s'il donne son dissentiment à chaque phrase atomique [20].

Aux réserves près mentionnées quant à l'analogie entre les langues naturelles et la logique, le passage de la traduction des phrases non analysées à la traduction des constituants de ces phrases correspond au passage de la logique propositionnelle à la logique des prédicats — autrement dit, le passage de l'étude logique des relations entre propositions à l'étude logique de la structure intra-propositionnelle.

On se souvient que la notation en quantificateurs et variables avait été introduite par Frege et Russell pour décrire la forme logique authentique de phrases des langues naturelles contenant l'occurrence d'expressions linguistiques « quantificationnelles » comme dans « Tous les hommes aiment une femme » (cf. section 1 du chapitre II). Pour Russell, la structure linguistique superficielle d'une telle phrase avait le défaut de masquer sa forme logique authentique. A cette entité linguistique correspondent en effet deux formes logi-

20. W. V. O. Quine, 1960, chap. 13, p. 57-58.

ques : (i) Pour tout individu x, x étant un homme, il existe un individu y, y étant une femme, tels que x aime y ; (ii) Il existe un individu y, y est une femme, telle que pour tous les individus x, x étant des hommes, x aime y. Cette ambiguïté de la phrase, logiquement interprétable de deux façons, était pour Russell le signe de l'imperfection des langues naturelles. Pour nuancer cette dévalorisation des langues naturelles, typique de la naissance de la logique, on peut faire remarquer, inversement, que la quantification logique semble être une représentation appropriée d'une classe importante de phénomènes sémantiques caractéristiques des langues naturelles.

Si, avec Quine, l'anthropologue parisien entreprend maintenant de formuler des hypothèses sur la structure quantificationnelle (interne) des phrases indigènes, c'est qu'il espère notamment savoir quels sont, dans les phrases, les constituants référentiels. Autrement dit, en décomposant les phrases, il espère déterminer l'ontologie de son informateur indigène.

L'anthropologue parisien s'emploie donc à paraphraser les phrases observationnelles émises par son informateur dans la notation quantificationnelle en variables et en quantificateurs. Si, de surcroît, il reprend à son compte le critère d'adhésion ontologique de Quine, alors il peut désormais déterminer l'ontologie de son informateur — ce qui est son objectif ultime. Une fois effectuée l'enrégimentation des phrases occasionnelles indigènes dans la logique des prédicats, il « voit », dans la notation logique, quelles entités doivent constituer le domaine des valeurs des variables liées des phrases enrégimentées.

Tant qu'il essayait de vérifier sa traduction de la phrase « Gavagai » en cherchant sa stimulus-signification, il désirait « simplement » trouver dans sa langue une phrase qui lui fût « stimulus synonyme ». D'une manière générale, il essayait d'établir des corrélations de stimulus-synonymie entre chaque phrase indigène et une phrase de sa langue. Maintenant, il cherche des corrélations de synonymie entre les *termes* constitutifs des phrases indigènes et les *termes* constitutifs des phrases de sa langue. Et, à sa grande surprise, il s'aperçoit, à en croire Quine, que la stimulus-signification des phrases ne lui sert plus à rien.

Avec toutes les incertitudes mentionnées, il a décidé de traduire « Gavagai » par « Lapin ». Maintenant, il voudrait savoir si « Gavagai » veut dire « Tiens, *un* lapin » ou « Tiens, *trois* lapins », ou « Tiens, *des* lapins »... Il veut savoir quels sont, dans la langue indigène de son informateur, les signes exprimant la quantification. Si l'expression « Gavagai » est une phrase, elle doit avoir une structure syntaxique. L'anthropologue doit donc formuler des hypothèses sur la structure syntaxique de la phrase, afin notamment de déterminer les termes référentiels et les signes de quantification. Il va devoir demander à son informateur, en montrant un lapin : « Est-ce un et un seul gavagai ? »

L'anthropologue découvre à son grand dam que chaque fois qu'il montre un lapin du doigt et qu'il enregistre un acquiescement de la part de son informateur il vérifie les quatre hypothèses suivantes sur la structure interne de la phrase : « Tiens, un lapin » ; « Tiens, une manifestation de la lapinité » ; « Tiens, des portions non détachées de lapin » ; « Tiens, des segments temporels de lapin ». Pour départager ces hypothèses, il doit confronter, chaque fois, ses suppositions sur les signes indigènes qui représentent un quantificateur ou le signe d'égalité avec des données observables. Mais, selon Quine, toutes les données observables contenues dans la stimulus-signification des phrases ont déjà été épuisées pour établir des stimulus-synonymies entre les phrases non analysées de la langue indigène et les phrases non analysées de la langue de l'anthropologue. Il ne reste donc plus de données observables susceptibles de tester les hypothèses sur la structure quantificationnelle interne des phrases indigènes.

Les hypothèses sur la structure quantificationnelle des phrases indigènes vont, selon Quine, au-delà des informations contenues dans la stimulus-signification des phrases non analysées. Quine appelle ces hypothèses des « hypothèses analytiques ». Elles sont, selon lui, privées de valeur de vérité, puisqu'elles ne sont ni vérifiables ni réfutables par les seules données fournies par le comportement linguistique observable : les paires formées de phrases et de leurs stimulus-significations soumises à l'approbation ou à la désapprobation des locuteurs.

L'argument de Quine rappelle irrésistiblement la démarche

conventionnaliste de Poincaré. Les hypothèses de traduction radicale sur les expressions représentant, dans une langue indigène inconnue, l'appareil de quantification, ne peuvent pas être départagées par confrontation avec les seules données empiriques disponibles. Donc, ces hypothèses analytiques sont privées de valeur de vérité. Donc, ce ne sont pas des hypothèses authentiques. Poincaré appliquait le même raisonnement au choix entre une description euclidienne et une description non euclidienne de l'espace physique.

Si les pseudo-hypothèses de traduction des expressions quantificationnelles sont indécidables (ou indéterminées), alors l'ontologie des locuteurs indigènes est « relative » (et indécidable), et la référence des expressions composantes de leurs phrases observationnelles est « inscrutable ».

Ce qui donne au conventionnalisme de Quine une plausibilité intuitive, c'est à la fois la variabilité intralinguistique et la variabilité interlinguistique des relations référentielles entre des expressions linguistiques tout à fait simples et les entités extralinguistiques censées leur servir de référents. En français, certains mots sont vrais d'individus, comme « table », « maison », « arbre », ou « corbeau ». D'autres sont vrais de masses, comme « sable », « air », « eau », ou « neige ». Certains alternent entre les deux comme « pierre », ou « vin ». En français, « cheveu » est vrai d'individus. En anglais, « hair » est vrai d'une masse.

A chaque fois, les expressions quantitatives accompagnant des expressions qui sont vraies respectivement d'individus et de masses sont différentes. On peut dire « *du* sable », ou « *beaucoup de* sable », mais pas « *un* sable », ou « trois sables ». On peut dire « *une* maison » ou « *trois* maisons », mais pas « *de la* maison » ou « *beaucoup de la* maison ».

Cependant, la validité du conventionnalisme de Quine est suspendue à sa décision de n'admettre pour données observables acceptables, dans la vérification des hypothèses de traduction des expressions quantificationnelles d'une langue, que la stimulus-signification des phrases. La question qui se pose, et que se poseront les linguistes, les psychologues et les philosophes interpellés par le défi de Quine, c'est de savoir si une démarche sémantique expérimentale peut augmenter le stock des données observables sans retomber dans les travers de la sémantique naïve.

4. *Les paradoxes de la confirmation inductive de Hempel et Goodman.*

En 1945, Carl Hempel avait montré que, si on combine un critère apparemment intuitif de confirmation d'un énoncé universel et une condition apparemment irréprochable d'équivalence logique, on obtient un résultat inattendu [21].

Logiquement, un énoncé universel, comme « Tous les corbeaux sont noirs » s'écrit : « (x) (x est un corbeau ⊃ x est noir) ». Intuitivement, un tel énoncé paraît confirmé par un objet a, si a satisfait à la fois l'antécédent et le conséquent du conditionnel. L'énoncé sera infirmé par un objet b, qui satisferait l'antécédent mais pas le conséquent. Si, enfin, un objet c ne satisfait pas l'antécédent, on le considérera comme dénué de pertinence pour un tel énoncé.

Or, « Tous les corbeaux sont noirs » est logiquement équivalent à « Tout ce qui est non noir n'est pas un corbeau », qui s'écrit logiquement : « (x) (x n'est pas noir ⊃ x n'est pas un corbeau) ». Si, maintenant, on applique à ce second énoncé le même critère de confirmation que précédemment, on s'aperçoit qu'un objet jugé sans pertinence pour la confirmation de « Tous les corbeaux sont noirs » confirme « Tout ce qui est non noir n'est pas un corbeau ». C'est le cas par exemple d'un cahier bleu ou d'une voiture rouge.

Ce résultat est-il « paradoxal » ? De l'aveu même de Hempel, il ne l'est qu'en apparence. Cette apparence paradoxale s'évanouit aussitôt qu'on distingue entre la structure logique de la confirmation et son but pragmatique. Logiquement, toute hypothèse universelle, du type « Tout P est Q » représente une assertion à propos de la totalité des entités susceptibles de servir de valeurs aux variables liées par le quantificateur universel. Logiquement, la seule restriction sur l'univers de discours auquel s'applique l'hypothèse est la suivante : les entités qui peuvent servir de valeurs à la variable liée par le quantificateur universel doivent être du type approprié (par exemple, des individus).

Donc, logiquement, « Tout P est Q » exclut la possibilité d'objets qui auraient la propriété P, et pas la propriété Q. A ce titre, son univers de discours est constitué par tous les

21. C. G. Hempel, 1965, p. 14-20.

objets à qui il manque la propriété P ou qui ont la propriété Q. Or, tous les objets « individuels » appartiennent effectivement à cette classe ou à son complément logique, défini par la négation de ladite classe.

C'est bien ce qu'illustre l'équivalence entre « Tout ce qui est un corbeau est noir » et « Tout ce qui est non noir n'est pas un corbeau ». Logiquement, tout objet qui est un non-corbeau ou qui est noir est *conforme* à l'hypothèse. Tout ce qui est un corbeau et est non noir est exclu par l'hypothèse.

Logiquement, toute hypothèse universelle partage l'univers en deux classes exclusives d'objets conformes ou non à son assertion. Mais, pragmatiquement, nous imposons des restrictions sur la classe des objets *pertinents* pour la confirmation ou l'infirmation d'une hypothèse. La classe des objets conformes à l'hypothèse est beaucoup plus vaste que la classe des objets qui la confirment, parce que les premiers ne sont pas tous pertinents. La pertinence est notamment fonction de notre ontologie : la classe des corbeaux est, pour nous, une espèce naturelle ; pas la classe des non-corbeaux, qui est son complément logique.

Dès que nous observons la distinction entre ce qui est logiquement conforme à une hypothèse et ce qui la confirme, en fonction d'une restriction pragmatique qui sélectionne une classe d'entités pertinentes, l'apparence paradoxale disparaît. Ce qui crée l'apparence paradoxale, c'est la fiction qui consiste à négliger, dans la logique de la confirmation, une quantité d'informations oblitérées par le partage exclusif entre la classe des objets conformes et non conformes à l'hypothèse.

Si, pour les besoins de la fiction, nous réduisons toutes les preuves à notre disposition à la classe contenant un objet noir, alors on pourrait, fictivement, considérer que non seulement l'hypothèse affirmant que tous les corbeaux sont noirs est confirmée, mais aussi l'hypothèse beaucoup plus forte affirmant que tout est noir. Si nous comparons cette situation fictive au fait que nous savons, par ailleurs, que tout n'est pas noir, nous créons artificiellement une impression paradoxale.

Si nous savons à l'avance qu'un objet n'est pas un corbeau, son examen ne constitue pas un test pour l'hypothèse que tous les corbeaux sont noirs. Implicitement, nous restreignons, dans une situation réelle de confirmation, les preuves d'une hypothèse à la classe des objets pertinents. Nous savons à l'avance qu'une voiture rouge n'est pas un test. Dans la fiction purement logique, nous « oublions » ce que nous savons. Nous comparons alors l'hypothèse à deux classes d'objets pragmatiquement hétérogènes : l'une est la classe de preuves pertinentes ; l'autre est composée d'objets dont nous savons déjà qu'ils ne comptent pas, même s'ils sont conformes à l'hypothèse.

Dans la fiction, nous comparons l'hypothèse à la conjonction de ces deux classes. Le partage logique entre la classe des objets conformes à une hypothèse et celle des objets non conformes ne coïncide pas avec le partage pragmatique entre la classe des objets pertinents pour sa confirmation et celle des objets qui ne comptent pas. La classe des objets pertinents est la classe des preuves de l'hypothèse. La classe des objets conformes à l'hypothèse ne l'est pas.

Dans un texte du début des années 1950 [22], Nelson Goodman a découvert un paradoxe très simple et qui semble résister à toutes les tentatives en vue de le dissiper. Imaginons un langage qui contiendrait le prédicat de couleur *primitif* « vreu ». Pour le définir en français, nous dirions qu'il s'applique à toutes les choses examinées avant l'instant t (par exemple, l'an 2000) et vertes ou à toutes celles non examinées avant t et bleues. Mais, pour les locuteurs de ce langage imaginaire, « vreu » serait aussi primitif que « bleu » et « vert » pour nous. Pour le locuteur qui emploierait « vreu » spontanément, « blert » serait un autre prédicat de couleur primitif : sont « blertes » toutes les choses examinées avant t et bleues ou non examinées avant t et vertes.

D'après toutes les observations effectuées avant t, les émeraudes satisfont notamment le prédicat « vreu » et les saphirs le prédicat « blert ». Demandons-nous quelle couleur nous attribuerions, par simple induction, à la première émeraude à être examinée après t. Par simple induction, comme toutes les émeraudes examinées avant t se sont avérées vertes, nous prédirons que la première émeraude à être examinée après t sera verte. Mais un locuteur du langage contenant « vreu » considérera que toutes les observations

22. N. Goodman, 1973, p. 58-83 ; trad. fr. P. Jacob, 1980.

effectuées avant t sur les émeraudes lui permettent de dire que toute émeraude examinée avant t est vreue, puisqu'elle est verte. Donc, il prédira que la première émeraude à être examinée après t sera vreue. Mais une émeraude vreue et non examinée avant t est bleue. Donc, il prédira que la première émeraude à être examinée après t sera bleue.

Pour nous, « vreu » ne fait pas partie des prédicats « projectibles » : nous n'imputons pas naturellement à des objets non examinés la propriété d'être vreus à partir de l'examen d'objets vreus. Pas plus que nous n'imputons par induction à des objets non examinés la propriété d'avoir été examinés. On pourrait cependant imaginer un langage contenant le prédicat « vrexaminé » qui s'appliquerait à tous les objets examinés avant t et verts. Toutes les émeraudes examinées avant t sont vrexaminées. Pourquoi ne prédisons-nous pas que la première émeraude à être examinée après t sera vrexaminée ? Parce que, dans notre langage, la propriété d'être une émeraude non examinée avant t et celle d'être une émeraude vrexaminée sont contradictoires.

Mais l'incertitude inductive, inhérente à toute inférence portant sur un cas non examiné, à partir de cas examinés, nous ôte toute garantie que notre prédiction sera plus conforme à la réalité observée que la prédiction du locuteur parlant le langage contenant « vreu ». Nous prédisons que la première émeraude à être examinée après t sera verte. Il prédit qu'elle sera bleue. Rien, logiquement, ne nous donne raison.

Comme l'a fait observer Donald Davidson [23], pour nous, « Toutes les émeraudes sont vertes » est une hypothèse à la fois « naturelle » et « rationnelle ». « Toutes les émeraudes sont vreues » est bizarre. Mais, pour le locuteur du langage contenant « vreu », l'hypothèse suivante est « naturelle » et « rationnelle » : « Toutes les émerires sont vreues » — une émerire est tout ce qui a été examiné avant t et s'avère être une émeraude ou ce qui n'a pas été examiné avant t et s'avère être un saphir. Pour lui, « Tous les saphraudes sont blerts » fait également partie des hypothèses « naturelles » et « rationnelles ».

---

23. D. Davidson, 1966 et D. Davidson, 1970. Cf. N. Goodman, 1973, chap. IV et W. V. O. Quine, 1969, chap. V.

Pour nous, les mots de couleur « bleu » et « vert » sont des mots d'espèce naturelle, pas les mots « vreu » et « blert ». Pour nous, opérer une prédiction inductive en employant « vreu » ou « blert », c'est prédire qu'avant t et après t l'entité satisfaisant « vreu » ou « blert » changera de couleur. Mais, pour un locuteur pour qui « vreu » et « blert » sont des termes primitifs, une entité vreue avant t reste vreue après t. Le défi lancé par Goodman consiste à savoir comment on peut formuler une hypothèse empirique sur les mots de couleur appartenant aux langues naturelles qui explique pourquoi « bleu » et « vert » représentent, contrairement à « vreu » et « blert », des prédicats d'espèce naturelle.

L'une des hypothèses possibles qui ne résistent pas à l'analyse consisterait à dire : les langues naturelles contiennent des mots de couleur (comme « bleu » et « vert », et non pas comme « vreu » et « blert ») qui désignent des espèces naturelles existant dans la réalité. Une telle hypothèse commet une pétition de principe sur la validité des inférences inductives : elle présuppose ce qu'elle est censée expliquer.

Une hypothèse parente consisterait à dire : tout organisme qui, à la place d'un langage contenant des mots d'espèce naturelle (comme « bleu » et « vert »), parlerait un langage contenant des prédicats non projectibles (comme « vreu » et « blert ») ne survivrait pas à la sélection naturelle à laquelle sont soumis les êtres vivants. Cette hypothèse présuppose encore ce qu'on cherche à expliquer : qu'est-ce qui caractérise un prédicat d'espèce naturelle par opposition à un prédicat logiquement concevable ?

Chapitre VI

LA REVOLTE CONTRE L'EMPIRISME

Au lendemain de la Seconde Guerre mondiale, partiellement sous l'influence de l'enseignement de Moore et de Wittgenstein à Cambridge, les analystes anglais du langage ordinaire se rebellent contre la logique formelle. Sensibles à la variété des « jeux » et des « actes » auxquels se prête le langage, ils plaident pour la revalorisation d'un domaine délaissé par les logiciens : la pragmatique. A part Frege, qui avait concédé du bout des lèvres que l'assertion d'une phrase affirmative dans laquelle le sujet grammatical est un sujet logique *présuppose* que le sujet possède un référent, tous les logiciens admettaient les deux postulats suivants : la logique s'applique aux phrases affirmatives et la forme logique d'une phrase affirmative est indépendante du contexte pragmatique dans laquelle elle est émise.

Les phrases non affirmatives, comme les questions, les ordres, les souhaits, les vœux ne sont pas analysables par les méthodes sémantiques employées par Russell, Tarski, Carnap et Quine. La sémantique de la logique du premier ordre s'applique en effet à des phrases vraies ou fausses. Supposer que la forme logique est indépendante du contexte pragmatique de son émission, c'est admettre qu'elle est interprétable indépendamment des stratégies des locuteurs et qu'on peut éliminer les termes inéluctablement liés au contexte (comme « je » ou « ici »), baptisés, selon les cas, de termes « indexicaux », « égocentriques particuliers », « désignateurs de subjectivité ». C'est enfin, pour autant qu'on adhère aux principes de non-contradiction et du tiers-exclu, repousser comme insignifiante l'éventualité qu'une phrase soit inévaluable.

Cette attaque contre la logique, menée au nom de la pragmatique, a donné naissance à des découvertes linguistiques originales. Parmi celles-ci, et pour n'en citer que deux, particulièrement importantes, je rappellerai la critique par Strawson de la théorie russellienne des descriptions définies (cf. chapitre IV, section 3) et j'évoquerai brièvement une importante distinction due à John Austin.

Strawson reproche à la théorie des descriptions de Russell de ne pas rendre compte de l'usage linguistique ordinaire de l'article défini. Son analyse réhabilite la logique traditionnelle en plaidant pour la valeur linguistique de la distinction traditionnelle entre les expressions référentielles et les expressions prédicatives. Son propos est totalement différent de celui de Russell, qui voulait parer aux risques de prolifération ontologique suscités par une abusive fidélité à la forme linguistique superficielle. Le flair linguistique dont Strawson fait preuve en distinguant entre expressions référentielles et expressions prédicatives a reçu une confirmation de la distinction fondamentale, en linguistique, entre les syntagmes nominaux et les syntagmes verbaux.

La théorie pragmatique ébauchée par John Austin incorpore l'étude de l'utilisation du langage à une théorie générale de l'action et met de l'ordre au sein de la variété des usages du langage sur laquelle insistait Wittgenstein. Austin distingue les phrases *constatives*, qui sont vraies ou fausses et possèdent une valeur descriptive, et les phrases *performatives*, qui ne possèdent pas ces deux propriétés. Les premières sont les phrases affirmatives. Le fait d'émettre une phrase performative revient à accomplir, par le biais de l'usage d'une phrase, une action. Si quelqu'un prononce l'une des trois phrases suivantes, il agit sur son interlocuteur :

(1) Je vous préviens que j'appelle la police.
(2) Je m'excuse.
(3) Haut les mains !

Austin propose une théorie des conditions de « félicité » de l'énonciation des phrases performatives et de leur « force illocutionnaire [1] ». La question qui se pose est d'ailleurs de savoir si, dans cette perspective pragmatique, il ne devient pas légitime de traiter les phrases constatives comme des phrases performatives d'une espèce particulière. On pour-

1. Cf. J.L. Austin, 1962-1963 et J.L. Austin, 1970.

rait par exemple supposer que la « structure profonde » de (4) est (5) :

(4) Le livre est sur la table.
(5) Je déclare que le livre est sur la table.

Auquel cas toute phrase déclarative serait une phrase performative déguisée : elle consisterait toujours à accomplir un acte déclaratif.

A la même époque, un vent de rébellion contre la logique et surtout contre l'empirisme souffle chez les philosophes des sciences, en Grande-Bretagne et aux Etats-Unis. La révolte contre l'empirisme, sans rien devoir explicitement aux critiques adressées à la logique formelle par les philosophes du langage ordinaire rassemblés à Oxford, exprime pourtant le même besoin de se libérer d'un double carcan : les contraintes de la logique et le risque de stérilisation intellectuelle occasionné par la toute-puissance accordée par l'empirisme à l'expérience.

A la logique formelle, les philosophes du langage ordinaire reprochent de donner, par abus de l'abstraction, une image déformée de l'utilisation concrète du langage. A l'empirisme logique, les philosophes anti-empiristes reprochent de donner une image déformée de la démarche scientifique et surtout du développement historique des sciences.

Quoique Paul Feyerabend, Norwood Russell Hanson, Thomas Kuhn, Imre Lakatos et Stephen Toulmin ne forment pas une école, ils expriment certains griefs communs à l'égard de l'empirisme logique. Selon eux, ni la logique déductive ni la logique inductive n'expliquent la vie scientifique. Si la démarche scientifique s'assujettissait au primat absolu de l'expérience, elle se priverait de l'outil humain le plus précieux : la fantaisie de l'imagination et la créativité de l'intellect. Les plus grands progrès de la science témoignent, selon eux, de la liberté de l'esprit par rapport aux données expérimentales : les théories de la physique sont foncièrement « sous-déterminées » par les faits empiriques. Contrairement à l'image rassurante d'un progrès linéaire et cumulatif des connaissances scientifiques à partir d'une base de données observables invariantes, les philosophes anti-empiristes voient l'histoire des sciences comme une succession discontinue de *Weltanschauungen* relativement fermées les unes par rapport aux autres. Selon eux, ce dont témoignent l'examen de la démarche scientifique concrète et de l'histoire effective des sciences, c'est que la rationalité scientifique a beaucoup plus de points communs avec les autres domaines de la pensée (l'art, la religion, les mythes, la métaphysique) que ne le laisse prévoir l'empirisme logique. Leur but est de brouiller les frontières entre les théories scientifiques et les autres phénomènes culturels.

1. *L'idée d'une logique de la découverte scientifique.*

En 1958, Norwood Russell Hanson publie un livre et un article, destinés à prouver l'existence d'une logique de la découverte des théories scientifiques[2]. Pour un empiriste logique comme Reichenbach[3], tout comme pour Popper, une théorie scientifique peut faire l'objet de deux études mutuellement exclusives l'une de l'autre. Soit on examine la structure logique d'une théorie achevée : c'est l'étude de sa *justification.* Soit on en étudie la genèse : c'est l'étude du contexte de sa *découverte.*

La première tâche est purement logique. Le logicien, qui a pour objectif la mise en forme de « la méthode scientifique », analyse les relations déductives entre les principes et leurs conséquences. Il peut même, le cas échéant, contribuer à l'axiomatisation de la théorie en faisant l'économie d'un axiome. Si la méthode scientifique est, comme le croit Popper, purement déductive, le logicien classera les théories rivales les plus réputées en fonction de leur degré de testabilité (mesuré par la classe de leurs « falsificateurs potentiels » respectifs), pondéré par un coefficient mesurant leur résistance respective aux efforts entrepris en vue de les réfuter. Le logicien non poppérien s'efforcera de formaliser une « logique inductive », parallèle à la logique déductive, dont la tâche est de représenter le degré de confirmation que les données observables disponibles confèrent aux théories rivales.

La seconde tâche se morcelle entre la psychologie, la sociologie et l'histoire, qui s'efforcent avec des instruments autre-

2. N. R. Hanson, 1958 a et 1958 b.
3. H. Reichenbach, 1938, p. 6-8.

ment plus intuitifs que la logique d'expliquer les facteurs « illogiques » à l'œuvre dans l'invention des théories.

Comme le fait observer Hanson, qui rejette cette dichotomie, si l'invention échappait entièrement à la logique, il deviendrait absurde de croire qu'il existe des *raisons d'émettre* une hypothèse scientifique. Mais, ce qui est absurde, c'est de croire que de telles raisons n'existent pas.

L'hypothèse de Hanson, c'est qu'il existe, indépendamment des *raisons d'admettre* une théorie, des *raisons de l'émettre*. Selon lui, sans se prononcer sur la controverse entre Popper et les tenants d'une logique inductive, la prétendue méthode hypothético-déductive rend approximativement compte de la logique par laquelle les théories sont admises, mais pas de la logique par laquelle elles sont émises.

Pour Hanson, le processus qui aboutit à la formulation d'une hypothèse est régi par ce que Charles Sanders Peirce appelait un raisonnement « abductif ». Ce raisonnement ne « prouve » pas la vérité d'une hypothèse ; il ne suffit même pas à rendre une hypothèse *acceptable* : il exclut une infinité d'hypothèses logiquement possibles, et sélectionne une *famille* d'hypothèses qui *méritent* d'être examinées.

Il a la forme suivante :

— une classe de phénomènes observés paraît surprenante ;
— si une hypothèse appartenant à la classe K était vraie, alors la totalité des phénomènes observés perdrait son allure surprenante, parce que l'une de ces hypothèses l'expliquerait (en un sens non strictement déductif) ;
— donc, on « essaie » l'une après l'autre les hypothèses contenues dans la classe K, afin de déterminer laquelle est la bonne.

Par exemple [4],

— à une époque obsédée par la perfection du mouvement circulaire, Kepler fit la découverte surpre-

4. N.R. Hanson, 1961 ; trad. fr. P. Jacob, 1980.

nante que toutes les orbites planétaires étaient elliptiques ;

— l'existence de ces orbites, à première vue surprenantes, s'expliquerait si on ajoutait aux hypothèses de la mécanique classique une loi de « gravitation » qui rendrait l'attraction entre chaque planète et le Soleil inversement proportionnelle au carré de leurs distances respectives ; d'une telle loi fondamentale, la première loi de Kepler serait une conséquence « naturelle » ;

— Newton avait donc de bonnes « raisons » d'« essayer » une hypothèse de cette famille.

Qui plus est, une hypothèse de cette classe expliquerait la découverte surprenante de Galilée selon laquelle les projectiles à la surface de la Terre décrivent des trajectoires paraboliques.

2. *Les « paradigmes » ne sont ni vrais ni faux.*

Avant que Hanson ne plaide en faveur d'une « logique de la découverte », un premier assaut contre l'empirisme fut timidement lancé par Stephen Toulmin, dans un petit livre publié en 1953 [5]. Son but était de mettre en cause la conception cumulative et linéaire du développement scientifique défendue par l'empirisme. Ayant étudié la philosophie à Cambridge avec Wittgenstein, Toulmin exploite, dans son livre, les fameux aphorismes d'inspiration kantienne du *Tractatus* (*Tr.* 6.3 *passim* ; cf. chap. II, section 2, p. 92).

Wittgenstein y nie l'existence de lois physiques *a priori*. Mais, il y défend l'existence de présuppositions *a priori* sur la forme des lois possibles. La « prétendue loi de l'induction », « la loi de la causalité », « le principe de moindre action », les principes de « conservation », « le principe de raison suffisante », « les lois de continuité de la nature », « la loi du moindre effort dans la nature » ne sont pas des lois empiriques ; ce sont des « aperçus (*insights*) *a priori* sur les formes dans lesquelles les propositions de la science doivent être moulées » (*Tr.* 6.3-6.34).

5. S. Toulmin, 1953.

Il compare les présuppositions *a priori* de la mécanique classique à un papier quadrillé permettant d'introduire ordre et simplicité dans des phénomènes, qui resteraient autrement chaotiques et inintelligibles[6] :

> (...) Différents quadrillages correspondent à différents systèmes de description du monde. La mécanique détermine une forme de description du monde en disant que toutes les propositions employées dans la description du monde doivent être obtenues d'une manière déterminée à partir d'un ensemble déterminé de propositions — les axiomes de la mécanique. Elle fournit donc les briques requises pour construire l'édifice de la science, et elle dit : « Quelle que soit la construction que vous souhaitiez ériger, elle doit, d'une façon ou d'une autre, être fabriquée avec ces briques et elles seules. »

Pour Toulmin[7], le principe de propagation linéaire de la lumière ou le principe mécanique d'inertie sont des « idéaux d'ordre naturel » : ce sont des « maximes », des « normes », des « règles » ou des « tickets d'inférence ». Ces principes ne sont pas des énoncés vrais ou faux, « mais plutôt (...) des instructions pour former des propositions [qui le sont] (...) ; [ce sont] des directives, des règles de comportement destinées à permettre à l'investigateur de trouver son chemin dans la réalité ».

En 1962, Thomas Kuhn publie *La Structure des révolutions scientifiques*, le manifeste le plus connu du mouvement anti-empiriste. Il y propose une conception originale, destinée à exercer une profonde influence, du schéma de développement des sciences. L'histoire des théories scientifiques est une série de longues étapes interrompues par des révolutions plus ou moins brutales. Chaque étape est caractérisée par l'adhésion des chercheurs d'une discipline à un *paradigme*. Les paradigmes, comme les idéaux d'ordre naturel de Toulmin, sont des présupposés sur la forme possible des lois, des recettes expérimentales ou des techniques mathématiques. A la différence de Toulmin, Kuhn insiste sur la dimension

6. L. Wittgenstein, *Tractatus*, 6.341, trad. angl. D.F. Pears et B.F. McGuinness, 1961, p. 68.
7. S. Toulmin, 1953, p. 91-92.

sociologique des paradigmes, qui incluent des méthodes d'enseignement et de diffusion (comme les manuels, dans lesquels des générations entières de chercheurs apprennent les rudiments de leur métier, les sociétés scientifiques, les revues dans lesquelles sont évalués les travaux des pairs, etc.).

Incontestablement, Kuhn, qui a reçu une formation de physicien, a su observer la vie réelle des laboratoires et, surtout, il a subi l'influence de la nouvelle historiographie et de la nouvelle sociologie des sciences. La nouvelle histoire des sciences s'est professionnalisée aux Etats-Unis après la Seconde Guerre mondiale. Guidés par Alexandre Koyré, les historiens découvrent l'importance de présupposés « métaphysiques », sans lien direct avec l'expérience. Koyré a, pour sa part, cru déceler dans la conviction platonicienne de Galilée qui lui faisait supposer que « la nature est écrite en caractères mathématiques » le facteur le plus important dans le déclenchement de la « révolution scientifique ».

La nouvelle histoire des sciences découvre une pluralité de présupposés de ce genre qui, tout à la fois, ouvrent des domaines entiers à l'investigation empirique et dessinent les limites du pensable d'une époque : la représentation aristotélicienne et médiévale de l'univers comme un organisme vivant ; la représentation du système solaire ou du corps humain comme une machine (une horloge ou une pompe), au dix-septième siècle ; la représentation des individus d'un grand ensemble comme une population régie par les lois de la statistique — qu'il s'agisse des molécules d'un gaz contenu dans un récipient, ou des organismes peuplant une espèce.

Cette nouvelle histoire est foncièrement anti-positiviste : à l'image d'un Newton soucieux jusqu'à l'obsession de ne pas « proposer d'hypothèses » (*Hypotheses non fingo*), léguée par Ernst Mach, les nouveaux historiens substituent une image de Newton névrotique, passionné d'alchimie, empêtré dans des croyances religieuses et fasciné par le problème de la Trinité.

A l'époque où se professionnalise la nouvelle histoire des sciences se forme une nouvelle discipline sociologique : la sociologie des sciences, dont le fondateur américain est sans doute Robert Merton. A la différence de la sociologie allemande de la connaissance ou de la culture (de Weber, Scheler, Mannheim ou de Marx), la sociologie des sciences se consacre exclusivement et empiriquement à l'étude du système socio-professionnel formé par les communautés scientifiques (cf. B.-P. Lécuyer, 1978). Les études de Merton et ses élèves sur l'*ethos* scientifique se concilient bien avec le « paradigme » de Kuhn.

De même que le concept d'idéal d'ordre naturel de Toulmin s'inspirait des remarques de Wittgenstein dans le *Tractatus* sur les présupposés *a priori* des formes possibles des lois scientifiques, de même Kuhn introduit la notion de paradigme en faisant référence à certaines remarques de Wittgenstein sur les « airs de famille » (*family resemblance*) qui rapprochent les « jeux » les uns des autres. Un paradigme permet à une communauté scientifique de résoudre une famille d' « énigmes ». Tant que le paradigme est tacitement admis, la communauté scientifique se plie à la « science normale ». Toute recherche gouvernée par un paradigme rencontre tôt ou tard des énigmes que le paradigme ne permet plus de résoudre. Tant que les succès du paradigme l'emportent sur ses défaillances, les adhérents ont rationnellement intérêt à négliger ces dernières. Mais, le jour où des anomalies attestées jouent un rôle prépondérant, le paradigme entre en crise. La crise dure jusqu'à ce qu'une alternative au paradigme défaillant soit formulée. Les membres d'une communauté scientifique, qu'on suppose rationnels, ne sont prêts à abandonner un paradigme en crise que si un paradigme supérieur est disponible.

Le lecteur ironique ne manquera probablement pas d'observer l' « air de famille » entre le schéma de Kuhn et la distinction entre questions d'existence internes et externes par rapport à un cadre linguistique effectuée par Carnap en vue d'exclure les énoncés ontologiques hors du domaine des assertions possédant une valeur cognitive. Paradoxalement, les assertions exprimant, selon Carnap, le choix d'un cadre linguistique de référence ou, selon Kuhn, le choix d'un paradigme, ont en commun le caractère suivant : elles sont dénuées de valeur de vérité. Ce qui est paradoxal, c'est qu'un représentant et un adversaire de l'empirisme et du positivisme tombent d'accord sur l'interprétation à donner aux assertions exprimant l'adhésion aux principes les plus fondamentaux d'une théorie : une interprétation instrumentaliste, ainsi que Toulmin l'affirme explicitement.

Pour l'empirisme logique, seuls les énoncés formulés strictement dans V_0 (comme les prédictions) possèdent sans équivoque une valeur de vérité, parce que les termes qui les composent désignent des entités facilement observables. Mais, pour l'empirisme logique, les lois abstraites, qui sont composées de termes désignant des entités inobservables, ne possèdent pas de valeur de vérité bien établie : ce sont des instruments destinés à effectuer des prédictions. Par les propriétés formelles du conditionnel, il est concevable que des prédictions observables soient vraies et que les principes abstraits d'où elles se déduisent soient faux.

Du point de vue anti-empiriste de Kuhn et de Toulmin, les principes constitutifs des paradigmes ou les idéaux d'ordre naturels sont les conditions *a priori* de possibilité d'énoncés vrais ou faux. Mais, en tant que telles, ces conditions ne sont ni vraies ni fausses.

3. *La rationalité scientifique selon Popper.*

Si la nouvelle histoire des sciences et la pensée de Wittgenstein ont toutes deux contribué à faire naître un climat anti-empiriste, le facteur qui a joué le rôle le plus décisif est probablement la critique poppérienne du vérificationnisme. Kuhn lui-même, qui a pourtant été sévèrement critiqué par Popper et ses disciples, avait, dans le livre litigieux, noté le point de contact entre sa conception du rôle des anomalies dans le déclenchement d'une crise au sein d'un paradigme et le rôle accordé par Popper à la falsification dans la démarche scientifique [8].

L'enjeu de la controverse entre Kuhn et Popper est le suivant. Pour Popper, c'est la réfutabilité des théories scientifiques qui sépare celles-ci des propositions non scientifiques. Pour Kuhn, l'insistance poppérienne sur le rôle des discussions critiques et sur l'importance de la remise en cause incessante est plus caractéristique des spéculations métaphysiques que de la démarche scientifique [9]. Tant et si bien que Kuhn inverse le critère poppérien de démarcation entre les

8. T.S. Kuhn, 1962, p. 146.
9. T.S. Kuhn, 1970, p. 6-7.

sciences et la métaphysique : pour Kuhn, ce n'est pas l'esprit critique qui est l'emblème de la science ; c'est, au contraire, le fait de s'incliner (sinon de se résigner) devant un paradigme, admis jusqu'à ce qu'il soit confronté par des anomalies trop graves. Ce que Popper reproche à Kuhn, c'est de faire l'apologie du dogmatisme [10].

Mais ce que le courant anti-empiriste doit à Popper est plus profond que ce qui l'en sépare — comme on le voit clairement dans les arguments employés par Kuhn et surtout par Feyerabend pour discréditer la théorie empiriste du développement cumulatif des sciences fondée sur la théorie de la réduction.

Outre sa critique globale contre les inférences inductives et le vérificationnisme, Popper adresse à la théorie carnapienne de la confirmation des théories scientifiques une série d'objections détaillées. Leur débat porte sur la nature de la rationalité scientifique, et plus précisément sur le rôle du concept de probabilité dans le choix des hypothèses scientifiques.

Dans son volumineux système de logique inductive (1950) [11], Carnap propose, comme d'autres logiciens de l'induction, de représenter le degré de confirmation d'une hypothèse (h) par rapport aux données observables (e) par la probabilité que les données confèrent à l'hypothèse. Autrement dit, le degré de confirmation de h, par rapport à e, est représentable par une fonction $c(h, e) = r$, dont la valeur r peut varier dans l'intervalle des nombres réels entre 0 et 1.

Selon lui, deux interprétations du concept de probabilité sont possibles : un concept empirique et un concept logique (ou métalogique). Les théories scientifiques emploient le premier : il s'agit de la limite de la fréquence relative avec laquelle un certain individu ou une certaine propriété se laisse observer au sein d'un ensemble. Carnap nomme ce concept « probabilité $_2$ ». Le concept métalogique, que Carnap nomme « probabilité $_1$ », correspond à son concept de degré de confirmation : c'est une relation entre des énoncés. Des deux concepts de degré de confirmation et de probabilité

10. K.R. Popper, 1970.
11. R. Carnap, 1950 ; cf. l'exposé de M. Boudot, 1972.

logique, désormais identifiés, Carnap offre une autre explication : si je fais l'hypothèse que Ted Kennedy a deux chances sur trois de gagner les élections présidentielles américaines, et si j'ai « rationnellement » inféré cette hypothèse des données observables, cela veut dire que je suis prêt à parier qu'il va gagner à deux contre un.

Au concept carnapien du degré de confirmation que les données observables confèrent à une hypothèse, Popper oppose le degré de corroboration. Popper et d'autres [12] ont objecté à Carnap (et aux autres logiciens, comme Keynes et Reichenbach, qui fondent leur étude du concept de confirmation sur l'une ou l'autre version du concept de probabilité) que les lois scientifiques universelles ne peuvent, dans ce système, que recevoir un degré nul de confirmation, dans la mesure où celles-ci portent sur un nombre infini d'individus. Carnap a répondu que c'était vrai, mais que c'était, du point de vue d'une théorie de la rationalité, sans gravité, du moment que, dans le système, la prédiction dérivée de la loi, sur le premier cas à être examiné à l'avenir reçoit une probabilité raisonnable.

Ainsi, supposons qu'on ait lancé vingt fois une pièce de monnaie et qu'on ait observé dix fois pile et dix fois face. Toute hypothèse sur l'ensemble infini des lancements possibles de la pièce inférée à partir des observations aura une probabilité nulle. Mais la prédiction que la pièce retombera sur face, lors du prochain lancement, recevra une probabilité égale à 1/2.

Pour Popper, la valeur réelle d'une hypothèse scientifique ne se mesure nullement par la probabilité que lui confèrent les données observables. Si, selon Popper, la probabilité que les données observables confèrent à une hypothèse était une mesure adéquate de la valeur de l'hypothèse, alors la meilleure hypothèse serait toujours celle qui entretiendrait avec les données la relation la plus tautologique. La meilleure hypothèse parmi celles qui n'ont pas encore été réfutées est, selon Popper, celle qui prend le plus de risques par rapport aux données — celle qui a le contenu informatif le plus élevé, ou la classe de falsificateurs potentiels la plus large.

12. E. Nagel, 1939 ; E. Nagel, 1963 et H. Putnam, 1963, in P. A. Schilpp, ed., 1963.

Or, selon Popper, la valeur informative d'une hypothèse se mesure, non par sa probabilité, mais par son improbabilité (l'inverse de la probabilité) par rapport aux données. Le degré de *corroboration* (*Bewährung*), la corroborabilité ou la testabilité (*Bewährbarkeit* ou *Prüfbarkeit*) d'une hypothèse correspond donc à l'improbabilité de l'hypothèse par rapport aux connaissances disponibles, pondérée par sa résistance effective aux tests.

Le débat entre le rôle attribué par Carnap au degré de confirmation d'une hypothèse, identifié à la probabilité que lui confèrent les données observables, et le rôle attribué par Popper au degré de corroboration d'une hypothèse, identifié à sa valeur informative, dans l'élaboration d'une théorie de la rationalité scientifique, est trop complexe pour être analysé exhaustivement ici. Mais l'un des arguments employés par Popper contre Carnap vaut la peine d'être mentionné. Popper ne se contente plus d'opposer les mérites de son concept de corroboration aux défauts du concept carnapien de confirmation. Il essaie en outre de montrer que le point de vue de Carnap est incohérent.

Considérons un dé non biaisé, dont les six faces sont équiprobables [13]. Désignons par « x » la phrase : « On va obtenir un six » ; désignons par « y » la négation de x ; et désignons par « z » la phrase : « On va obtenir un nombre pair. » Les probabilités de x, y et z, qui sont indépendantes les unes des autres sont les suivantes :

$$p(x) = 1/6 \,;\; p(y) = 5/6 \,;\; p(z) = 1/2.$$

Si l'on sait que z est vraie, alors les probabilités conditionnelles de x et de y sont les suivantes :

$$p(x, z) = 1/3 \quad \text{et} \quad p(y, z) = 2/3.$$

Donc, l'information contenue dans z accroît la probabilité conditionnelle de x, qui était *a priori* de 1/6, et qui, si z est vraie, passe à 1/3. Mais, elle fait décroître la probabilité conditionnelle de y.

Popper propose de représenter cette situation par la formule (i) :

$$\text{(i)} \quad p(x, z) > p(x) \;\&\; p(y, z) < p(y) \;\&\; p(x, z) < p(y, z).$$

Puis, comme le concept poppérien de corroboration est des-

13. K.R. Popper, 1959, trad. fr. Ph. Devaux et al., 1973, Appendice * ix, p. 395-99.

tiné à exprimer le gain réalisé par x ou y, au cas où z est vraie, Popper propose les identités suivantes : « $p(x, z) > p(x)$ » est remplaçable par « Co(x, z) » et « $p(y, z) < p(y)$ » est remplaçable par « ~ Co(y, z) » — « Co(x, z) » désignant la corroboration que x reçoit de z et « ~ Co(y, z) » désignant la négation de la corroboration que y reçoit de z. Le remplacement des deux expressions dans (i) donne (ii) :

(ii) $Co(x, z) \,\&\, \sim Co(y, z) \,\&\, p(x, z) < p(y, z)$.

(ii) veut dire que, malgré le fait que z corrobore x et pas y, la probabilité conditionnelle de y par rapport à z est supérieure à la probabilité conditionnelle de x par rapport à z.

Ensuite, Popper propose de voir ce qui advient à (ii) si l'on identifie le degré de *confirmation* de x par rapport à z et le degré de *confirmation* de y par rapport à z aux probabilités respectives de x et de y par rapport à z (ainsi que le propose Carnap). On remplace donc « p(x, z) » par « C(x, z) » et « p(y, z) » par « C(y, z) », et on obtient (iii) :

(iii) $Co(x, z) \,\&\, \sim Co(y, z) \,\&\, C(x, z) < C(y,z)$.

Popper prétend que (iii) est une contradiction logique. Il en conclut que si (ii) est valide, alors c'est l'identification des probabilités respectives de x et de y par rapport à z à leur degré de confirmation respectif qui est responsable de l'absurdité de (iii).

Mais, comme l'a fait remarquer Carnap [14], (iii) montre simplement que le concept poppérien de corroboration et le concept carnapien de confirmation sont différents. Cet argument ne montre nullement que l'identification carnapienne du degré de confirmation à une probabilité est absurde ou incohérente. En revanche, ce qui est vrai, c'est que l'insistance de Carnap sur le rôle des probabilités dans la logique inductive et l'insistance de Popper sur le rôle du contenu informatif des hypothèses sont inconciliables. Pour l'un, être rationnel consiste à choisir l'hypothèse la plus probable. Pour l'autre, être rationnel, c'est choisir l'hypothèse la plus risquée et la plus informative.

14. R. Carnap, 1963, in P. A. Schilpp, ed., 1963, p. 998, note 50.

4. *La critique du modèle D-N d'explication et de la théorie empiriste de la réduction.*

Le goût du risque intellectuel, vanté par Popper, exercera une influence profonde sur Paul Feyerabend qui fut son élève à Londres et qui en tirera des arguments radicalement critiques contre deux théories méthodologiques élaborées par les empiristes logiques : la théorie de l'explication déductive-nomologique (D-N) due à Carl Hempel et Paul Oppenheim et la théorie de la réduction due à Ernest Nagel.

La théorie de l'explication de Hempel et Oppenheim [15] est un modèle d'explication idéal-typique auquel sont censées se plier, tôt ou tard, toutes les sciences (y compris l'histoire). Dans une explication, on distingue les énoncés composant l'*explanans* (ou l'*explicans*) et ceux composant l'*explanandum* (ou l'*explicandum*). En général, l'*explanans* se compose d'une ou plusieurs lois (ou généralisations nomologiques) et d'énoncés décrivant un ensemble de conditions initiales. Les lois sont des énoncés universels conditionnels. Les conditions initiales sont des conjonctions existentielles. L'*explanandum* peut être un énoncé existentiel ou une loi dérivée de celles contenues dans l'*explanans*.

Hempel et Oppenheim ont formulé quatre conditions d'adéquation auxquelles doit se conformer la relation entre l'*explanans* et l'*explanandum* : celui-ci doit être une conséquence logique de celui-là ; pour que cette première condition soit possible, il faut que l'*explanans* contienne au moins une loi ; l'*explanans* doit avoir un contenu empirique, donc être testable ; et les énoncés composant l'*explanans* doivent être vrais. Enfin, selon le modèle, il n'existe pas de différence logique entre expliquer et prédire ; la différence est purement pragmatique : si un phénomène déterminé (par exemple, la position d'une planète sur son orbite) s'est produit avant qu'on ne le considère, on veut l'expliquer. Si le phénomène va se produire, c'est une prédiction.

Présenté dans les années 1940, le modèle D-N d'explication a suscité un nombre abondant de critiques sur trois points essentiels. Premièrement, il présuppose mais n'explique pas la notion de *loi*. Or, il ne suffit pas, pour caractériser

15. C. G. Hempel et P. Oppenheim, 1948 ; cf. C. G. Hempel, 1965.

une loi, de recourir à un critère logique quantificationnel et de dire qu'une loi est un énoncé conditionnel universel quelconque. Un tel critère ne permet en effet pas de distinguer une loi d'une généralisation accidentelle. « Toutes les pommes de ce panier sont rouges » est une généralisation accidentelle. On pourrait la distinguer d'une loi en prétextant que le domaine des variables parcouru par cette généralisation est fini. Mais les lois de Kepler sont dans la même situation. Il est vrai que les lois de Kepler, contrairement à cette généralisation accidentelle, sont dérivables des lois plus fondamentales de la mécanique newtonienne. Mais Kepler ne le savait pas ; et on ne peut faire dépendre la différence entre une loi et une généralisation du futur. Goodman a suggéré qu'une loi, contrairement à une généralisation accidentelle, confère un support inductif à un énoncé hypothétique irréel (ou contraire aux faits). La loi de l'expansion des gaz permet d'affirmer « Si l'oxygène contenu dans ce cylindre avait été chauffé à pression constante, le gaz se serait dilaté ». Mais « Toutes les pommes de ce panier sont rouges » ne permet pas de croire que « Si la pomme ramassée au pied du pommier avait été dans ce panier, elle serait rouge » est vrai. L'explication du concept de loi dépend peut-être de la notion d'énoncé contraire aux faits. Mais, comme l'illustre un simple exemple dû à Quine, la logique de ceux-ci n'est pas une mince affaire : à partir de « Si Bizet et Verdi avaient été compatriotes », on peut inférer « Bizet aurait été italien », aussi bien que « Verdi aurait été français [16] ».

Deuxièmement, certains auteurs ont montré que les conditions formulées par Hempel et Oppenheim ne sont pas nécessaires. Dans les sciences de la vie, en particulier en théorie de l'évolution, certaines explications respectables n'ont pas de valeur prédictive. C'est *a fortiori* le cas de l'histoire. Inversement, d'autres auteurs ont montré que les conditions ne sont pas suffisantes : certaines déductions, conformes au schéma de Hempel et Oppenheim donnent lieu à des prédictions mais sont dénuées de valeur explicative [17].

16. Cf. N. Goodman, 1955, 3ᵉ éd., 1973 ; C. G. Hempel, 1965 ; W. V. O. Quine, 1950, p. 21.
17. Cf. notamment M. Scriven, 1959, 1962 et I. Scheffler, 1963.

C'est pourquoi, troisièmement, plusieurs auteurs ont conclu qu'une théorie de l'explication doit tenir compte d'éléments pragmatiques, notamment de l'intérêt théorique en vue duquel l'explication est proposée. Supposons que, dans le dortoir d'une école de jeunes filles, une surveillante, lors de sa ronde, découvre un professeur masculin nu comme un ver essayant de se faufiler dans les toilettes [18]. La surveillante, si elle s'intéresse à la physique, pourrait déduire le phénomène observé, en conformité avec le modèle D-N d'explication, de principes physiques, par exemple la loi affirmant qu'aucun corps ne peut se mouvoir avec une vitesse supérieure à la vitesse de la lumière. Mais cette explication serait dépourvue d'*intérêt pragmatique*.

Si la théorie orthodoxe de l'explication a fait l'objet de critiques détaillées, la théorie de la réduction a été soumise, par Kuhn et surtout par Feyerabend, à une critique globale. Selon Nagel [19], il existe deux types de réductions entre des théories scientifiques : les réductions « homogènes » et les réductions « hétérogènes ». Une réduction est homogène lorsque la théorie réductrice et la théorie réduite partagent le même vocabulaire descriptif (comme dans le cas de la réduction des lois galiléennes sur les trajectoires des projectiles à la surface de la Terre à la théorie newtonienne de la gravitation universelle). Une réduction est hétérogène lorsque les deux théories ne partagent pas le même vocabulaire descriptif.

En bon empiriste, Nagel s'intéresse principalement aux secondes, celles qui suscitent le plus de controverses métaphysiques, par exemple, entre partisans du mécanisme et du vitalisme en biologie, partisans et adversaires de l'individualisme en sciences sociales. Dans une analyse devenue fameuse de l'exemple, devenu standard, de la réduction hétérogène de la thermodynamique classique à la théorie cinétique des gaz [20], Nagel formule deux conditions d'adéquation sur les réductions hétérogènes : la théorie réduite, T_1, doit être déductible de la théorie réductrice, T_2. Les termes descriptifs de T_1 doivent être définissables au moyen du

18. L'exemple est adapté de H. Putnam, 1978 b.
19. E. Nagel, 1960, 1961, chap. 11.
20. E. Nagel, 1960, p. 295-96.

vocabulaire descriptif de T_2. Pour accomplir, par exemple, la réduction de la loi de Charles-Boyle, qui contient l'occurrence du terme « température », à la théorie cinétique des gaz, il faut identifier la notion de température à la notion d'énergie cinétique moyenne des molécules du gaz. En première approximation, une telle identification est un énoncé empirique, et pas simplement une stipulation arbitraire. Préserve-t-elle la signification du concept de température sous un nouveau nom ?

Le but scientifique d'une telle réduction est simple : si T_1 est réductible à T_2, alors une économie lexicale et surtout ontologique est réalisée. Dans ce cas, il paraît plausible de considérer que la théorie réduite est la théorie la moins générale, laquelle est, grâce à la réduction, ramenée à l'état de cas particulier de la théorie réductrice.

Mais que se passe-t-il dans les cas de réductions dites « homogènes » ? La réduction homogène est censée rendre compte des phases du développement historique de la physique pendant lesquelles le vocabulaire descriptif ne change pas, ou peu. Obéit-elle aux conditions de déductibilité et de définissabilité formulées par Nagel ?

A en croire Pierre Duhem et surtout Karl Popper [21], la réponse est non. Considérons, avec eux, la troisième loi de Kepler. Celle-ci affirme :

(K) $a^3/t^2 = k$

(a est la distance moyenne entre une planète quelconque du système solaire ; t le temps de révolution d'une planète quelconque autour du Soleil ; et k est une constante indépendante de la planète considérée). Or, l'énoncé déductible de la théorie newtonienne de la gravitation universelle est le suivant :

(K') $a^3/t^2 = m_0 + m_1$

(m_0 désigne la masse du Soleil et m_1 la masse de la planète considérée.)

Popper fait observer que, pour considérer que (K) est une bonne approximation de (K'), il faut invoquer des hypothèses auxiliaires plus ou moins plausibles et que, de toute façon, (K) n'est pas directement déductible de la théorie newtonienne. Il faut supposer que les écarts entre les masses des

21. K. R. Popper, 1957, in Popper, 1972, p. 191-205.

différentes planètes sont négligeables (ce qui n'est pas vrai) ; ou il faut supposer que la masse des différentes planètes est négligeable par rapport à celle du Soleil (ce qui est contraire à la théorie newtonienne de la gravitation universelle, car un corps de masse nulle n'obéit pas aux lois newtoniennes du mouvement). Pour Popper, le passage des lois de Kepler à la mécanique newtonienne, qu'un empiriste comme Nagel considérerait comme un cas typique de réduction homogène, implique un saut qualitatif que ni l'induction ni la déduction ne saurait expliquer.

Kuhn et surtout Feyerabend en tirent une critique générale du développement scientifique par réduction. Pour Kuhn, la réduction est incapable d'expliquer un changement de paradigme. Il invoque notamment le fait que les adversaires du système copernicien traitèrent Copernic de « fou ». Pour eux, la signification du mot « Terre » incluait l'immobilité au centre de l'univers. Donc, à leurs yeux, le concept d'une Terre mobile autour du Soleil était « dément [22] ». Malgré l'identité terminologique, le passage du paradigme géocentrique au paradigme héliocentrique, selon Kuhn, ne préserve pas la signification des mots descriptifs de base. Il en infère que, d'un paradigme à l'autre, les « mondes » changent, « en un sens que, dit-il, je suis incapable d'expliquer totalement [23] ».

Comme le dit Feyerabend [24],

> Ce qui se produit, lors d'une transition entre une théorie restreinte T′ et une théorie plus large T (qui est capable de couvrir tous les phénomènes couverts par T′) est quelque chose de beaucoup plus radical que l'incorporation de la théorie T′ *inchangée* au contexte plus large de T. Ce qui se produit en réalité, c'est le remplacement de l'ontologie de T′ par l'ontologie de T, accompagné du changement correspondant de signification de tous les termes descriptifs de T′ (à supposer que ces termes soient toujours en usage).

Toutes les analyses historiques, d'ailleurs fort riches, auxquelles se livre Feyerabend, obéissent à un postulat réaliste

---

22. T.S. Kuhn, 1962, p. 149-50.
23. *Ibid.*, p. 150.
24. P.K. Feyerabend, 1962, p. 59.

inhabituel qui résulte de son adhésion à la philosophie poppérienne. En disciple de Popper, Feyerabend admet que toutes les théories scientifiques sont *fausses* : le mieux que nous puissions faire est de réfuter une théorie. Donc, pour éviter le dogmatisme auquel aboutit Kuhn, il est important de faire proliférer un nombre aussi élevé que possible de théories rivales. Dans ses livres les plus récents, Feyerabend qui, contrairement à Kuhn, s'inquiète du dogmatisme croissant de la science moderne, maintient qu'il faut enseigner dans les écoles la théorie biblique concurremment avec la théorie darwinienne de l'évolution par sélection naturelle.

D'un côté, Feyerabend rejette explicitement l'interprétation instrumentaliste des théories scientifiques ouvertement défendue par Toulmin [25]. Donc, pour lui, les théories ne sont pas de simples instruments destinés à effectuer des prédictions observables. Mais, d'un autre côté, par poppérisme, il croit que toutes les théories sont fausses. De là, son réalisme inhabituel : les théories sont fausses, mais les termes descriptifs des théories désignent des entités inobservables. A chaque changement de théorie correspond un changement d'ontologie. L'histoire des sciences, sans être tout à fait une histoire de fous, nous promène de monde en monde, au gré de croyances aussi fausses les unes que les autres.

Selon Feyerabend [26], la théorie nagélienne de la réduction repose sur deux principes, que les transitions historiques effectives entre théories successives violent régulièrement : (i) le principe de consistance (ou de non-contradiction) entre théories successives ; (ii) le principe de l'invariance de la signification du vocabulaire descriptif composant deux théories successives.

La critique du premier principe est directement inspirée de l'analyse poppérienne du passage de la troisième loi de Kepler à l'énoncé approximativement équivalent qui se déduit de la mécanique newtonienne. Selon Nagel, la théorie réduite doit être déductible de la théorie réductrice. Or, Popper a montré qu'à strictement parler la théorie antérieure et la théorie postérieure sont contradictoires. Mais n'est-il

25. P.K. Feyerabend, 1975, p. 279 ; trad. fr. B. Jurdant et A. Schlumberger, 1979.
26. P.K. Feyerabend, 1963 ; trad. fr. P. Jacob, 1980.

pas vrai que la loi keplérienne est aussi une remarquablement bonne approximation de l'énoncé strictement déductible de la théorie newtonienne ?

Considérons un concept de base de la mécanique classique et de la mécanique relativiste : le concept d'impulsion (ou de quantité de mouvement). Dans la théorie relativiste, l'impulsion représente la quantité suivante :

$$(E)\ p = \frac{m_0 v}{\sqrt{1 - v^2/c^2}}$$

(m_0 désigne la masse de repos d'un corps, v sa vitesse et c la vitesse de la lumière). L'équation classique de l'impulsion est la suivante :

$$(N)\ p = m_0 v.$$

Plusieurs auteurs ont suggéré que, ce qui est naturel, ce n'est ni de considérer que l'impulsion classique se réduit à l'impulsion relativiste, ni de considérer que les deux concepts se contredisent purement et simplement, mais de poser que c'est l'impulsion relativiste qui, dans certaines conditions, se réduit à l'impulsion classique. A la limite, lorsque v^2/c^2 tend vers 0, c'est-à-dire lorsque v est très petite par rapport à c, (E) se réduit à (N). Autrement dit, c'est la théorie postérieure qui, ici, se réduit à la limite à la théorie antérieure.

Dans le cas présenté par Nagel d'une réduction hétérogène, la théorie moins générale (la thermodynamique classique) se réduisait à la théorie plus générale (la théorie cinétique) : la première précédait l'autre dans le temps. Dans le cas du concept d'impulsion, la théorie relativiste se réduit à la théorie classique. Cette interprétation permet de comprendre la différence entre les buts respectifs des deux réductions : la première réduction permet d'effectuer une économie ontologique. Mais, dans le cas de la seconde, aucune économie ontologique n'est effectuée. On souhaite que, dans certaines conditions-limites, l'impulsion relativiste se réduise à l'impulsion classique, parce que la théorie de la relativité est une théorie audacieuse et, si elle est réductible à une théorie aussi bien confirmée que la mécanique classique, dans certains cas-limites, elle en reçoit une confirmation indirecte [27].

27. T. Nickles, 1973.

La critique du principe de consistance entre théorie antérieure et théorie postérieure repose donc sur une analyse hâtive de la variété des réductions à l'œuvre en physique. Ce qui frappe Popper et Feyerabend, c'est moins la convergence des théories successives de la physique que leur divergence. Puisque la critique du principe de consistance entre théories successives ne permet pas de conclure que ce principe est radicalement erroné, examinons la critique encore plus radicale du principe de l'invariance du vocabulaire descriptif entre deux théories successives.

5. *Les paradigmes sont-ils « incommensurables » les uns par rapports aux autres ?*

C'est en 1962 que Kuhn et Feyerabend ont rendu célèbre l'affirmation que deux théories séparées par un changement de paradigme sont « incommensurables » l'une par rapport à l'autre. Autre façon de dire qu'après un changement de paradigme il se produit un « remplacement complet de l'ontologie » (Feyerabend) ou que les tenants et les adversaires d'un paradigme « travaillent dans des mondes différents » (Kuhn).

Dans le cas du passage du géocentrisme à l'héliocentrisme, Kuhn affirmait que les concepts descriptifs de base, « Terre », « Soleil », et ainsi de suite, changeaient tellement de signification que leurs référents extralinguistiques changeaient. De la même façon, de ce que les lois de la mécanique classique et de la mécanique relativiste changent, Kuhn conclut que « les référents physiques des concepts einsteiniens ne sont nullement identiques à ceux des concepts newtoniens qui portent le même nom [28] ». L'assertion d'un changement d'ontologie est la négation la plus radicale du principe d'invariance de la signification imputé à la théorie empiriste de la réduction.

Mais le terme d' « incommensurabilité » est ambigu. En effet, de la critique (contestable) du principe de consistance entre théories successives, on peut seulement, comme Popper, inférer qu'il existe une contradiction logique entre deux

28. T.S. Kuhn, 1962, p. 102.

théories successives. Mais, si une théorie T_2 contredit une théorie T_1, ces deux théories ne peuvent pas être « incommensurables », au sens où elles seraient *incomparables*. Si deux théories se contredisent, elles sont tout à fait comparables. Et, qui plus est, la vieille idée du progrès scientifique est saine et sauve — le fait que T_2 contredise T_1 est, ainsi que l'affirme Popper, compatible avec le fait que T_2 représente un progrès par rapport à T_1. Si les théories étaient incomparables, l'idée du progrès scientifique deviendrait absurde.

Ensuite, un empiriste ne pourrait-il pas répondre à Kuhn et à Feyerabend que les croyances exprimées par des théories successives ont beau changer, cela n'enlève rien à l'objectivité de la science, puisque en science les mérites relatifs de théories rivales et incompatibles sont jugés par référence à des observations exprimées dans un langage « observationnel » neutre (par rapport au contenu des théories en compétition) ?

Pour donner un sens à l'assertion d'incommensurabilité ou de changement d'ontologie, Kuhn et Feyerabend doivent donc rendre inefficace l'invocation empiriste d'un langage « objectif » dans lequel sont exprimées les observations permettant de départager des paradigmes rivaux.

Ces arguments leur ont été principalement fournis par Hanson, qui a lui-même développé des remarques contenues dans les *Investigations philosophiques* de Wittgenstein sur la perception visuelle [29]. Les critiques de l'empirisme opèrent donc une alliance insolite entre les deux philosophes les plus opposés l'un à l'autre, Popper et Wittgenstein.

Dans un premier temps, Hanson a montré qu'il n'existe pas de vocabulaire descriptif qui ne soit empreint de théorie (*theory-loaded* ou *theory-laden*). Selon un fameux exemple [30], lorsque Tycho-Brahé, qui est géocentriste, et Kepler, qui est héliocentriste, contemplent le coucher du Soleil, leurs rétines ont beau être bombardées par les mêmes photons, ils ne voient pas la même chose. Car, selon Hanson, « voir », c'est toujours « voir que... ». Autrement dit, dans la termi-

29. L. Wittgenstein, 1953 ; trad. angl. G. E. M. Anscombe, 1953, p. 193-207.
30. N. R. Hanson, 1958 a, p. 20-31.

nologie de Quine, l'application du verbe « voir » par Hanson à la perception de Tycho-Brahé et Kepler rend leurs perceptions « référentiellement opaques » : ils voient ce à quoi ils croient. La perception visuelle a, selon Hanson, une structure propositionnelle. Cette observation lui permet de rendre compte des fameux changements brusques de perception, décrits par la psychologie de la *Gestalt* :

Figure 2.

Dans la figure 2, on peut alternativement voir une tête d'oiseau à long bec et une tête d'antilope. Comme le dit Kuhn, appliquant ces remarques au changement de perception accompagnant un changement de paradigme, « ce qui était un canard dans le monde d'avant une révolution devient un lapin après [31] ». Bien que Kuhn interprète ces observations dans le sens d'une remise en question du postulat empiriste selon lequel il existe un vocabulaire observationnel invariant au cours de l'histoire, il reste prudent [32] :

> (...) L'expérience sensorielle est-elle fixe et neutre ? Les théories sont-elles simplement des interprétations de faits donnés, forgées par l'homme ? Le point de vue épistémologique qui a guidé la philosophie occidentale pendant trois siècles dicte un « oui » immédiat et sans équivoque ! En l'absence d'une alternative développée, il me semble impossible d'abandonner entièrement ce point de vue. Pourtant, il ne fonctionne plus efficacement, et les tentatives faites pour le faire fonctionner grâce à l'introduction d'un langage d'observations neutre me paraissent désespérées.

---

31. T. S. Kuhn, 1962, p. 111.
32. *Ibid.*, p. 126.

Mais, Feyerabend en a, lui, inféré une inversion pure et simple du privilège sémantique accordé par l'empirisme logique au langage observationnel sur le langage théorique. Pour l'empirisme logique, les phrases observationnelles étaient directement interprétables, c'est-à-dire qu'elles étaient individuellement douées de signification : leurs termes se comprenaient sans ambiguïté parce qu'ils désignaient des entités facilement observables. Pour l'empirisme logique, les énoncés théoriques tiraient leur signification de leurs liens avec les phrases observationnelles (*via* les règles de correspondance). Pour Feyerabend [33],

> les théories possèdent une signification indépendamment des observations ; les énoncés observationnels ne possèdent une signification qu'à la condition qu'ils aient été reliés à des théories. (...) Ce sont donc les *phrases observationnelles* qui ont besoin d'interprétation, et *pas* la théorie.

L'inversion du privilège accordé par l'empirisme logique au langage observationnel sur le langage théorique résulte donc de l'alliance inattendue entre les remarques de Wittgenstein sur la perception visuelle, exploitées par Hanson, et la thèse de Popper sur la contradiction entre deux théories successives, comme la troisième loi de Kepler et la théorie newtonienne de la gravitation universelle. Si cette alliance est solide, alors l'espoir de trouver dans le langage observationnel une base objective, permettant de départager des théories en compétition, s'évanouit. Il y a bien, dans ce cas, incommensurabilité entre théories, séparées par un changement de paradigme, au sens où il n'existe pas de langage neutre permettant aux tenants et aux adversaires d'un paradigme de communiquer entre eux.

Mais les arguments dérivés de Wittgenstein *via* Hanson ne sont pas facilement superposables aux arguments de Popper. Négligeons provisoirement le caractère caricatural de la conclusion de Popper, qui peut être tempéré par une défense de la convergence entre la loi de Kepler et la théorie newtonienne, dans la mesure où, du point de vue de celle-ci,

33. P.K. Feyerabend, 1965, p. 213.

on peut spécifier le degré d'erreur de la loi originelle de Kepler. Admettons qu'il existe une contradiction logique entre la théorie antérieure et la théorie postérieure. D'une part, cela implique qu'elles sont comparables, et vraisemblablement que Newton aurait pu « rationnellement » convaincre Kepler que la nouvelle formulation de sa loi était supérieure à sa formulation initiale. D'autre part, on peut en conclure que la théorie antérieure n'est pas déductible telle quelle de la théorie postérieure, mais qu'une version légèrement remaniée de la première est déductible de la seconde. Comme la loi de Kepler est plus « observationnelle » que la théorie newtonienne de la gravitation universelle, on peut légitimement conclure de l'argument de Popper qu'une théorie plus abstraite peut modifier un énoncé plus observationnel. On voit que, dans cet argument, à aucun moment n'a été invoquée la notion de « signification » linguistique.

En revanche, l'argument dérivé de Wittgenstein *via* Hanson recourt abondamment à la notion linguistique de « signification ». Comme cette notion est profondément obscure, cet argument passe moins bien la rampe que le précédent. Or, il est indispensable à l'affirmation de l'incommensurabilité entre théories séparées par un changement de paradigmes.

6. *La signification du vocabulaire descriptif est-elle une fonction des croyances exprimées dans chaque théorie ?*

En accord avec Popper, Feyerabend affirme que « non seulement la description du moindre fait dépend d'une théorie (...), mais que certains faits ne pourraient jamais être déterrés sans recourir à des théories rivales de la théorie qui fait l'objet d'un test, et qu'ils se perdent dès qu'on exclut les théories rivales [34] ». Contrairement à Kuhn, il en conclut que la multiplication des théories est le seul moyen d'éviter le dogmatisme et qu'il faut constamment confronter l'ensemble des faits relatifs à une théorie à l'ensemble des faits relatifs à des théories rivales.

Telle est la conviction profonde de l'anarchisme méthodologique revendiqué par Feyerabend. Mais cet anarchisme

34. P.K. Feyerabend, 1975, p. 39-40.

n'implique nullement de croire à l'incommensurabilité entre théories rivales, même si les faits permettant de départager celles-ci ne sont pas perceptibles si on ne s'affuble pas de l'une ou l'autre de ces théories comme d'une paire de lunettes. Pour passer de l'anarchisme à l'incommensurabilité, il faut « prouver » que non seulement la perception des faits dépend du port de lunettes, mais qu'il n'y a pas de faits.

Sans l'affirmer explicitement, Hanson l'avait suggéré [35] :

> Pour les philosophes « purs et durs » (les empiristes), l'observation consiste simplement à ouvrir ses yeux et à regarder. Les faits sont simplement les choses qui se produisent ; choses pures, dures, sans fard. (...) Qu'est-ce que l'observation d'un fait ? A quoi un fait ressemblerait-il ? Dans quoi pourrait-on en faire collection ? Je peux photographier un objet, un événement, ou même une situation. De quoi la photographie d'un fait serait-elle la photographie ? Une ébauche de l'aube est-elle l'ébauche du *fait* dont Tycho, Simplicius, Kepler et Galilée avaient conscience ? Il suffit de poser la question. Les faits ne sont pas des entités représentables ou observables.

On croirait lire certaines pages de la fin des *Investigations philosophiques* de Wittgenstein au cours desquelles il critique sa propre invocation de « faits atomiques » dans le *Tractatus*. Ces questions, indéniablement difficiles et profondes, sont directement suscitées par le fameux « canard-lapin » de Wittgenstein ou par l'oiseau-antilope de la figure 2.

A ces questions, on peut donner deux réponses possibles, toutes deux incompatibles avec l'empirisme logique et incompatibles entre elles. L'empirisme logique présupposait l'existence de faits observables, dans la mesure où il postulait l'existence d'une simple relation entre le vocabulaire observationnel et les entités observables correspondantes. Si on rejette ce postulat, on peut, avec Hanson, Kuhn et Feyerabend, croire que la signification réelle du vocabulaire descriptif apparemment le plus observationnel dépend du contexte théorique dans lequel il est utilisé. Une telle attitude est incompatible avec l'empirisme. On peut aussi, comme

35. H. R. Hanson, 1958 a, p. 31.

Quine, maintenir l'empirisme en invoquant la « relativité de l'ontologie ».

Au fond, sans employer cette terminologie, Hanson traite le verbe « voir » comme un verbe d'attitude propositionnelle (comme « croire », « savoir » ou « désirer »). Tous les termes référentiels employés dans des phrases contenant une occurrence de « voir » deviennent référentiellement opaques : ils n'ont pas leur référence ordinaire ; ils ont pour référence oblique la croyance que leur associe le sujet du verbe « voir » dans la phrase. Lorsque Tycho-Brahé voit le Soleil, il voit, selon Hanson, non pas une entité observable par tous les organismes équipés du même système sensoriel que lui, mais une entité qui ne répond qu'à une description géocentriste de l'univers. Lorsque Kepler voit le Soleil, il voit une autre entité, qui répond à une description héliocentriste.

C'est bien ainsi que Kuhn raisonne : dans le paradigme géocentriste, « Terre » signifie un objet immobile au centre de l'univers. Le référent de « Terre », dans le paradigme géocentriste, n'est donc pas la même entité que le référent du même mot dans le paradigme héliocentriste. Selon cette théorie de la signification des termes descriptifs des théories scientifiques, le référent d'un mot est l'entité possédant les propriétés correspondant aux croyances exprimées par la théorie. Seul un raisonnement de ce genre justifie l'assertion d'incommensurabilité entre théories successives séparées par un changement de paradigme.

Mais, d'une part, c'est un mauvais argument, qui révèle les failles de la philosophie du langage sous-jacente au courant anti-empiriste. D'autre part, à moins de se contredire, Feyerabend ne peut appliquer la thèse de la dépendance de la signification des mots par rapport aux croyances exprimées par une théorie aux phrases observationnelles.

Comme l'ont fait remarquer Israel Scheffler et Dudley Shapere [36], l'argument de Kuhn, censé établir le changement de référence (ou d'ontologie) du vocabulaire descriptif, à partir d'un changement de croyance (ou de théorie), commet l'erreur triviale d'inférer une absence de coréférence ou de coextensivité entre des mots à partir d'une absence de syno-

36. I. Scheffler, 1967, p. 58-60 ; D. Shapere, 1964, trad. fr. P. Jacob, 1980 ; D. Shapere, 1966.

nymie. Comme si « La classe des créatures ayant des reins » devait, pour lui être coextensive, être synonyme de « La classe des créatures ayant un cœur ».

Examinons l'argument par lequel Kuhn croit établir que « les référents physiques des concepts einsteiniens ne sont nullement identiques à ceux des concepts newtoniens qui portent le même nom [37] ». Il commence par se demander si les lois de la dynamique de Newton peuvent être strictement déduites des lois de la dynamique relativiste d'Einstein. Comme nous le savons déjà, toute déduction d'une théorie antérieure à partir d'une théorie postérieure s'accompagne de clauses qui remanient la théorie antérieure : du point de vue de la théorie postérieure, on peut formuler le degré d'erreur de la théorie antérieure. Mais, le plus souvent, on cherche plutôt à savoir si la théorie postérieure, plus risquée, parce que plus abstraite, que la théorie antérieure, fait des prédictions observables analogues à la théorie antérieure, plus proche de l'observation.

Kuhn remarque que, dans la mécanique newtonnienne, la masse se conserve, alors que dans la mécanique relativiste elle est convertible en énergie. « Ce n'est qu'à des vitesses relatives basses qu'on peut mesurer les deux de la même manière, et, même dans ce cas, on ne peut pas les concevoir identiques [38]. » Il conclut que, pour faire des lois newtoniennes un cas particulier des lois de la dynamique relativiste, « nous avons dû altérer les éléments structuraux fondamentaux dont l'univers auquel elles s'appliquent se compose [39] ». L'argument a bien la forme décrite : l'absence de coréférence des termes descriptifs, dans les deux théories, est inférée à partir d'une absence de synonymie.

Quant à Feyerabend, il ne peut pas inférer de l'anarchisme méthodologique que la signification des phrases observationnelles dépend des croyances exprimées dans les théories. Selon l'anarchisme, la découverte des faits dépend d'un point de vue théorique. Donc, la valeur de vérité assignée à un énoncé observationnel dépend d'une théorie. Mais Feyerabend défend simultanément une théorie « pragmatique de

37. T.S. Kuhn, 1962, p. 102.
38. *Ibid.*
39. *Ibid.*

l'observation » qui ressemble comme deux gouttes d'eau à la conception empiriste de Quine fondée sur le concept de stimulus-signification. Selon la théorie pragmatique de l'observation [40] :

> (...) Un énoncé sera considéré comme observationnel à cause du *contexte causal* dans lequel il est émis, et *non pas* à cause de ce qu'il veut dire. Selon cette théorie, « C'est rouge » est une phrase observationnelle, parce qu'un individu bien conditionné, qui est excité de manière appropriée en présence d'un objet qui a certaines propriétés physiques, répondra sans hésiter « C'est rouge » ; et sa réponse sera indépendante de l'*interprétation* qu'il peut associer à l'énoncé. (...) Les énoncés observationnels se distinguent donc des autres énoncés, non pas par leur signification, mais par les circonstances de leur production.

Sous peine de se contredire, Feyerabend ne peut donc pas invoquer le genre d'arguments repris de Wittgenstein par Hanson et Kuhn. Car sa théorie pragmatique de l'observation confère aux phrases observationnelles une totale indépendance par rapport aux croyances exprimées par les théories ; alors que la raison d'être de l'incommensurabilité réside justement dans la dépendance de la signification des phrases observationnelles par rapport aux croyances théoriques.

Pourtant, ainsi qu'on l'a vu, Feyerabend s'est précisément contredit, puisqu'il a, dans le même article, affirmé que les énoncés théoriques possèdent une signification indépendamment des observations, mais que les énoncés observationnels ne possèdent une signification qu'en fonction de l'interprétation que leur confèrent les théories.

C'est vraisemblablement ce genre de contradiction qui a poussé Quine à qualifier les tenants du courant anti-empiriste d' « inconoclastes [41] ». Ainsi que l'ont fait remarquer Ian Hacking et Jean Largeault [42], l'assertion d'incommensurabilité entre théories séparées par un changement de paradigme est aux antipodes de la thèse de Quine sur l'indétermination de

40. P.K. Feyerabend, 1965, p. 198 et 212. Cf. p. 213, note 33.
41. W.V.O. Quine, 1970 a, p. 4-5.
42. I. Hacking, 1975, p. 150-56 ; J. Largeault, 1977 a, p. 83.

la traduction radicale (ou ses autres versions : la relativité de l'ontologie et l'inscrutabilité de la référence).

Pour Quine, il existe toujours une multiplicité de traductions possibles d'un schème conceptuel dans un autre. Pour les tenants de l'incommensurabilité, il n'y a pas de traduction possible. Pour Quine, il y a tellement de traductions possibles que les données observables disponibles ne suffisent pas à déterminer la vraie traduction. Pour les partisans de l'incommensurabilité, c'est l'excès de signification des termes descriptifs qui est responsable de l'impossibilité de traduire. Lorsque Kuhn invoque la thèse de Quine [43], à l'appui de son plaidoyer en faveur de l'incommensurabilité, il commet donc une confusion. Cette ébauche de comparaison signale l'insuffisance de la philosophie du langage du courant anti-empiriste et de la descendance du courant poppérien.

43. T.S. Kuhn, 1970, p. 268-69. Dans le même ouvrage, Feyerabend rappelle que les idées de Kuhn et les siennes sur l'incommensurabilité sont nées en même temps (p. 219). In I. Lakatos et A. Musgrave, eds, 1970.

Epilogue

LE RENOUVEAU DU REALISME

Rien peut-être n'atteste mieux le rôle crucial joué par Quine et Goodman, à Harvard, dans le développement de l'empirisme, de la logique et de la linguistique, que la création du département de linguistique au Massachusetts Institute of Technology, l'université-sœur de Harvard, à Cambridge, Mass., au début des années 1960. Noam Chomsky et ses collaborateurs y développent la théorie des « grammaires génératives transformationnelles ». Leur objectif est de caractériser un mécanisme grammatical capable d'engendrer (ou d'énumérer) toutes et rien que les phrases bien formées d'une langue naturelle. Ils proposent donc des hypothèses sur le format d'un tel mécanisme et sur la nature des règles gouvernant la bonne formation des phrases d'une langue.

Si cette théorie est née d'une critique des limites des modèles de grammaire employées par les linguistes structuralistes américains, notamment Zellig Harris, elle est tributaire de la critique du positivisme logique effectuée par Goodman et Quine.

La méthodologie appliquée par Goodman à la formation des systèmes constructionnels a représenté pour Chomsky un modèle de formulation axiomatique d'une théorie syntaxique. Selon lui, le paradoxe de Goodman sur l'induction montre la vanité psychologique du behaviorisme skinnérien et de toute théorie de l'apprentissage d'une langue fondée sur des principes strictement empiristes — c'est-à-dire de toute théorie qui ne suppose pas l'existence d'une programmation étroitement génétique des capacités linguistiques de l'espèce humaine.

A Quine, Chomsky doit sans doute le projet d'élaborer une théorie des capacités purement grammaticales (purement syntaxiques) des locuteurs d'une langue naturelle. Tôt dans sa carrière [1], Chomsky a en effet été sensible à la démonstration par Quine de la fragilité des concepts de base de la sémantique intensionnelle, comme l'analyticité et la synonymie. La critique de Quine l'a poussé à formuler le projet d'une théorie des mécanismes grammaticaux qui ne fasse pas appel à des considérations sémantiques.

Mais la différence fondamentale entre Goodman ou Quine et Chomsky, c'est que les premiers sont logiciens et que le troisième est linguiste. A leur attirance pour les paradoxes et les arguments destinés à prouver les limites d'un système formel, il oppose son désir obstiné de formuler des hypothèses testables sur les systèmes naturels que sont les langues humaines. Cette différence apparaît dans toute sa vigueur dans le débat entre Chomsky et Quine occasionné par la fameuse thèse conventionnaliste de Quine sur l'indétermination de la traduction radicale.

Non que Chomsky fasse preuve d'un optimisme supérieur à Quine sur les possibilités de limiter l'indétermination de la traduction radicale, la relativité de l'ontologie et l'inscrutabilité de la référence. Quine semble penser qu'en dernière analyse il est vain de rechercher *le* système grammatical unique qui préside au comportement linguistique des locuteurs humains. Du fait qu'aux intuitions et au comportement linguistiques d'un locuteur on peut toujours associer une multiplicité de descriptions linguistiques possibles qui sont toutes extensionnellement équivalentes, Quine infère que le réalisme en linguistique est un objectif inaccessible [2]. Pour Chomsky, l'adhésion de Quine au conventionnalisme linguistique est semblable au conventionnalisme de Poincaré à l'égard de la géométrie, censée décrire l'espace physique. Sa réponse à Quine est donc semblable à la réponse de Reichenbach à Poincaré : parmi des systèmes de règles grammaticales extensionnellement équivalentes (capables d'engendrer les mêmes phrases), il existe d'autres moyens expérimentaux permettant de les départager.

D'autre part, Quine paraît sceptique sur la possibilité de formuler des hypothèses sur la syntaxe des langues naturelles

---

1. N. Chomsky, 1955 et cf. N. Chomsky, 1977, chap. 5.
2. W. V. O. Quine, 1972.

sans recourir explicitement ou implicitement à des hypothèses de la sémantique référentielle ou extensionnelle. Par exemple, pour justifier le choix du découpage syntaxique d'une phrase en un syntagme nominal-sujet, suivi d'un syntagme verbal lui-même formé d'un verbe et d'un syntagme nominal-objet, ne faut-il pas supposer que le constituant occupant la place du syntagme nominal-sujet a une fonction référentielle ? Si c'était le cas, alors le choix d'une théorie syntaxique serait affligé de la même indécidabilité que les hypothèses de traduction sur la structure quantificationnelle des phrases d'une langue radicalement étrangère. Mais, quelle que soit la réponse à la question portant sur l' « autonomie » des hypothèses syntaxiques par rapport aux hypothèses sémantiques, Chomsky nourrit à l'égard du concept de stimulus-signification la suspicion déjà mentionnée. Avant de conclure, en conventionnaliste typique, que les hypothèses de traduction sur la structure quantificationnelle des phrases d'une langue radicalement étrangère sont indécidables et donc dépourvues de valeur de vérité, il faut s'assurer qu'on a utilisé toutes les données observables disponibles. Quine affirme qu'elles sont épuisées dans son concept de stimulus-signification. Chomsky et d'ailleurs Putnam en doutent [3]. Reste qu'ils n'ont pas délimité une classe aussi précise mais plus large de données comportementales que celles qui tombent sous la juridiction du concept de stimulus-signification.

1. *Tarski et le réalisme.*

Après la critique du positivisme logique par Quine et Goodman, après que l'incommensurabilité entre théories séparées par un changement de paradigmes eut été proclamée par Kuhn et Feyerabend, le réalisme et l'objectivité scientifiques semblaient atteints d'un mal incurable. Si les changements spectaculaires de paradigmes font changer l'ontologie, ou si l'ontologie est relative à un schème conceptuel, que veut-on dire lorsqu'on dit d'une théorie qu'elle est vraie ?

3. N. Chomsky, 1969 ; N. Chomsky, 1975, p. 179-95 ; H. Putnam, 1975, vol. 2, p. 153-91, spécialement p. 159-65 et 168-71 et 177-85.

La vérité d'une théorie est-elle relative aux présuppositions d'un schème conceptuel ?

Dire, avec Quine, que l'ontologie est relative, c'est prendre une position foncièrement différente de celle qui affirme que l'ontologie est déterminée par les croyances et qu'elle change à coup sûr à chaque révolution scientifique. Mais aucune des deux n'est compatible avec le réalisme. Comme dit Quine [4], nous bricolons notre schème conceptuel, que nous ne pouvons pas comparer « objectivement avec une réalité non conceptualisée » : cela n'a pas de sens de vouloir déterminer la correction absolue d'un schème conceptuel en lui conférant l'impossible qualité d'être un « miroir de la réalité ».

Or, le réalisme voudrait que le principe de bivalence s'applique aux théories scientifiques, que celles-ci soient vraies ou fausses, et qu'elles le soient indépendamment des présuppositions propres aux paradigmes ou aux schèmes conceptuels éphémères. Pour un réaliste comme Putnam [5], la valeur de vérité d'une théorie scientifique doit pouvoir se libérer des contraintes imposées par la particularité d'un schème conceptuel. La référence du vocabulaire descriptif des théories scientifiques doit pouvoir être traitée selon une méthode « transthéorique » : « De même que l'idéaliste considère que le terme "électron" *dépend d'une théorie*, de même il considère que les notions sémantiques de référence et de vérité dépendent d'une théorie ; exactement de la même manière, le réaliste considère que "électron" est transthéorique, tout comme il considère que la vérité et la référence sont transthéoriques. »

Le réaliste ne dispose-t-il pas de la fameuse théorie sémantique de Tarski pour donner aux concepts de vérité et de référence le statut désiré ? C'est ce que pense Popper [6], qui attribue à Tarski l'immense mérite d'avoir « réhabilité la théorie de la vérité-correspondance, vérité absolue ou objective ; ce qui montre que nous sommes libres d'utiliser l'idée intuitive de vérité comme correspondance avec les faits ».

Ce n'est ni ce que pense Quine ni ce que pense Tarski lui-même. Quine souligne que la méthode tarskienne de défi-

4. W.V.O. Quine, 1953, p. 79.
5. H. Putnam, 1975, vol. 2, p. 198 ; trad. fr. P. Jacob, 1980.
6. K.R. Popper, 1963, p. 223.

nition récursive du prédicat « vrai » permet d'engendrer des théorèmes du genre « X est vraie si et seulement si p » (où « p » est une phrase d'un langage muni de règles explicites et « X » est le nom de « p » dans le métalangage), pour des langages individuels formalisés. Elle ne permet pas d'écrire une définition unique de « "vrai-dans-L" lorsque "L" est une variable ». Mais, grâce à la procédure de Tarski, nous pouvons conférer à « "vrai-dans-L" même lorsque "L" est une variable » un « degré d'intelligibilité suffisamment élevé pour pouvoir surmonter l'aversion éventuelle que pourrait susciter l'emploi de l'idiome. Aucun terme n'est évidemment définissable sans recourir à d'autres termes ; et l'urgence du besoin de définition est proportionnelle à l'obscurité du terme[7] ».

Tarski, on s'en souvient (cf. chapitre II, section V, p. 116), considérait sa contribution comme une simple étape transitoire ; il avait « réduit » le concept sémantique de « vrai-dans-L » au concept plus simple de « satisfaction ». Il espérait que sa théorie sémantique se rattacherait un jour au reste de la logique ou aux sciences physiques. De plus, il affirmait que « la définition sémantique de la vérité n'implique rien concernant les conditions d'assertion des phrases. Elle implique simplement que chaque fois que nous admettons ou nous rejetons une phrase comme (1) :

(1) La neige est blanche,

nous devons être prêts à admettre ou à rejeter la phrase corrélative (2) :

(2) La phrase "La neige est blanche" est vraie ».

Il concluait à la neutralité de sa doctrine à l'égard des controverses épistémologiques[8] :

> Ainsi pouvons-nous accepter la conception sémantique de la vérité sans abandonner nos positions épistémologiques quelles qu'elles soient. Nous pouvons demeurer réalistes naïfs, réalistes critiques ou idéalistes, empiristes ou métaphysiciens, comme nous l'étions avant. La conception sémantique est entièrement neutre par rapport à toutes ces attitudes.

7. W. V. O. Quine, 1953, p. 138.
8. A. Tarski, 1944 ; trad. fr. G. Granger, 1974, vol. 2, p. 295.

Autrement dit, et contrairement à ce que soutient Popper, la conception sémantique de la vérité découverte par Tarski peut être invoquée par un idéaliste (ou un instrumentaliste) aussi bien que par un réaliste. Ce qui sépare le réaliste de son adversaire, c'est qu'il réclame un concept sémantique de « vrai-dans-L » lorsque « L » est une variable — ce que Tarski ne lui donne pas. Pour ajuster le principe de bivalence (une phrase est vraie ou fausse) aux exigences réalistes appliquées aux théories scientifiques, il faut en effet pouvoir comparer les énoncés scientifiques aux faits, qui les rendent vrais ou faux indépendamment de toute conceptualisation.

La définition tarskienne de « vrai-dans-L » repose sur l'existence d'une liste reliant les prédicats d'un langage particulier à leurs désignations respectives, grâce au concept primitif de « désignation », par exemple :

« molécule » désigne des molécules ;

« électron » désigne des électrons, etc.

C'est justement parce que la réduction de « vrai-dans-L » à la relation primitive de désignation était bornée aux limites d'un langage particulier que Tarski lui-même avait pris la peine de dire à la fois qu'elle ne s'accordait pas encore « avec les postulats de l'unité de la science et du physicalisme » et qu'elle était compatible avec n'importe quel point de vue épistémologique.

C'est aussi ce qui rend la conception sémantique de la vérité encore insatisfaisante aux yeux d'un partisan du réalisme comme Hartry Field, qui exprime plus ouvertement que Putnam son espoir de voir un jour la sémantique se rattacher aux sciences physiques. Ce jour viendra lorsque nous disposerons d'une véritable méthode de réduction de la relation primitive de désignation, indépendante des langages particuliers, aux concepts de la physique. Field propose une analogie hypothétique entre le concept sémantique de référence ou de désignation primitive et le concept chimique de valence. L'hypothèse de base des chimistes qui conçurent le concept de valence était physicaliste, dans la mesure où ils espéraient « expliquer la valence en termes des propriétés structurales des atomes [9] ».

Si toutes les tentatives de réduction avaient échoué, les

9. H. Field, 1972.

chimistes auraient eu à choisir entre deux voies possibles : abandonner la théorie de la valence, en donnant la primauté à la physique ; ou remplacer le physicalisme par le « chimicalisme », l'hypothèse générale selon laquelle les concepts de base de la chimie ne sont pas réductibles à la physique.

Par analogie, Field propose d'adopter en sémantique l'attitude physicaliste (et non « sémanticaliste »), c'est-à-dire de chercher, conformément au vœu de Tarski, à réduire aux sciences physiques la relation de référence ou de désignation primitive entre le langage L, lorsque « L » est une variable, et la réalité. C'est, selon Field, le seul moyen de ne pas se contenter de dresser des listes reliant les prédicats de langages particuliers, langage par langage, à leurs désignations. Ces listes fournissent des définitions « extensionnellement correctes » de la relation de référence primitive, appliquée à un langage particulier, mais pas une réduction véritable, c'est-à-dire une explication de la relation sémantique de référence primitive entre des prédicats d'un langage quelconque et un état quelconque de la réalité.

Field redonne corps à l'espoir exprimé par Wittgenstein dans le *Tractatus*. Mais n'est-il pas utopique de vouloir conférer aux concepts de base de la sémantique le statut explicatif des concepts de la chimie ou de la biologie, qui se sont progressivement rattachés à la physique ? En un sens, toute théorie sémantique incorpore l'espoir d'éclairer la relation entre le langage et la réalité non linguistique. A ce titre, aucune théorie sémantique ne se passera des concepts de référence et de vérité. Mais quelle mission veut-on faire remplir à ces concepts ?

A cette question, Michael Dummett a donné une réponse anti-réaliste. Pour lui, jamais nous ne parviendrons à conférer ce statut « transthéorique », désiré par le réalisme, à « vrai-dans-L », lorsque « L » est une variable, si nous coupons notre compréhension du prédicat « vrai » des justifications rationnelles qui nous font admettre la vérité d'un énoncé. Autant dire que, pour lui, l'espoir réaliste de conférer une interprétation à « vrai-dans-L », lorsque « L » est une variable, est destiné à demeurer un vœu irréalisable, pour ne pas dire un souhait inintelligible.

Considérons les connecteurs propositionnels qui constituent le vocabulaire logique. Classiquement, nous fixons leur signification au moyen des concepts primitifs de « vérité » et de « fausseté » : si « p » est vraie, alors « non-p » est fausse. Si « p » et si « q » sont vraies, alors « p et q » est vraie ; dans tous les autres cas, « p et q » est fausse. Si « p » et si « q » sont fausses, alors « p ou q » est fausse ; dans tous les autres cas, « p ou q » est vraie, et ainsi de suite. Dans l'interprétation classique du vocabulaire logique, la signification des connecteurs propositionnels repose sur la compréhension préalable de « vrai » et de « faux ».

Or, Michael Dummett a eu l'idée de comparer les tables de vérité grâce auxquelles on présente habituellement la signification du vocabulaire logique à la description d'un jeu comme le jeu des échecs [10]. De même qu'une phrase affirmative peut avoir deux valeurs de vérité, de même deux positions finales sont à la disposition des joueurs : gagnant et perdant (une phrase affirmative peut aussi n'être ni vraie ni fausse, et le jeu se terminer par un match nul).

La description formelle du jeu consistera à spécifier la position initiale et les déplacements de chaque pièce. Le fait de définir les positions finales gagnante et perdante est compatible avec deux objectifs contradictoires : vouloir gagner ou vouloir perdre. La description formelle du jeu ne révèle pas le but du jeu : à savoir que les deux joueurs veulent gagner.

Par analogie, tant que les règles d'utilisation des connecteurs propositionnels repose sur l'invocation du vrai et du faux sans spécifier que cette utilisation obéit à la volonté des locuteurs de dire la vérité, ces règles ne révèlent pas le but que se fixe le locuteur qui se plie à la logique. Pour apprendre les règles du jeu ou de la logique, il faut savoir que le but du jeu est de gagner ou dans quelles circonstances admettre qu'une phrase est vraie.

En effet, selon Dummett, la seule signification que nous puissions conférer à « vrai », outre le rôle joué par « vrai » dans l'établissement du sens des connecteurs propositionnels, est révélée par les conditions dans lesquelles nous sommes en mesure de vérifier une phrase. Autrement dit, qualifier une phrase de « vraie » veut dire, selon Dummett, disposer des preuves ou des faits qui rendent l'assertion de la

10. M. Dummett, 1959 ; in Dummett, 1978, p. 1-24.

phrase rationnelle. Savoir que les phrases affirmatives se rangent en vraies et en fausses, cela permet de manier le calcul propositionnel, une fois que sont définis les connecteurs en termes de « vrai » et de « faux ». Mais, cela ne révèle pas la raison d'être, sinon de manière circulaire, de la classification des phrases en deux catégories.

Par-delà l'analogie entre le calcul propositionnel et le jeu d'échec, Dummett propose une interprétation intuitionniste des connecteurs propositionnels. Pour un intuitionniste, un théorème mathématique n'est admis que s'il est démontrable ; une phrase n'est acceptable que si nous avons des raisons de l'affirmer — si nous connaissons les faits qui justifient notre assertion qu'elle est vraie. Pour un intuitionniste, « vrai » veut dire, sinon « démontré » ou « prouvé », du moins « rationnellement justifié ». Cette interprétation retentit sur la signification des connecteurs propositionnels : un intuitionniste affirmera « p et q » s'il possède une méthode de démonstration de p et une méthode de démonstration de q ; alors que le principe classique de non-contradiction affirme qu'il est faux qu'une proposition soit vraie et non vraie, sa traduction intuitionniste affirme qu'il est absurde que la négation d'une proposition et sa double négation soient toutes les deux absurdes.

Il existe une traduction intuitionniste des connecteurs propositionnels qui préserve les lois logiques et les règles d'inférence admises par la logique propositionnelle classique. Pour un locuteur qui « comprend » les connecteurs selon l'interprétation classique, leur signification dépend des notions de vérité et de fausseté. Pour un locuteur qui les « comprend » selon l'interprétation intuitionniste, leur signification dépend des notions de démontrabilité et réfutabilité ou prouvabilité et falsifiabilité. Existe-t-il un test permettant de savoir quelle interprétation un locuteur confère au vocabulaire logique ?

Putnam a récemment proposé le test suivant [11] : si un locuteur admet qu'un énoncé déductible d'une théorie à laquelle il adhère (donc prouvable dans la théorie) peut néanmoins être faux, alors il « comprend » les connecteurs pro-

11. H. Putnam, 1976 ; cf. 2ᵉ conférence des John Locke Lectures, in H. Putnam, 1978 b.

positionnels de manière classique ou réaliste. En effet, en admettant qu'un énoncé démontrable peut être faux, ce locuteur admet du coup la possibilité que les axiomes de la théorie à laquelle il adhère puissent être faux. Donc, il admet que, tout en ayant des justifications rationnelles de croire à la vérité d'une théorie, celle-ci peut cependant être fausse. Ce qui prouve que, pour lui, la vérité n'est pas remplaçable par la notion de prouvabilité ou de démontrabilité, c'est-à-dire par le fait d'avoir des justifications rationnelles d'affirmer la vérité d'une phrase.

On est donc en présence de trois positions : Field soutient une position réaliste radicale ; Dummett soutient une position franchement anti-réaliste ; et Putnam soutient « le réalisme interne », qu'il distingue du « réalisme métaphysique » défendu par Field. Field espère que les notions de vérité et de référence seront réductibles aux sciences physiques, car il leur attribue un statut explicatif : elles expliquent le succès des théories scientifiques et de la « théorie immémoriale » du sens commun dans le comportement humain (le fait que nous ne nous cognons pas contre les murs). Pour Field, les notions sémantiques sont en attente de réduction, comme l'était le concept classique de gène avant l'avènement de la biologie moléculaire.

Pour Dummett, les conditions de vérité d'une phrase, c'est-à-dire les justifications rationnelles de son assertion, épuisent la signification de la notion de vérité. Selon lui, l'idée d'une correspondance générale entre des portions de réalité non conceptualisée et des segments du langage n'a pas de sens.

Pour la position intermédiaire de Putnam, le réalisme de Field et le vérificationnisme de Dummett ont tous deux des défauts : Field a tort de croire que, dans le schème conceptuel qui accompagne le développement des sciences, depuis la révolution scientifique du dix-septième siècle, la vérité peut jouer un rôle explicatif à l'égard du succès des sciences comparable aux concepts scientifiques à l'égard de la réalité. Putnam préfère assigner à la vérité une mission plus modeste, d'ailleurs compatible avec le vérificationnisme de Dummett [12]. Nous avons besoin du prédicat « vrai », parce que nous ne pouvons parler que des métalangages finis et non infinitaires.

12. H. Putnam, 1978 b, 1re conférence.

Si l'on disposait de métalangages infinitaires, contenant un nombre infini (dénombrable) de conjonctions et de disjonctions, alors on pourrait former des phrases métalinguistiques du genre de (1) :

(1) [Il dit « P_1 » & P_1] ou [Il dit « P_2 » & P_2] ou...

Dans un métalangage de ce type, on dirait « Paul a dit : "Il pleut" et il pleut ». Mais nous abrégeons les métalangages de ce type en employant le prédicat « vrai » : « Ce qu'a dit Paul est vrai », « "P_1" est vrai ».

Le réalisme interne admet que « vrai-dans-L » doive se limiter aux bornes d'un langage. Mais, ce qu'il reproche au vérificationnisme de Dummett, c'est de poser que les conditions d'assertion ou les justifications permettant de croire à la vérité d'une théorie sont elles-mêmes indépendantes des sciences empiriques. De même que certains des énoncés auxquels nous donnons notre adhésion parce que nous croyons posséder des justifications rationnelles de le faire sont faux, de même notre évaluation de ce qui constitue une justification rationnelle évolue à mesure que changent les sciences.

2. *La théorie causale de la référence.*

Kuhn et Feyerabend faisaient dépendre la référence des termes employés dans les théories scientifiques de leur sens, et ils rendaient celui-ci dépendant des croyances exactes contenues dans les théories. Ils faisaient donc dépendre la référence des termes scientifiques du contenu spécifique des théories.

Comme le dit Putnam [13], aucune entité ne satisfait exactement la théorie des électrons présentée par Niels Bohr en 1911. Faut-il en conclure, et Bohr aurait-il dû en conclure quelques années plus tard lorsqu'il modifia sa théorie, que le terme « électron » employé par Bohr en 1911 était simplement démuni de référence ?

Rendre, comme le font Kuhn et Feyerabend, la référence du vocabulaire descriptif scientifique dépendante des assertions contenues dans diverses théories ne peut aboutir qu'à la conséquence suivante : les termes employés dans une

13. H. Putnam, 1975, vol. 2, p. 197 ; trad. fr. P. Jacob, 1980.

théorie périmée sont, du point de vue de la théorie en vigueur, dépourvus de toute référence.

Nous qui croyons à la vérité de T_2, nous fixons la référence des termes employés dans une théorie antérieure T_1 en fonction des croyances exprimées par T_2. Pourquoi nous priver de la « meilleure » théorie disponible pour évaluer les théories antérieures ? Si on applique le point de vue de Kuhn et de Feyerabend, alors les termes de T_1 auront pour référents les entités qui satisfont exactement aux croyances exprimées par T_1. Si nous croyons en T_2, nous croirons que les croyances exprimées par T_1 sont fausses (partiellement ou complètement). Donc, selon Kuhn et Feyerabend, les référents des concepts de T_2 satisferont exactement les croyances de T_2 et, à strictement parler, rien ne satisfera plus les croyances exprimées par T_1. Autrement dit, les concepts de T_1, jugés de T_2, seront sans référents.

Mais cette conséquence va à l'encontre du jugement intuitif des physiciens, des chimistes ou des biologistes. Sauf dans des cas particuliers (comme le phlogistique ou le calorique), il est faux que les physiciens, les chimistes ou les biologistes traitent les concepts de théories périmées comme des fictions — James Watson et Francis Crick n'ont pas décidé que le concept classique de gène était dépourvu de référence en lui associant une description totalement nouvelle (à savoir une séquence d'ADN).

Comme l'a montré le chapitre VI, la situation typique des sciences mûres est la suivante : d'un point de vue logique, les lois de T_2 contredisent les lois de T_1 ; et, simultanément, du point de vue de T_2, les lois de T_1 s'avèrent de bonnes approximations. C'est même un principe régulateur de formation de T_2 que de vouloir préserver au maximum la validité, dans certaines conditions-limites, des lois et des mécanismes invoqués par T_1.

Les transitions entre T_1 et T_2 dans les sciences les plus mûres suggèrent, non pas que les ontologies respectives de T_1 et T_2 sont incommensurables, mais que, du point de vue de T_2, les lois de T_1 sont *approximativement vraies* et que les concepts employés dans T_1 *désignaient approximativement* les référents des concepts de T_2.

Comme le disait Putnam au début des années 1960 [14],

14. H. Putnam, 1962 c, in H. Putnam, 1975, p. 304-24.

lorsque nous employons un terme bio-médical comme « la sclérose en plaque », nous présumons qu'il existe une cause naturelle (un virus, par exemple) des symptômes correspondant aux cas classifiés sous le nom de « sclérose en plaque ». Nous ne présumons pas que les critères aujourd'hui disponibles sont nécessaires et suffisants pour déceler une fois pour toutes la présence de cette maladie. Nous admettons la possibilité de deux types d'erreurs possibles : l'étiologie observée a pu être anormale ; si la cause sous-jacente est un virus, nous rangerons parmi des cas de sclérose en plaque des symptômes inhabituels, dus par exemple à des variations au hasard. Ce qui compte, c'est que l'usage de termes scientifiques désignant des espèces naturelles est généralement gouverné par la présomption que des découvertes nouvelles ne nous obligeront pas à croire que nous avons brutalement changé d'ontologie [15] :

> Il y a deux cents ans, un chimiste n'avait probablement que deux ou trois critères lui permettant de savoir si une substance était un acide : la solubilité dans l'eau ; l'acidité du goût (en solution dans l'eau) ; rougir le papier de tournesol. Aujourd'hui, nous disposons d'une définition théorique en termes de la notion de « donneur-de-proton ». Pourtant, je suis convaincu que tout chimiste dirait qu'il parle des mêmes substances chimiques que ce que le chimiste du dix-huitième siècle appelait des « acides ». Y a-t-il une raison décisive de rejeter cette vue « naïve » ? Il est vrai que nous pouvons aujourd'hui parler d'un petit nombre d'acides que les critères du dix-huitième siècle n'auraient pas permis d'*identifier comme tels.* Si le chimiste du dix-huitième siècle affirmait par exemple qu'il est *impossible* qu'il existe un acide trop faible pour rougir le papier de tournesol (ou pour produire un goût quelconque), selon l'acception qu'il donnait au terme, alors peut-être devrions-nous dire qu'un changement de signification s'est produit. Mais qui supposera qu'un chimiste du dix-huitième siècle ne pourrait que faire cette affirmation ?

Le point de vue défendu par Putnam est exactement antithétique de celui de Kuhn et Feyerabend : les changements de

15. *Ibid.*, p. 311-12.

théorie n'entraînent pas *ipso facto* un changement d'ontologie, car les théories ne spécifient nullement des conditions nécessaires et suffisantes pour qu'une entité constitue le référent d'un concept employé en science. La présomption sous-jacente à l'emploi du terme « acide » est qu'il existe une relation causale entre des entités non linguistiques et certains symptômes ou critères. Mais les principes qui décrivent cette relation sont révisables avec le progrès scientifique.

A la même époque, Donnellan faisait observer, conformément au point de vue de Quine, que la distinction entre un changement de signification et un changement de théorie (ou de croyance) est généralement indécidable [16]. Il fut un temps où l'on rangeait les baleines parmi les poissons. Maintenant, on les range parmi les mammifères. A-t-on changé de croyance au sujet des baleines ? Ou a-t-on changé la signification du mot « baleine » ?

Dans la foulée de Donnellan, Putnam considère la situation hypothétique où il s'avérerait que les chats ne sont pas des animaux mais des robots [17]. Supposons d'abord que la moitié des créatures que nous nommons des « chats » s'avèrent être des robots et l'autre moitié soit formée d'animaux. Il est plausible de supposer que, dans une telle situation, nous n'appellerions pas les robots des « chats ». Supposons ensuite que toutes les créatures que nous appelons des « chats » s'avèrent être des robots, déposés et contrôlés par des Martiens, après que ces derniers aient tué tous les chats sur Terre, il y a un demi-siècle. Si nous pensions qu'il a existé des animaux répondant aux caractéristiques de ce que nous appelons des « chats », il est plausible que nous n'appellerions pas les robots des « chats », par contraste avec les animaux dont nous avons encore des traces (des fossiles, par exemple). S'il devait enfin s'avérer que l'évolution biologique n'a jamais donné naissance aux chats et que nous sommes sous le coup d'une gigantesque illusion (toutes les créatures appelées « chats » sont et ont toujours été des robots), alors nous dirions peut-être : « Tiens, finalement, les chats ne sont pas des animaux, mais des robots. »

Aussi difficile à confirmer que soit cette prédiction, elle

---

16. K. S. Donnellan, 1962.
17. H. Putnam, 1962 d, in H. Putnam, 1975, vol. 1, p. 237-49.

est contraire à celle que ferait un partisan de l'analyticité de la phrase « Les chats sont des animaux », comme Jerry Katz [18], pour qui la découverte que l'évolution n'a jamais produit de chats impliquerait qu'on donnât aux robots un autre nom, les « marchats » par exemple.

C'est à Saul Kripke que revient le mérite d'avoir proposé une théorie de la référence complètement nouvelle par rapport à Frege et Russell et d'en avoir tiré des conséquences métaphysiques nouvelles par rapport à Quine. Kripke a observé une différence entre le comportement des noms propres et celui des descriptions définies dans les contextes de modalité. Dans la mesure où cette différence est attestée par les jugements portés par des locuteurs, elle révèle une différence entre les usages respectifs des noms propres et des descriptions définies dans les langues naturelles [19].

Considérons les phrases (2) (3) et (4) :

(2) L'actuel président de la République française aurait pu ne pas être l'actuel président de la République française

(3) Valéry Giscard d'Estaing aurait pu ne pas être Valéry Giscard d'Estaing

(4) Valéry Giscard d'Estaing aurait pu ne pas être l'actuel président de la République française.

Intuitivement, il est plus facile de donner son assentiment à (2) et (4) qu'à (3), qui est presque absurde. Kripke explique cette différence de jugement par la distinction suivante : lorsque nous employons un nom propre (notamment de personne), nous désignons un individu *hic et nunc*. Les noms propres, comme les « noms propres purement logiques » de Russell, sont « rigidement » attachés à un individu. Si, comme dans (4), nous construisons une situation hypothétique irréelle, le nom propre en position de sujet grammatical désigne, comme dans une situation réelle, l'individu auquel il est attaché. Sans cesser de désigner *le* référent rigide du nom, nous le déposons dans un « monde possible », grâce à notre imagination, en lui ajoutant ou en lui retirant certaines propriétés qui lui appartiennent dans le monde réel.

Ces propriétés que notre imagination se plaît à donner ou

18. J. J. Katz, 1975.
19. S. Kripke, 1971 et 1972.

à soustraire aux individus sont mentionnées par des descriptions définies. C'est pourquoi Kripke distingue les noms propres, qui sont des « désignateurs rigides », des descriptions définies, qui ne le sont pas. Un désignateur est rigide s'il désigne la même entité extralinguistique dans tous les mondes possibles où il a un référent.

Pour Kripke, qui reprend la théorie russellienne des descriptions, (2) est une phrase ambiguë, comme l'a montré Russell, selon la différence de portée entre l'opérateur de modalité (« possible ») et les quantificateurs qui remplacent l'expression descriptive. Si l'on se reporte au chapitre II, section I, p. 81, la forme logique des deux interprétations possibles de (2) est révélée par (8) et (9) : (8) dit qu'il existe un individu unique satisfaisant la propriété « être actuellement président de la République française » et que cet individu aurait pu ne pas satisfaire cette propriété. (9) dit qu'il est possible qu'un individu unique satisfasse et ne satisfasse pas la propriété mentionnée. Rien n'empêche (8) d'être vraie. Mais (9) est une contradiction. C'est parce que, selon Kripke, l'explication de l'ambiguïté de (2), fondée sur la différence possible de portée entre l'opérateur modal et le quantificateur existentiel qui remplace l'expression descriptive, est inapplicable à (3) que celle-ci est absurde. En effet, pour Kripke, le nom propre n'est pas éliminable par la méthode de Russell et, qui plus est, on ne peut que lui donner une portée inférieure à la portée de l'opérateur modal. Donc, pour Kripke, (3) se trouve automatiquement dans la situation de (9) du chapitre II : c'est une contradiction affirmant qu'il est possible que le référent individuel, rigidement attaché au nom propre, viole le principe de l'identité à soi.

Donnellan avait, avant la publication de la théorie de Kripke, dans un article devenu fameux [20], distingué entre un usage « référentiel » et un usage « attributif » des descriptions définies. Selon lui, la théorie russellienne convient à l'usage attributif mais pas à l'usage référentiel. Si, dans un café où, à part une amie et moi, le seul consommateur porte une casquette et boit ce qui m'a l'air d'être une tasse de chocolat, je dis à mon amie : « Le type qui boit un chocolat ressemble à Kripke », et si en réalité l'homme que je veux

20. K.S. Donnellan, 1966.

désigner boit une tasse de viandox, je réussis à désigner quelqu'un malgré le fait que rien ne satisfait exactement ma description. La situation pragmatique qui entoure mon usage de la description erronée me permet de faire un acte de référence : tel est l'usage référentiel, presque ostensif, d'une description.

Tout autre est, selon Donnellan, l'usage attributif d'une description : dans ce cas, j'emploie une description sans avoir de référent spécifique « en tête ». Donc, j'emploie la description afin de désigner quiconque la satisfait. Par exemple, mon ami Arthur a été assassiné. Ni moi ni personne ne lui connaissions le moindre ennemi. Je dis, en apprenant la mort d'Arthur : « L'assassin d'Arthur est complètement dingue. » Je ne sais pas qui est l'assassin d'Arthur. Mais, qui que ce soit, ma description s'applique à cet énergumène.

La distinction établie par Donnellan est pragmatique : elle dépend à la fois de l'intention du locuteur et du contexte. Mais la conception des noms propres avancée par Kripke repose aussi sur la relation « rigide » ou « indexicale » entre un nom et son porteur. Pourtant, Kripke ne veut pas assimiler l'usage d'un nom propre et l'usage référentiel (au sens de Donnellan) d'une description. Pour justifier son refus, il donne la raison suivante[21] : lorsqu'un locuteur s'est servi d'une description fallacieuse pour désigner un individu et que le contexte a permis (comme dans l'exemple du café) au locuteur d'effectuer un acte de référence, le locuteur modifiera sa description aussitôt qu'il se sera aperçu de sa méprise.

Par analogie, un physicien ou un chimiste qui utiliserait, à nos yeux, une description partiellement erronée des *acides* ou des *électrons* modifierait sa description sous l'effet d'une discussion rationnelle avec un partisan d'une théorie plus avancée. Comme dans le cas de l'usage référentiel d'une description erronée, les physiciens et les chimistes supposeraient qu'ils parlent bien de la même chose lorsqu'ils emploient des mots comme « électricité », qui désignent des grandeurs physiques, même lorsqu'ils n'en donnent pas exactement la même description au cours de l'histoire.

En revanche, selon Kripke, si l'on découvrait que Gödel a

21. S. Kripke, 1972, note 37, p. 348-49.

triché, qu'il n'était pas celui qui avait vraiment démontré l'incomplétude de l'arithmétique, on ne cesserait pas pour autant d'appeler Gödel « Gödel ». Ce qui, selon Kripke, justifie la dichotomie entre les descriptions et les noms propres.

Kripke et surtout Putnam ont généralisé la théorie des noms propres de Kripke aux termes désignant des grandeurs physiques et des espèces naturelles : cette théorie permet en effet d'attribuer aux termes descriptifs employés en science un référent approximativement identique, malgré les différentes descriptions qui leur sont associées à différentes époques. Or, en retour, l'application de la théorie de la référence des noms propres aux noms d'espèce naturelle pose à la théorie des noms propres quelques questions difficiles. Surtout lorsqu'on tient pleinement compte de la dimension métaphysique conférée par Kripke à sa théorie de la référence.

Selon un fameux exemple dû à Putnam [22], imaginons une planète logiquement possible (même si elle ne l'est pas chimiquement), qui serait identique à la Terre en tous points sauf en un : le liquide qui y remplit les océans, les mers et les fleuves, qui s'y répand sous forme de pluie, qui étanche la soif, n'a pas pour structure moléculaire H_20, mais XYZ. Terre-Jumelle est une copie conforme de la Terre, à cette exception près qui est d'autant plus difficilement décelable que les habitants de Terre-Jumelle boivent XYZ que, si un Terrien boit XYZ, il ne peut reconnaître aucune différence de goût avec H_20, et enfin que les locuteurs français de Terre-Jumelle appellent XYZ de l' « eau » — car chaque être vivant (et d'ailleurs minéral) sur Terre a sa copie conforme sur Terre-Jumelle.

Par conséquent, lorsque je pense à l'eau, lorsque je goûte de l'eau, ma copie conforme sur Terre-Jumelle non seulement pense à l'eau et goûte de l'eau mais est exactement dans le même état mental que moi. Et pourtant, lorsque nous employons simultanément le mot « eau », dans des phrases exactement identiques, nous ne parlons pas de la même chose : je parle de H_2O et lui parle de XYZ. D'ailleurs, du point de vue de Putnam, un locuteur terrien de 1650, qui

22. H. Putnam, 1975, vol. 2, p. 223 sq.

n'avait aucun moyen expérimental de savoir que son usage du mot « eau » était différent de l'usage du mot par un habitant de Terre-Jumelle, parlait tout de même de H_2O (fût-ce sans le savoir) ; à cette époque, un habitant de Terre-Jumelle parlait autant de XYZ que maintenant.

Le mot « eau » est un mot d'espèce naturelle (un liquide). Devant la fiction inventée par Putnam, on a deux possibilités : on peut dire que le mot « eau »$_{\text{Terre}}$ et le mot « eau »$_{\text{Terre Jumelle}}$ ont la même signification et une extension différente (qu'ils ne désignent pas la même chose). Ou on peut dire, comme Putnam, que parce qu'ils ne désignent pas la même chose, ils n'ont pas la même signification. Le choix de la seconde stratégie correspond à l'application de la théorie des noms propres de Kripke à un mot de substance naturelle comme « eau ».

Cette application implique que l'usage d'un mot de substance ou d'espèce naturelle est gouverné par une double présomption, latente chez les locuteurs, qui leur fait penser que le référent de ces mots possède une structure essentielle (pour l'eau, H_2O) qui est responsable des propriétés superficielles de la substance en question ; et que cette structure est indexicale ou rigide dans notre monde *hic et nunc*. C'est cette présomption qui explique que des physiciens ou des chimistes du temps passé parlent en général des mêmes entités que les physiciens et les chimistes contemporains, même s'ils utilisent pour fixer la référence des mots des descriptions différentes, que les physiciens et les chimistes jugent partiellement erronées.

Kripke est, pour sa part, prêt à assumer toutes les conséquences métaphysiques de sa théorie des noms propres et de l'application de cette théorie aux noms d'espèce naturelle. Or, la conséquence la plus notable est à coup sûr l'essentialisme fustigé par Quine, mais qui ne rebute nullement Kripke (cf. chap. v, sect. 2, p. 198).

Pour Kripke, les phrases (5), (6) et (7), *si* elles sont vraies, expriment des vérités *nécessaires* :

(5) L'eau est composée de molécules d'H_2O.
(6) La lumière est composée de photons.
(7) La chaleur résulte de l'agitation moléculaire.

Si les découvertes scientifiques sont vraies, elles sont nécessairement vraies. Leur nécessité, sous réserve qu'elles soient vraies, est imposée par la structure de la réalité de notre monde, indépendamment de notre équipement cognitif. Ce qui ne veut pas dire, bien au contraire, que nous puissions découvrir (5), (6) et (7) *a priori*. Peut-être d'autres créatures (les Martiens, des anges ou Dieu) pourraient-ils les découvrir *a priori* ; mais nous, nous avons besoin de recourir à l'expérience.

Pour Kripke, il existe donc des vérités nécessaires et empiriques. Et il existe aussi des vérités connaissables *a priori* mais contingentes. (8) en est un exemple :

(8) La longueur du mètre-étalon à Paris est de un mètre.

Selon Kripke, (8) exprime une vérité contingente, car si, au moment de fixer la longueur de un mètre, la température avait été différente, alors la tige constituant le mètre-étalon aurait eu une longueur différente. Autrement dit, il existe un monde possible dans lequel cette tige n'a pas la longueur qu'elle a dans le monde réel. Donc, l'expression « la longueur du mètre-étalon à Paris », qui désigne une tige métallique, n'est pas rigide. En revanche, l'expression « un mètre » est rigide. La phrase (8) utilise la description définie « la longueur du mètre-étalon à Paris », qui est non rigide, pour fixer la référence de l'expression « un mètre », qui désigne la même longueur dans tous les mondes possibles et est donc rigide. Comme (8) est une stipulation conventionnelle, nous savons qu'elle est vraie *a priori*.

Kripke distingue donc entre une nécessité métaphysique, inscrite dans la réalité, et les qualités épistémiques de la connaissance que nous nous en faisons grâce à notre équipement cognitif. Selon ce point de vue [23], on peut imaginer des créatures qui auraient des terminaisons nerveuses et des organes sensoriels tels qu'elles ressentiraient notre sensation de chaud devant un bloc de glace et notre sensation de froid devant un feu. Leurs sensations thermiques seraient permutées par rapport aux nôtres.

Nous n'aurions pas besoin, pour décrire notre interprétation de la situation, de remettre en cause notre croyance dans la vérité exprimée par (7). Le fait que l'équipement nerveux des créatures différentes de nous leur fait sentir le froid

23. S. Kripke, 1971.

en présence d'un feu et le chaud en présence de la glace ne nous ferait pas croire que la chaleur n'est pas le produit d'une activité moléculaire. Pourtant, l'activité moléculaire d'un bloc de glace est moins élevée que celle d'un feu de bois. Mais nous préférerions attribuer aux créatures des sensations nerveuses inverses des nôtres plutôt que de réviser une loi physique. Celle-ci exprime, si elle est vraie, une nécessité sur l'environnement physique. Les sensations thermiques dépendent de l'interaction entre l'environnement (le degré d'agitation moléculaire, selon la thermodynamique) et l'équipement sensori-nerveux des organismes qui ressentent le chaud et le froid. Le fait de pouvoir décrire une situation dans laquelle des créatures auraient des sensations thermiques permutées par rapport aux nôtres, sans réviser la valeur de vérité de (7), atteste, selon Kripke, de la dualité, dans notre schème conceptuel, entre la nécessité métaphysique et les propriétés épistémiques de l'équipement cognitif.

La grande nouveauté de Kripke, par rapport à la tradition, y compris Quine, est donc d'avoir dissocié les paires de notions : *a priori*/*a posteriori* et nécessaire/contingent. L'attaque menée par Quine contre l'opposition entre les énoncés analytiques et synthétiques était simultanément une critique de la double distinction traditionnelle entre les connaissances *a priori* et les connaissances *a posteriori*, les vérités nécessaires et les vérités contingentes. Personne jusqu'à Kripke n'avait songé qu'une phrase peut exprimer une vérité nécessaire qui n'est connaissable qu'*a posteriori*. Mais, si c'est le cas, alors l'essentialisme renaît : on dira qu'une entité possède certaines propriétés essentielles et d'autres propriétés contingentes.

On pourra employer le test de la rigidité pour déterminer les propriétés essentielles et les propriétés contingentes. Remarquons au passage que c'est une chose d'affirmer que la distinction entre propriétés essentielles et propriétés contingentes répond à une distinction dans l'intuition des locuteurs d'une langue naturelle. Et que c'en est une autre de dresser une liste des propriétés nécessaires et des propriétés contingentes d'un individu déterminé.

Supposons qu'un individu, rigidement désigné par un nom, puisse préserver son identité dans des mondes possibles, privé de certaines propriétés qu'il possède dans le monde réel : comme en témoigne (4), il est vraisemblable qu'il existe un monde possible dans lequel Valéry Giscard d'Estaing ne serait pas l'actuel président de la République française. Une telle propriété serait une propriété contingente de l'individu en question. Peut-être appartenir au genre humain est-elle une propriété essentielle de Valéry Giscard d'Estaing, s'il est vrai qu'il la possède. Peut-être un robot pourrait-il parfaitement simuler le comportement exact de Valéry Giscard d'Estaing ; peut-être avons-nous besoin d'accumuler un grand nombre de preuves empiriques pour nous assurer de la vérité de (9) :

(9) Valéry Giscard d'Estaing est un être humain.

Mais peut-être si (9) est vraie, est-ce une vérité nécessaire.

Or, l'une des objections fondamentales qu'adressait Quine à la sémantique des mondes possibles, c'est l'identification des individus à travers différents mondes possibles : rappelez-vous ce gros homme possible dans le couloir (cf. Préface, p. 26). A cette objection, Kripke fait une réponse tout à fait révélatrice [24] : Quine a raison de dire qu'on n'explore pas les mondes possibles, ni avec des télescopes, ni en s'y propulsant en fusée supersonique : les mondes possibles sont trop loin de nous. Si on les explorait ainsi, à la recherche de l '« individu possible » le plus semblable au Giscard d'Estaing réel, notre tâche serait irréalisable. Nous aurions besoin d'un impossible critère d'identification de la contrepartie possible de Giscard d'Estaing dans tel monde possible, parmi toutes les contreparties possibles. Nous ne le découvririons jamais, même si notre intelligence et le temps dont nous disposions étaient infinis.

En revanche, lorsque nous imputons des propriétés imaginaires irréelles à un individu dans une situation irréelle contraire aux faits, nous plaçons un individu rigidement désigné par son nom (*Giscard d'Estaing* de notre monde réel) dans un environnement défini par nos stipulations : un monde possible n'est pas un pays étranger que nous aimerions découvrir. C'est une situation hypothétique irréelle, entièrement déterminée par les conventions que nous lui associons.

Le genre de réalisme auquel aboutissent les efforts de

24. S. Kripke, 1972, p. 266-67.

Kripke et de Putnam est admirablement résumé par ce bref dialogue entre deux grands physiciens [25] :

> Un jour, le physicien Leo Szilard annonça à son ami Hans Bethe qu'il songeait à tenir un journal : « Je n'ai pas l'intention de le publier ; je vais simplement cataloguer les faits pour que Dieu en soit informé. » — « Tu ne crois pas que Dieu connaît les faits ? » lui demanda Bethe. — « Si, dit Szilard, Il connaît les faits, mais Il ne connaît pas *cette version des faits.* »

C'est la leçon des dernières tentatives de la philosophie analytique ; c'est aussi, me semble-t-il, l'intuition la plus fidèle au schème conceptuel des sciences modernes : celles-ci décrivent des faits, indépendants de nous ; c'est la version que nous en donnons qui représente notre contribution.

25. Cité par Freeman Dyson, 1979, p. ix.

BIBLIOGRAPHIE

Achinstein, P. 1968, *Concepts of Science. A Philosophical Analysis,* Baltimore, The Johns Hopkins Press.
Achinstein, P. et Barker, S. eds, 1969, *The Legacy of Logical Positivism,* Baltimore, The Johns Hopkins Press.
Adorno, T. W. 1968, « Scientific experiences of a european scholar in America », in Fleming, D. et Bailyn, B. eds, 1968.
Althusser, L. 1968, *Lire le Capital,* Paris, Maspero.
Althusser, L. 1969, *Lénine et la philosophie,* Paris, Maspero.
Apostel, L., Mays, W., Worf, A. et Piaget, J. 1957, *Les Liaisons analytiques et synthétiques dans les comportements du sujet,* Paris, Presses Universitaires de France.
Austin, J. L. 1963, « Performative-constative », in Searle, J. R. ed., 1971.
Austin, J. L. 1970, *Philosophical Papers,* Londres, Oxford University Press.
Ayer, A. J. 1936, *Language, Truth and Logic,* Londres, Gollancz.
Ayer, A. J. ed. 1959, *Logical Positivism,* New York, The Free Press.

Bar-Hillel, Y. 1954, « Logical syntax and semantics », *Language,* 30, 230-37.
Beck, L. ed. 1962, *La Philosophie analytique,* Cahiers de Royaumont, Paris, Minuit.
Benacerraf, P. 1973, « Mathematical Truth », *Journal of Philosophy,* 70, 661-79.
Benacerraf, P. et Putnam, H. eds, 1964, *Philosophy of Mathematics, Selected Readings,* Englewood Cliffs, N. J., Prentice-Hall.
Bohnert, H. 1963, « Carnap on definition and analyticity », in Schilpp, P. A. ed., 1963.
Boudot, M. 1972, *Logique inductive et probabilité,* Paris, A. Colin.
Bouveresse, J. 1971, *La Parole malheureuse,* Paris, Minuit.
Bouveresse, J. 1973a, *Wittgenstein, la rime et la raison,* Paris, Minuit.
Bouveresse, J. 1973b, « La Théorie et l'observation dans la philosophie des sciences du positivisme logique », in Châtelet, F. ed., 1973, *Le vingtième siècle, histoire de la philosophie,* Paris, Hachette.

Bouveresse, J. 1976, *Le Mythe de l'intériorité,* Paris, Minuit.
Bouveresse, J. 1977, « Le Paradis de Cantor et le purgatoire de Wittgenstein », *Critique,* 359, 316-51.
Bradley, F. H. 1893, *Appearance and Reality,* Londres, Sonnenschein & Co., Ltd.
Bridgman, P. W. 1928, *The Logic of Modern Science,* New York, The MacMillan Company.
Brody, B. ed. 1970, *Readings in the Philosophy of Science,* Englewood Cliffs, N. J., Prentice-Hall.
Butler, R. J. 1954, « The scaffolding of Russell's theory of descriptions », *Philosophical Review,* 63, 350-64.
Butterfield, H. 1958. *The Origins of Modern Science,* New York, Macmillan.

Canguilhem, G. 1975, *Etudes d'histoire et de philosophie des sciences,* Paris, Vrin.
Canguilhem, G. 1977, *Idéologie et rationalité,* Paris, Vrin.
Carnap, R. 1928, *Der logische Aufbau der Welt,* Berlin-Schlachtensee, Weltkreis-Verlag ; trad. angl., Berkeley, R. A., 1967, *The Logical Construction of the World,* Berkeley, University of California Press.
Carnap, R. 1932a, « Überwindung der Metaphysik durch logische Analyse der Sprache », *Erkenntnis,* 2, 4, 219-41 ; trad. angl., Pap, A. 1959, in Ayer, A. J. ed., 1959.
Carnap, R. 1932b, « Die physikalische Sprache als Universalsprache der Wissenschaft », *Erkenntnis,* 2, 5/6, 432-65.
Carnap, R. 1932c, « Psychologie in physikalischer Sprache », *Erkenntnis,* 3, 2/3, 107-42.
Carnap, R. 1934a, *Logische Syntax der Sprache,* Vienne, Verlag von Julius Springer ; trad. angl., von Zeppelin, A. 1937, *The Logical Syntax of Language,* Londres, Routledge & Kegan Paul.
Carnap, R. 1934b, *The Unity of Science* ; trad. angl. Black, M. 1934, Londres, Kegan Paul, Trubner & Co.
Carnap, R. 1935a, *Philosophy and Logical Syntax,* Londres, Kegan Paul, Trench, Trubner & Co.
Carnap, R. 1935b, « Les concepts psychologiques et les concepts physiques sont-ils foncièrement différents ? », trad. fr. Bouvier, R., *Revue de synthèse,* 10, 43-53.
Carnap, R. 1936-1937, « Testability and Meaning. » *Philosophy of Science,* 3, 419-71 ; 4, 1-40.
Carnap, R. 1939, *Foundations of Logic and Mathematics,* International Encyclopedia of Unified Science, Chicago, University of Chicago Press.

Carnap, R. 1942, *Introduction to Semantics,* Cambridge, Mass., Harvard University Press.
Carnap, R. 1947, *Meaning and Necessity: A Study in Semantics and Modal Logic,* Chicago, Chicago University Press.
Carnap, R. 1950a, « Empiricism, Semantics, and Ontology », *Revue internationale de philosophie,* 4, 20-40.
Carnap, R. 1950b, *Logical Foundations of Probability,* Chicago, University of Chicago Press.
Carnap, R. 1952, « Meaning postulates », *Philisophical Studies,* 3, 65-73.
Carnap, R. 1956, « The methodological character of theoretical concepts », in Feigl, H. et Scriven, M. eds, 1956.
Carnap, R. 1963, « Intellectual autobiography » et « Replies and expositions », in Schilpp, P. A. ed., 1963.
Carnap, R. 1966, *Philosophical Foundations of Physics,* New York, Basic Books, Inc. ; trad. fr. Luccioni, J.-M. et Soulez, A. 1973. *Les Fondements philosophiques de la physique,* Paris, A. Colin.
Cassin, C. E. 1970, « Russell's discussion of meaning and denotation. A reexamination », in Klemke, E. D. ed., 1970.
Chomsky, N. 1955, « Logical syntax and semantics. Their linguistic relevance », *Language,* 31, 36-45.
Chomsky, N. 1957, *Syntactic structures,* La Haye, Mouton ; trad. fr. Braudeau, M. 1969, *Structures syntaxiques,* Paris, Le Seuil.
Chomsky, N. 1969, « Quine's Empirical Assumptions », in Davidson, D. et Hintikka, J. eds, 1969.
Chomsky, N. 1975, *Reflections on Language,* New York, Pantheon Books ; trad. fr. Milner, J., Vautherin, B. et Fiala, P. 1977. *Réflexions sur le langage,* Paris, Maspero.
Chomsky, N. 1977, *Dialogue avec Mitsou Ronat,* Paris, Flammarion.
Chomsky, N. et Scheffler, I. 1958-1959, « What is said to be », *Proceedings of the Aristotelian Society,* 59.
Clark, R. W. 1976, *The Life of Bertrand Russell,* New York, Alfred A. Knopf.
Cohen, I. B. 1973, « History and the philosopher of science », in Suppe, F. ed., 1977.
Cohen, I. B. 1974, « "Galileo's theory" and "Kepler's theory" vs. "Newton's theory" », in Elkana, Y. ed., 1974.
Colodny, R. G. ed. 1965, *Beyond the Edge of Certainty,* Englewood Cliffs, N. J. Prentice-Hall.
Colodny, R. G. ed. 1966, *Mind and Cosmos, Essays in Contemporary Science and Philosophy,* Pittsburgh, University of Pittsburgh Press.

Colodny, R. G. ed. 1970, *The Nature and Function of Scientific Theories,* Pittsburgh, University of Pittsburgh Press.
Copi, I. M. 1971, *The Theory of Logical Types,* Londres, Routledge & Kegan Paul Ltd.
Craig, W. 1953, « On axiomatizability within a system », *Journal of Symbolic Logic,* 18, 30-32.
Craig, W. 1956, « Replacement of auxiliary expressions », *Philosophical Review,* 65, 38-55.

Davidson, D. 1966. « Emeroses by other names », *Journal of Philosophy,* 63, 778-80.
Davidson, D. 1967, « Truth and meaning », *Synthese,* 17, 304-23.
Davidson, D. 1970, « Mental Events », in Foster, L. et Swanson, J. W. eds, 1970.
Davidson, D. et Hintikka, J. eds, 1969, *Words and Objections,* Dordrecht-Holland, D. Reidel Pub. Comp.
Davidson, D. et Harman, G. eds, 1972, *Semantics of Natural Language,* Dordrecht-Holland, D. Reidel Pub. Comp.
Descombes, V. 1979, *Le Même et l'Autre,* Paris, Minuit.
Donnellan, K. S. 1962, « Necessity and Criteria », *Journal of Philosophy,* 59, 647-58.
Donnellan, K. S. 1966, « Reference and definite descriptions », *Philosophical Review,* 75, 281-304.
Dray, W. 1957, *Laws and Explanation in History,* Londres, Oxford University Press.
Duhem, P. 1906, *La Théorie physique : son objet et sa structure,* Paris, Chevalier et Rivière.
Dummett, M. 1959, « Truth », in Dummett, M., 1978.
Dummett, M. 1973, *Frege: Philosophy of Language,* New York, Harper & Row.
Dummett, M. 1978, *Truth and Other Enigmas,* Cambridge, Mass., Harvard University Press.
Dyson, F. 1979, *Disturbing the Universe,* New York, Harper & Row.

Elkana, Y. ed. 1974, *Some Aspects of the Interaction Between Science and Philosophy,* New York, The Humanities Press.
Engelmann, P. 1967, *Letters from Ludwig Wittgenstein, With a Memoir,* Oxford, Basil Blackwell.

Feigl, H. 1943, « Logical empiricism », in Feigl, H. et Sellars, W. eds, 1949.

Feigl, H. 1963, « Physicalism and the unity of science », in Schilpp, P. A. ed., 1963.

Feigl, H. 1968, « The Wiener Kreis in America », in Fleming, D. et Bailyn, B. eds, 1968.

Feigl, H. 1969, « The origin and spirit of logical positivism », in Achinstein, P. et Barker, S. eds, 1969.

Feigl, H. 1970, « The "orthodox" view of theories », in Radner, M. et Winokur, S. eds, 1970, *Minnesota Studies in the Philosophy of Science,* IV, Minneapolis, University of Minnesota Press.

Feigl, H. et Brodbeck, M. eds, 1953, *Readings in the Philosophy of Science,* New York, Appleton-Century-Crofts, Inc.

Feigl, H. et Maxwell, G. eds, 1958, *Minnesota Studies in the Philosophy of Science,* II, Minneapolis, University of Minnesota Press.

Feigl, H. et Maxwell, G. eds, 1962, *Minnesota Studies in the Philosophy of Science,* III, Minneapolis, University of Minnesota Press.

Feigl, H. et Scriven, M. eds, 1956, *Minnesota Studies in the Philosophy of Science,* I, Minneapolis, University of Minnesota Press.

Feigl, H. et Sellars, W. eds, 1949, *Readings in Philosophical Analysis,* New York, Appleton-Century-Crofts, Inc.

Feyerabend, P. K. 1955, « Review of *Philosophical Investigations* », *Philosophical Review,* 54, 449-83.

Feyerabend, P. K. 1958, « An attempt at a realistic interpretation of experience », *Proceedings of the Aristotelian Society,* 58, 143-70.

Feyerabend, P. K. 1960, « Review of *Patterns of Discovery* », *Philosophical Review,* 69, 247-52.

Feyerabend, P. K. 1962, « Explanation, reduction, and empiricism », in Feigl, H. et Maxwell, G. eds, 1962.

Feyerabend, P. K. 1963, « How to be a good empiricist. A plea for tolerance in matters epistemological », in Brody, B. ed., 1970 ; trad. fr. Jacob, P. 1980, in Jacob, P. ed., 1980.

Feyerabend, P. K. 1975, *Against Method,* Londres, New Left Review Editions ; trad. fr. Jurdant, B. et Schlumberger, A., 1979, *Contre la méthode,* Paris, Le Seuil.

Feyerabend, P. K. 1978, *Science in a Free Society,* Londres, New Left Review Editions.

Field, H. 1972, « Tarski's theory of truth », *Journal of Philosophy,* 69, 347-75.

Fleming, D. et Bailyn, B. eds 1968, *The Intellectual Migration, Europe and America, 1930-1960,* Cambridge, Mass., Harvard University Press.

Fodor, J. A. 1975, *The Language of Thought,* New York, Thomas Y. Crowell Comp.

Fodor, J. A. et Katz, J. J. eds 1964, *The Structure of Language: Readings in the Philosophy of Language,* Englewood Cliffs, N. J., Prentice-Hall.

Føllesdal, D. 1975, « Meaning and experience », in Guttenplan, S. ed., 1975.

Forman, P. 1971, « Weimar culture, causality, and quantum theory, 1918-1927. Adaptation by german physicists and mathematicians to a hostile environment », in McCormmach, R. ed., 1971, *Historical Studies in the Physical Sciences,* vol. 3.

Foster, L. et Swanson, J. W. eds, 1970, *Experience and theory,* Amherst, University of Massachusetts Press.

Foucault, M. 1967, in *Nietzsche,* Cahiers de Royaumont, Paris, Minuit.

Foucault, M. 1969, *L'Archéologie du savoir,* Paris, Gallimard.

Frank, P. 1949, *Modern Science and Its Philosophy,* Cambridge, Mass., Harvard University Press.

Frege, G. 1884, trad. fr. Imbert, Cl. 1969, *Les Fondements de l'arithmétique,* Paris, Le Seuil.

Frege, G. 1891-1892, trad. fr. Imbert, Cl. 1971, *Ecrits logiques et philosophiques,* Paris, Le Seuil ; trad. angl. Geach, P. et Black, M. 1970, *Translations from the Philosophical Writings of Gottlob Frege*, Oxford, Blackwell.

Gamow, G. 1966, *Thirty Years That Shook Physics,* New York, Doubleday.

Gardiner, P. ed. 1959, *Theories of History,* Glencoe, Ill., The Free Press.

Gay, P. 1968, « Weimar culture. The outsider as insider », in Fleming, D. et Bailyn, B. eds, 1968.

Geach, P. T. 1950, « Russell's Theory of Descriptions », *Analysis,* 10, 84-88.

Gochet, P. 1978, *Quine en perspective,* Paris, Flammarion.

Goodman, N. 1956, « A world of individuals », in Goodman, N. 1972.

Goodman, N. 1957, « Review of Craig, "Replacement of Auxiliary Expressions" », *Journal of Symbolic Logic,* 22, 318.

Goodman, N. 1955, *Fact, Fiction and Forecast,* New York, The Bobbs Merrill Comp. 3e éd., 1973.

Goodman, N. 1963, « The significance of *Der logische Aufbau der Welt* », in Schilpp, P. A. ed., 1963.

Goodman, N. 1972, *Problems and Projects,* Indianapolis et New York, The Bobbs Merrill Comp.

Goodman, N. et Quine, W. V. O. 1947, « Steps towards a

constructive nominalism », *Journal of Symbolic Logic,* 12, 105-22.

Granger, G. 1968, « Le problème de l'espace logique dans le *Tractatus* de Wittgenstein », *L'Age de la science,* 3, 181-95.

Grice, H. P. et Strawson, P. F. 1956, « In defense of a dogma », *Philosophical Review,* 65, 141-58.

Gunderson, K. ed. 1975, *Language, Mind and Knowledge, Minnesota Studies in the Philosophy of Science,* VII, Minneapolis, University of Minnesota Press.

Guttenplan, S. ed. 1975, *Mind and Language,* Oxford, The Clarendon Press.

Hacking, I. 1975, *Why Does Language Matter to Philosophy* ?, Cambridge, Cambridge University Press.

Hahn, H., Neurath, O. et Carnap, R. 1929, *Wissenschaftliche Weltauffassung: Der Wiener Kreis,* Vienne, Artur Wolf Verlag ; trad. angl. Neurath, M. et Cohen, R. S., in Neurath, M. et Cohen, R. S. eds, 1973.

Hanson, N. R. 1958a, *Patterns of Discovery,* Cambridge, Cambridge University Press.

Hanson, N. R. 1958b, « The logic of discovery », *Journal of Philosophy,* 55, 1073-89.

Hanson, N. R. 1959, « On the symmetry between explanation and prediction », *Philosophical Review,* 68, 349-58.

Hanson, N. R. 1961, « Is there a logic of scientific discovery ? », in Brody, B. ed., 1970 ; trad. fr. P. Jacob, 1980.

Hempel, C. G. 1942, « The function of general laws in history », *Journal of Philosophy,* 39, 35-48.

Hempel, C. G. 1945, « On the nature of mathematical truth », *The American Mathematical Monthly,* 52, 543-56.

Hempel, C. G. 1945, « Studies in the logic of confirmation », *Mind,* 54, 1-26 ; 97-121.

Hempel, C. G. 1950, « The empiricist criterion of meaning », *Revue internationale de philosophie,* 4, 41-63 ; trad. fr. P. Jacob, 1980.

Hempel, C. G. 1951. « The empiricist criterion of cognitive significance. A reconsideration », *Proceedings of the American Academy of Arts and Science,* 80, 61-77 ; trad. fr. P. Jacob, 1980.

Hempel, C. G. 1952, *Fundamentals of Concept Formation in Empirical Science,* International Encyclopedia of Unified Science, Chicago, Chicago University Press.

Hempel, C. G. 1954, « A logical appraisal of operationism », *Scientific Monthly,* 79, 215-20.

Hempel, C. G. 1958, « The theoretician's dilemma », in Feigl, H. et Maxwell, G. eds, 1958.
Hempel, C. G. 1963, « Implications of Carnap's work for the philosophy of science », in Schilpp, P. A. ed., 1963.
Hempel, C. G. 1965, *Aspects of scientific explanation and other essays in the philosophy of science,* New York, The Free Press.
Hempel, C. G. et Oppenheim, P. 1948, « Studies in the logic of explanation », *Philosophy of Science,* 15, 135-75.
Hilton, P. 1978, « Origins of analytical philosophy », thèse de Ph. D. de l'université Harvard, non publiée.
Hockney, D. 1975, « The bifurcation of scientific theories and indeterminacy of translation », *Philosophy of Science,* 42, 411-27.
Holton, G. 1973, *Thematic Origins of Scientific Thought, Kepler to Einstein,* Cambridge, Mass., Harvard University Press.
Hook, S. 1930, « A personal impression of contemporary german philosophy », *Journal of Philosophy,* 27, 141-60.
Husserl, E. 1913, *Logische Untersuchungen,* 2e éd. Halle : Max Niemeyer ; trad. fr. Elie, H., Kelkel, L. et Schérer, 1962, *Recherches logiques,* Paris, Presses Universitaires de France.

Jacob, P. ed. 1980, *De Vienne à Cambridge, l'héritage du positivisme logique,* Paris, Gallimard.
Jager, R. 1972, *The Development of Bertrand Russell's Philosophy,* Londres, George Allen & Unwin Ltd.
Janik, A. et Toulmin, S. 1973, *Wittgenstein's Vienna,* New York, Simon and Schuster.
Jourdain, P. E. B. ed. 1918, *The Philosophy of Mr. B*RTR*ND R*SS*LL,* Londres, George Allen & Unwin Ltd.

Katz, J. J. 1966, *The Philosophy of Language,* New York, Harper & Row.
Katz, J. J. 1972, *Semantic Theory,* New York, Harper & Row.
Katz, J. J. 1975, « Logic and language. An examination of recent criticisms of intensionalism », in Gunderson, K. ed., 1975.
Katz, J. J. et Fodor, J. A. 1963, « The structure of a semantic theory », *Language,* 39, 170-210.
Kemeny, J. G. et Oppenheim, P. 1956, « On reduction », *Philosophical Studies,* 7, 6-19.
Kenny, A. 1973, *Wittgenstein,* Londres, Allen Lane The Penguin Press.
Klemke, E. D. ed. 1968, *Essays on Frege,* Urbana, University of Illinois Press.

Klemke, E. D. ed. 1970, *Essays on Bertrand Russell,* Urbana, University of Illinois Press.

Kolakowski, L. 1968, *The Alienation of Reason. A History of Positivist Thought,* trad. angl. Guterman, N. New York, Doubleday.

Kraft, V. 1953, *The Vienna Circle,* New York, Greenwood Press.

Kripke, S. 1971, « Identity and necessity », in Schwarz, S. P. ed., 1977.

Kripke, S. 1972, « Naming and necessity », in Davidson, D. et Harman, G. eds, 1972.

Kuhn, T. S. 1962, *The Structure of Scientific Revolutions,* International Encyclopedia of Unified Science, Chicago, Chicago University Press. 2e éd., 1970.

Kuhn, T. S. 1970, « Logic of discovery or psychology of research ? », « Reflections on my critics », in Lakatos, I. et Musgrave, A. eds, 1970.

Kuhn, T. S. 1977, *The Essential Tension,* Chicago, Chicago Unisity Press.

Kuklick, B. 1977, *The Rise of American Philosophy, Cambridge, Massachusetts, 1860-1930,* New Haven et Londres, Yale University Press.

Kuroda, S. Y. 1979, *Aux Quatre Coins de la linguistique,* trad. fr. Braconnier, C. et Sampy, J. Paris, Le Seuil.

Lackey, D. ed. 1973, *Essays in Analysis by Bertrand Russell,* Londres, George Allen & Unwin Ltd.

Lakatos, I. et Musgrave, A. eds, 1970, *Criticism and the Growth of Knowledge,* Cambridge, Cambridge University Press.

Largeault, J. 1970, *Logique et philosophie chez Frege,* Paris-Louvain, Nauwelaerts.

Largeault, J. 1977a, « L'Epistémologie de W. V. O. Quine », *Critique,* 356, 71-91.

Largeault, J. 1977b, « Quelques Remarques à propos de l'analytique et du synthétique », *Revue de métaphysique et de morale,* 4, 457-70.

Lecourt, D. 1974, *Le Jour et la nuit,* Paris, Grasset.

Lécuyer, B. P. 1978, « Bilan et perspectives de la sociologie de la science dans les pays occidentaux », *Archives européennes de sociologie,* 19, 257-336.

Linsky, L. ed. 1952, *Semantics and the Philosophy of Language,* Urbana, University of Chicago Press.

Linsky, L. 1962, « Reference and referents », in Klemke, E. D. ed. 1970.

Linsky, L. 1967. *Referring,* Londres, Routledge & Kegan Paul ;

trad. fr. Stern-Gillet, S., Devaux, P. et Gochet, P. 1974, *Le Problème de la référence,* Paris, Le Seuil.
Linsky, L. ed. 1971, *Reference and Modality,* Londres, Oxford University Press.
Linsky, L. 1977, *Names and Descriptions,* Chicago, Chicago University Press.

Magee, B. 1971, *Modern British Philosophers,* New York, St Martin Press.
Magee, B. 1978, *Men of Ideas,* New York, The Viking Press.
Malcolm, N. 1958, *Ludwig Wittgenstein, A Memoir,* Londres, Oxford University Press.
Marsh, R. C. ed. 1956, *Bertrand Russell, Logic and Knowledge,* New York, G. P. Putnam's Sons.
Mays, W. et Brown, S. C. eds, 1972, *Linguistic analysis and Phenomenology,* Lewisburg, Bucknell University Press.
McGuinness, B. F. 1966, « The mysticism of the *Tractatus* », *Philosophical Review,* 75, 305-28.
Mendelsohn, E. 1963, « Science in America in the twentieth century », in Schlesinger, Jr., A. M. et White, M. eds, 1963.
Merz, J. T. 1904-1912, *A History of European Thought in the Nineteenth Century,* Gloucester, Mass., Peter Smith.
Moore, G. E. 1899, « The nature of judgment », *Mind*, 8, 176-93.
Moore, G. E. 1900, « Necessity », *Mind,* 9, 289-304.
Moore, G. E. 1900-1901, « Identity », *Proceedings of the Aristotelian Society,* 1, 103-27.
Moore, G. E. 1903, « The refutation of idealism », *Mind,* 12, 433-53.
Moore, G. E. 1922, *Philosophical Studies,* Londres, Kegan Paul, Trench & Co., Ltd.
Moore, G. E. 1942, « Autobiography » et « Replies », in Schilpp, P. A. ed., 1942.

Nagel, E. 1936, « Impressions and appraisals of analytic philosophy in Europe », *Journal of Philosophy,* 33, in Nagel, E., 1956.
Nagel, E. 1956, *Logic Without Metaphysics,* Glencoe, Ill., The Free Press.
Nagel, E. 1960, « The meaning of reduction in the natural sciences », in Danto, A. et Morgenbesser, S. eds, 1960, *Philosophy of Science,* Cleveland, Ohio, Meridian Books.
Nagel, E. 1961, *The Structure of Science,* New York, Harcourt Brace & World, Inc.

Nagel, E. 1963, « Carnap's theory of induction », in Schilpp, P. A. ed., 1963.
Nagel, E. et Newman, J. R. 1958, *Gödel's Proof,* New York, New York University Press.
Neurath, M. et Cohen, R. S. eds, 1973, *Otto Neurath, Empiricism and Sociology,* Dordrecht-Hollande, D. Reidel Pub. Comp.
Neurath, O. 1932-1933, « Prokollsätze », *Erkenntnis,* 3, trad. angl. Schick, G. 1959, in Ayer, A. J. ed., 1959.
Neurath, O. 1935, *Le Développement du Cercle de Vienne et l'avenir de l'empirisme logique,* trad. fr. général Vouillemin, Paris, Hermann.
Nickles, T. 1973, « Two concepts of intertheoretic reduction », *Journal of Philosophy,* 70, 181-201.
Nidditch, P. H. ed. 1968, *The Philosophy of Science,* Londres, Oxford University Press.

Pariente, J. C. 1969, « Sur la sagesse du roi de France », *l'Age de la science,* 2, 129-44.
Passmore, J. 1957, *A Hundred Years of Philosophy,* Londres, Gerald Duckworth & Co., Ltd.
Pears, D. F. 1967, *Bertrand Russell and the British Tradition in Philosophy,* Londres, Fontana.
Pears, D. F. 1969, *Ludwig Wittgenstein,* New York, The Viking Press.
Pears, D. F. ed. 1972, *Bertrand Russell, A Collection of Critical Essays,* New York, Doubleday.
Poincaré, H. 1902, *La Science et l'hypothèse,* Paris, Flammarion.
Popper, K. R. 1957, « The aim of science », in Popper, K. R. 1972.
Popper, K. R. 1959, *The Logic of Scientific Discovery,* trad. angl. de *Logik der Forschung,* 1934, New York: Harper Torchbooks, trad. fr. Thyssen-Rutten, N. et Devaux, P., 1973, *La Logique de la découverte scientifique,* Paris, Payot.
Popper, K. R. 1963a, « The demarcation between science and metaphysics », in Schilpp, P. A. ed., 1963 et in Popper, K. R., 1963b ; trad. fr. Jacob, P., 1980.
Popper, K. R. 1963b, *Conjectures and Refutations,* New York, Harper & Row.
Popper, K. R. 1970, « Normal Science and Its Dangers », in Lakatos, I. et Musgrave, A., eds, 1970.
Popper, K. R. 1972, *Objective Knowledge, An Evolutionary Approach.* Oxford, The Clarendon Press.
Popper, K. R. 1976, *Unended Quest, An Intellectual Autobiography,* La Salle, Ill., Open Court, Pub. Comp.

Putnam, H. 1962a, « What theories are not », in Putnam, H. 1975, vol. 1, trad. fr. Jacob, P., 1980.
Putnam, H. 1962b, « The analytic and the synthetic », in Putnam, H., 1975, vol. 2.
Putnam, H. 1962c, « Dreaming and depth "grammar" », in Putnam, H., 1975, vol. 2.
Putnam, H. 1962d, « It ain't necessarily so », in Putnam, H., 1975, vol. 1.
Putnam, H. 1963, « "Degree of confirmation" and inductive logic », in Schilpp, P. A. ed., 1963 et in Putnam, H., 1975, vol. 1.
Putnam, H. 1965, « Craig's theorem », in Putnam, H., 1975, vol. 1.
Putnam, H. 1969, « Logical positivism and the philosophy of mind », in Achinstein, P. et Barker, S., eds, 1969 et in Putnam, H., 1975, vol. 2.
Putnam, H. 1975, *Philosophical Papers,* 2 vols, Cambridge, Cambridge University Press.
Putnam, H. 1976, « What is realism ? », *Proceedings of the Aristotelian Society,* 76, 177-94 ; et in Putnam, H., 1978b.
Putnam, H. 1977, « Realism and reason », *Proceedings and Addresses of the American Philosophical Association,* 50, 483-98.
Putnam, H. 1978a, « There is at least one a priori truth », *Erkenntnis,* 13, 153-70 ; trad. fr. Morran, T., 1979. *Revue de métaphysique et de morale,* 2, 195-208.
Putnam, H. 1978b, *Meaning and the Moral Sciences,* Londres, Routledge & Kegan Paul.

Quine, W. V. O. 1936, « Truth by convention », in Quine, W. V. O., 1976.
Quine, W. V. O. 1943, « Notes on existence and necessity », *Journal of Philosophy,* 40, 113-27.
Quine, W. V. O. 1950, *Methods of Logic.* 3e éd., 1972, New York: Holt, Rinehart and Winston, Inc. ; trad. fr. Clavelin, M. 1973, *Les Méthodes de la logique,* Paris, A. Colin.
Quine, W. V. O. 1953, *From a Logical Point of View,* Cambridge, Mass., Harvard University Press.
Quine, W. V. O. 1960, *Word and Object,* Cambridge, Mass., M. I. T. Press ; trad. fr. Gochet, P., 1978, *Le Mot et la chose,* Paris, Flammarion.
Quine, W. V. O. 1963, « Carnap and logical truth », in Schilpp, P. A. ed., 1963 et in Quine, W. V. O., 1976.
Quine, W. V. O. 1969, *Ontological Relativity and Other Essays,* New York, Columbia University Press ; trad. fr. Largeault, J.,

1977, *Relativité de l'ontologie et autres essais,* Paris, Aubier.
Quine, W. V. O. 1970a, « Grades of theoreticity », in Foster, L. et Swanson, J. W. eds, 1970.
Quine, W. V. O. 1970b, « On the reasons for indeterminacy of translation », *Journal of Philosophy,* 6, 178-83.
Quine, W. V. O. 1970c, *Philosophy of Logic,* Englewood Cliffs, N. J., Prentice-Hall ; trad. fr. Largeault, J. 1975, *Philosophie de la logique,* Paris, Aubier.
Quine, W. V. O. 1972, « Methodological reflections on current linguistic theory », in Davidson, D. et Harman, G. eds, 1972.
Quine, W. V. O. 1975, « On empirically equivalent systems of the world », *Erkenntnis,* 9, 313-28.
Quine, W. V. O. 1976, *The Ways of Paradox and Other Essays.* 1re éd., 1966, Cambridge, Mass., Harvard University Press.

Ramsey, F. P. 1931, *The Foundations of Mathematics and Other Logical Essays,* Londres, Kegan Paul.
Reichenbach, H. 1920, *The Theory of Relativity and A Priori Knowledge,* trad. angl. Reichenbach, M., 1965, Berkeley, University of California Press.
Reichenbach, H. 1928, *The Philosophy of Space and Time,* trad. angl. Reichenbach, M. et Freund, J., 1958, New York, Dover.
Reichenbach, H. 1938, *Experience and Prediction,* Chicago, The University of Chicago Press.
Reichenbach, H. 1951, « The philosophical significance of the theory of relativity », in Schilpp, P. A. ed., 1951.
Rorty, R. 1972, « Indeterminacy of translation and of truth », *Synthese,* 23, 443-62.
Rougier, L. ed. 1936, *Actes du congrès international de philosophie scientifique, Sorbonne Paris, 1935,* 8 vol., Paris, Hermann.
Russell, B. 1897, *An Essay on the Foundations of Geometry,* Cambridge, The University Press, 1956, New York, Dover.
Russell, B. 1900, *A Critical Examination of the Philosophy of Leibniz,* Cambridge, The University Press ; trad. fr. Ray, J. et R. 1908, Paris, Alcan. 2e éd., 1937, Londres, George Allen & Unwin, Ltd. ; réimpr. trad. fr. 1970. Paris-Londres-New York, Gordon & Breach.
Russell, B. 1903, *The Principles of Mathematics*, Cambridge, The University Press. 2e éd., 1937, Londres, George Allen & Unwin, Ltd.
Russell, B. 1905, « On denoting », *Mind,* 14, 479-93.
Russell, B. 1907, « The regressive method of discovering the premises of mathematics », in Lackey, D. ed. 1973.

Russell, B. 1908, « Mathematical logic as based on the theory of types », *American Journal of Mathematics,* 30, 222-62.
Russell, B. 1910, *Philosophical Essays,* Londres, Longmans, Green & Co.
Russell, B. 1912, *The Problems of Philosophy,* Londres, William & Norgate.
Russell, B. 1914a, *Our Knowledge of the External World,* Londres, George Allen & Unwin ; trad. fr. P. Devaux, 1971, *La Méthode scientifique en philosophie,* Paris, Payot.
Russell, B. 1914b, « Mysticism and logic », in Russell, B., 1918b.
Russell, B. 1914c, « On scientific method in philosophy », in Russell, B., 1918b.
Russell, B. 1918a, « Philosophy of logical atomism », *Monist,* 28, 495-527 ; 1919, *Monist*, 29, 32-63 ; 190-222 ; 345-380.
Russell, B. 1918b, *Mysticism and Other Essays,* New York, Longmans, Green & Co.
Russell, B. 1919, *Introduction to Mathematical Philosophy,* Londres, George Allen & Unwin, Ltd. ; trad. fr. Moreau, G. 1970, Paris, Payot.
Russell, B. 1921, Introduction au *Tractatus* de Wittgenstein, L.
Russell, B. 1944, « My mental development », in Schilpp, P. A. ed., 1944.
Russell, B. 1959, *My Philosophical Development,* Londres, George Allen & Unwin.

Scheffler, I. 1963, *The Anatomy of Inquiry,* Indianapolis et New York, The Bobbs Merrill Comp. Inc.
Scheffler, I. 1967, *Science and Subjectivity,* New York, The Bobbs Merrill Comp. Inc.
Schlesinger, Jr., A. M. et White, M. eds, 1963, *Paths of American Thought,* Boston, Houghton Mifflin Comp.
Schilpp, P. A. ed. 1942, *The Philosophy of G. E. Moore,* Chicago, Northwestern University.
Schilpp, P. A. ed. 1944, *The Philosophy of Bertrand Russell,* New York, Tudor Pub. Comp.
Schilpp, P. A. ed. 1951, *Albert Einstein Philosopher Scientist,* La Salle, Ill., Northwestern University & Southern Illinois University.
Schilpp, P. A. ed. 1963, *The Philosophy of Rudolf Carnap,* La Salle, Ill., Open Court.
Schilpp, P. A. ed. 1974, *The Philosophy of Karl Popper,* La Salle, Ill., Open Court Pub. Comp.
Schlick, M. 1917, *Space and Time in Contemporary Physics,*

trad. angl. Brose, H. L., 1920, Londres, Oxford University Press.

Schlick, M. 1934, *Les Enoncés scientifiques et la réalité du monde extérieur,* trad. fr. général Vouillemin.

Schlick, M. 1935, *Sur le fondement de la connaissance,* Paris, Hermann.

Schlick, M. 1949, *Philosophy of Nature,* trad. angl. von Zeppelin A., New York, Philosophical Library.

Schoenman, R. ed. 1967, *Bertrand Russell, Philosopher of the Century,* Londres, George Allen & Unwin Ltd.

Schwarz, S. P. ed. 1977, *Naming, Necessity, and Natural Kinds,* Ithaca et Londres, Cornell University Press.

Scriven, M. 1959, « Explanation and prediction in evolutionary theory », *Science,* 130, 447-82.

Scriven, M. 1962, « Explanations, predictions, and laws », in Feigl, H. et Maxwell, G. eds, 1962.

Searle, J. R. ed. 1971, *The Philosophy of Language,* Londres, Oxford University Press.

Serres, M. 1972, *Hermes II — L'interférence,* Paris, Minuit.

Shapere, D. 1964, « The structure of scientific revolutions », *Philosophical Review,* 73, 383-94, trad. fr. Jacob. P., 1980.

Shapere, D. 1966, « Meaning and scientific change », in Colodny, R. G. ed., 1966.

Sklar, L. 1967, « Types of intertheoretic reduction », *The British Journal for the Philosophy of Science,* 18, 109-24.

Sklar, L. 1974, *Space, Time, and Spacetime,* Berkeley, University of California Press.

Smullyan, A. F. 1948, « Modality and description », *Journal of Symbolic Logic,* 13, 31-37.

Strawson, P. F. 1950, « On referring », *Mind,* 59, 320-44 ; trad. fr. J. Milner, 1977, in *Etudes de logique et de linguistique,* Paris, Le Seuil.

Strawson, P. F. ed. 1967, *Philosophical Logic,* Londres, Oxford University Press.

Suppe, F. ed. 1977, 2e éd., *The Structure of Scientific Theories,* Urbana, University of Illinois Press.

Tarski, A. 1933, « Quelques Remarques sur les concepts d'ω-consistance et d'ω-complétude », in Tarski, A., 1972, vol. 2.

Tarski, A. 1936a, « Le Concept de vérité dans les langages formalisés », in Tarski, A., 1972, vol. 1.

Tarski, A. 1936b, « La Construction d'une sémantique scientifique », in Tarski, A., 1972, vol. 2.

Tarski, A. 1936c, « Sur le concept de conséquence logique », in Tarski, A., 1972, vol. 2.

Tarski, A. 1944, « La Conception sémantique de la vérité », in Tarski, A., 1972, vol. 2.
Tarski, A. 1972, *Logique, Sémantique, métamathématique, 1923-1944,* trad. fr. dirigée par Granger, G., Paris, A. Colin.
Toulmin, S. 1953, *The Philosophy of Science,* Londres, Hutchinson House.
Toulmin, S. 1963, *Foresight and Understanding,* Londres, Hutchinson.
Toulmin, S. 1964, *The Uses of Argument,* Cambridge, Cambridge University Press.
Toulmin, S. 1972, *Human Understanding,* Princeton, N. J., Princeton University Press.
Toulmin, S. 1977, « From form to function: philosophy and history of science in the 1950's and now », *Daedalus,* été, vol. 1, 143-62.
Tugendhat, E. 1972, « Description as the method of philosophy », in Mays, W. et Brown, S. C. eds, 1972.
Turk, M. 1975, « The Vienna Circle in historical perspective », thèse de Ph. D. de l'université Harvard, non publiée.

Ulam, S., Kuhn, W., Tucker, A. W. et Shannon, C. E. 1968, « John von Neumann, 1903-1957 », in Fleming, D. et Bailyn, B. eds, 1968.

van Heijenoort, J. ed. 1967, *From Frege to Gödel: A Source Book in Mathematical Logic,* Cambridge, Mass., Harvard University Press.
von Mises, R. 1951, *Positivism. A Study in Human Understanding,* Cambridge, Mass., Harvard University Press.
von Wright, G. H. 1958, *Biographical Sketch,* in Malcolm, N., 1958.
von Wright, G. H. et McGuinness, B. F. eds 1974, *Ludwig Wittgenstein. Letters to Russell, Keynes and Moore,* Oxford, Blackwell.
Général Vouillemin. 1935, *La Logique de la science et l'école de Vienne,* Paris, Hermann.

Wang, H. 1974, *From Mathematics to Philosophy,* Londres, Routledge & Kegan Paul.
White, M. 1956, *Toward Reunion in Philosophy,* Cambridge, Mass., Harvard University Press.
White, M. 1973, *Pragmatism and the American Mind,* Londres, Oxford University Press.
Whitehead, N. R. et Russell, B. 1910-1913, *Principia Mathematica,* Cambridge, The University Press.

Wilson, N. L. 1959, « Substances without substrata », *Review of Metaphysics,* 12, 521-39.

Wittgenstein, L. 1921, *Tractatus Logico-philosophicus,* trad. angl. Pears, D. F. et McGuinness, B. F., 1963, Londres, Routledge & Kegan Paul.

Wittgenstein, L. 1953, *Philosophical Investigations,* trad. angl. Anscombe, G. E. M., 1953, Oxford, Blackwell.

INDEX

TABLE DES MATIERES

CET OUVRAGE A ÉTÉ ACHEVÉ D'IMPRIMER LE QUINZE JUIN MIL NEUF CENT QUATRE-VINGT-DEUX SUR LES PRESSES DE L'IMPRIMERIE CORBIÈRE ET JUGAIN A ALENÇON ET INSCRIT DANS LES REGISTRES DE L'ÉDITEUR SOUS LE NUMÉRO 1743. DÉPÔT LÉGAL : JUILLET 1982.